7일 끝

중간고사

KB093841

7일 끝으로 끝내자!

고등 국어 **하**

박영목 교과서

BOOK 1

천재교육

언제나 만점이고 싶은 친구들 ──────────

Welcome!

숨 돌릴 틈 없이 찾아오는 시험과 평가,
성적과 입시 그리고 미래에 대한 걱정.
중·고등학교에서 보내는 6년이란 시간은
때때로 힘들고, 버겁게 느껴지곤 해요.

그런데 여러분, 그거 아세요?
지금 이 시기가 노력의 대가를
가장 잘 확인할 수 있는 시간이라는 걸요.

안 돼, 못하겠어, 해도 안 될 텐데─
어렵게 생각하지 말아요. 천재교육이 있잖아요.
첫 시작의 두려움을 첫 마무리의 뿌듯함으로 바꿔줄게요.

펜을 쥐고 이 책을 펼친 순간
여러분 앞에 무한한 가능성의 길이 열렸어요.

우리와 함께 꽃길을 향해 걸어가 볼까요?

#시험대비
#핵심정복

7일 끝
중간고사
기말고사

Chunjae
Makes
Chunjae

▼

[7일 끝] 고등 국어 하

개발총괄	김덕유
편집개발	고명선, 박소연, 명세진, 최지수
조판	대진문화(구민범, 강성희 외)
제작	황성진, 조규영

발행일	2021년 5월 1일 초판 2021년 5월 1일 1쇄
발행인	(주)천재교육
주소	서울시 금천구 가산로9길 54
신고번호	제2001-000018호
고객센터	1577-0902
교재 내용문의	(02)3282-8527

7일 끝으로 끝내자!

7 고등 국어 하

BOOK 1
중 간 고 사 대 비

이 책의 구성과 활용

일차별 시험 공부

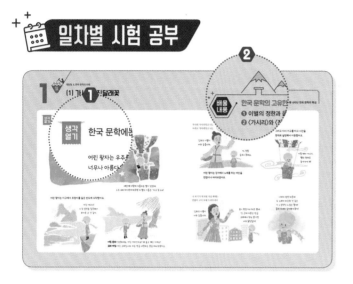

생각 열기

본격적인 공부에 앞서 학습할 내용을 만화를 통해 가볍게 살펴보고 넘어갈 수 있습니다.

❶ 생각 열기 | 질문과 만화로 학습 내용 떠올리기
❷ 배울 내용 | 단원에서 배울 중요한 학습 요소 확인하기

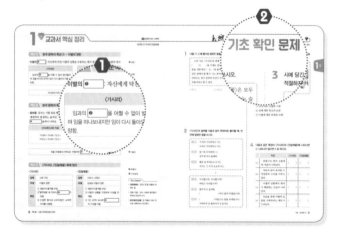

교과서 핵심 정리 + 기초 확인 문제

꼭 알아야 할 교과서 핵심 내용을 정리하고 기초 확인 문제를 풀며 개념을 잘 이해하였는지 꼼꼼히 확인할 수 있습니다.

❶ 빈칸 문제를 채우며 핵심 내용 체크하기
❷ 교과서 핵심 내용과 관련된 기초 확인 문제 풀기

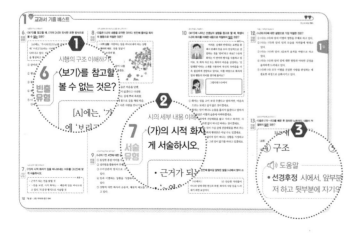

교과서 기출 베스트

기출문제에서 엄선한 빈출 유형의 문제와 예상 문제를 통해 기본 실력을 탄탄하게 다질 수 있습니다.

❶ 빈출 유형을 통해 출제 빈도가 높은 문제 유형 익히기
❷ 서술 유형을 통해 주관식 문제 대비하기
❸ 도움말을 보며 문제 해결의 힌트 확인하기

시험 공부 마무리 테스트

누구나 100점 테스트

아주 쉬운 내신 대비 문제로 100점에 도전하여
자신감을 키울 수 있습니다.

창의·융합·코딩 서술형 테스트

다양한 유형의 서술형 문제로 사고력을 키우고
서술형 문제에 대한 적응력을 높일 수 있습니다.

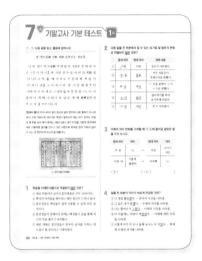

중간/기말고사 기본 테스트

실제 시험과 비슷한 문제를 풀며 실력을 점검하
고 실전에 대비할 수 있습니다.

시험 직전까지 챙겨야 할 부록

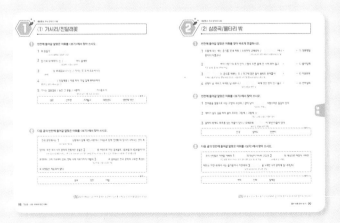

◈ 필수 어휘 모아 보기

문제를 통해 단원별 필수 어휘를 확인하며 어휘력을 기를 수 있습니다.

◈ 핵심 정리 총집합 카드

빈출 개념만을 모아 카드 형식으로 수록하였습니다. 점선대로
잘라 휴대하면서 이동할 때나 시험 직전에 활용할 수 있습니다.

이 책의 차례

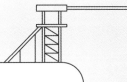

우리 학교 시험 범위 확인

교과서 단원			교재
1. 마음을 담은 언어	(1) 언어 예절과 화법의 다양성	☐	상 BOOK 1 1일, 6일 1회, 7일
	(2) 소통하는 글쓰기	☐	상 BOOK 1 1일, 6일 1회, 7일
2. 능동적 읽기와 주체적 해석	(1) 사회적 대화로서의 글 읽기	☐	상 BOOK 1 2일, 6일 1회, 7일
	(2) 자신의 관점에서 문학 작품 읽기	☐	상 BOOK 1 3일, 6일 2회, 7일
	(3) 독서 과정을 성찰하며 책 읽기	☐	상 BOOK 1 4일, 6일 2회, 7일
3. 우리말 바로 쓰기	(1) 올바른 발음과 표기	☐	상 BOOK 1 5일, 6일 2회, 7일
	(2) 한글 맞춤법의 원리와 내용	☐	상 BOOK 2 1일, 6일 1회, 7일
	(3) 바람직한 의사소통 문화	☐	상 BOOK 2 1일, 6일 1회, 7일
4. 문학의 갈래와 구조	(1) 향수	☐	상 BOOK 2 2일, 6일 1회, 7일
	(2) 종탑 아래에서	☐	상 BOOK 2 3일, 6일 1회, 7일
	(3) 두근두근 내 인생	☐	상 BOOK 2 4일, 6일 2회, 7일
	(4) 수오재기	☐	상 BOOK 2 4일, 6일 2회, 7일
5. 매체와 설득	(1) 매체 자료 바로 읽기	☐	상 BOOK 2 5일, 6일 2회, 7일
	(2) 설득하는 글 쓰기	☐	상 BOOK 2 5일, 6일 2회, 7일
6. 한국 문학의 이해	(1) 가시리/진달래꽃	☐	하 BOOK 1 1일, 6일 1회, 7일
	(2) 상춘곡/울타리 밖	☐	하 BOOK 1 2일, 6일 1회, 7일
	(3) 춘향전	☐	하 BOOK 1 3일, 6일 1회, 7일
7. 생각을 키우는 읽기와 쓰기	(1) 창의적 읽기	☐	하 BOOK 1 4일, 6일 2회, 7일
	(2) 자발적으로 책 읽기	☐	하 BOOK 1 5일, 6일 2회, 7일
	(3) 쓰기 과정 성찰하기	☐	하 BOOK 1 5일, 6일 2회, 7일
8. 국어의 어제와 오늘	(1) 국어의 변화와 발전	☐	하 BOOK 2 1일, 6일 1회, 7일
	(2) 문법 요소의 이해와 활용	☐	하 BOOK 2 2일, 6일 1회, 7일
9. 문제 해결을 위한 의사소통	(1) 토론과 논증	☐	하 BOOK 2 3일, 6일 1회, 7일
	(2) 협상과 갈등 해결	☐	하 BOOK 2 3일, 6일 1회, 7일
10. 문학과 삶	(1) 광야/신의 방	☐	하 BOOK 2 4일, 6일 2회, 7일
	(2) 황만근은 이렇게 말했다	☐	하 BOOK 2 5일, 6일 2회, 7일
	(3) 경험과 성찰을 담은 글 쓰기	☐	하 BOOK 2 5일, 6일 2회, 7일

(1) 가시리 / 진달래꽃

생각
열기 ## 한국 문학에는 어떤 특성이 있을까?

어린 왕자는 우주를 여행하다가 푸르게 빛나는,
너무나 아름다운 별을 발견했습니다.

세상에! 저렇게 아름다운 별이 있었네.
우주 내비게이션에 따르면 저 별의 이름은 '지구'로구나!

어린 왕자는 지구에서 호랑이를 닮은 반도에 도착했어요.

여긴 어디지?
시간 설정을 잘못해서
과거로 온 것 같아.

어린 왕자: 안녕하세요. 여긴 어디인가요? 왜 울고 계신 거예요?
고려 여인: 여긴 고려입니다. 저는 방금 사랑하는 분을 떠나보냈어요.

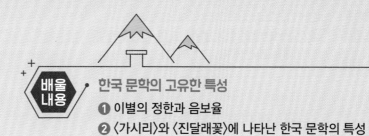

가시리 가시리잇고 나는
ᄇᆞ리고 가시리잇고 나는

임과의 이별이
너무 슬픕니다.

아, 정말
슬프시겠네요.

어린 왕자는 강가에서 노래를 하는 여인을
한참이나 바라보았어요.

그리고 다시 기구를 타고 시간을
현대로 설정해서 이동했어요.

이럴 때가 아니지.
빨리 현대로
돌아가야 해!

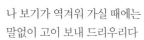

나 보기가 역겨워 가실 때에는
말없이 고이 보내 드리우리다

임과의 이별이
너무 슬픕니다.

휴~ 한참이나 뒤로 왔네.
앗, 근데 저분은 방금
고려에서 만난 분이랑
너무 닮았잖아!

시대가 완전 다른데
두 노래가 비슷한 것 같은
이 느낌적인 느낌은 뭘까?
좀더 자세히 알아봐야겠어!

핵심 1 한국 문학의 특성 ① – 이별의 정한

• 이별의 **❶**⬚ : 자신에게 닥친 이별의 상황을 수용하는 데서 생기는 한(恨)과 슬픔의 정서

❶ 정한

〈가시리〉
임과의 **❷**⬚을 어쩔 수 없이 받아들이며 임을 떠나보내지만 임이 다시 돌아오기를 소망함.

〈진달래꽃〉
이별의 상황을 가정하여, 떠나는 임을 원망하지 않고 기꺼이 보내 드리겠다는 **❸**⬚의 자세를 보임.

❷ 이별

❸ 체념

⬇

자신에게 닥친 불행한 상황에 순응하면서 느끼는 슬픔과 한(恨)

핵심 2 한국 문학의 특성 ② – 음보율

• **음보율**: 음보는 시를 읽을 때 잠시 쉬는 한 **❹**⬚의 단위로, 음보율은 음보를 규칙적으로 배열하여 발생하는 율격임. 고려 가요에서는 주로 3음보 율격이, 시조와 가사에서는 주로 **❺**⬚ 율격이 나타남.

❹ 호흡

❺ 4음보

〈가시리〉(고려 가요)
가시리∨가시리∨잇고∨ 부리고∨가시리∨잇고∨

〈진달래꽃〉(현대 시)
나 보기가∨역겨워∨ 가실 때에는∨ 말없이∨고이 보내∨드리우리다

⬇

작품 전체에서 반복되는 전통적인 **❻**⬚의 율격

❻ 3음보

핵심 3 〈가시리〉, 〈진달래꽃〉 제재 정리

• 〈가시리〉

갈래	고려 가요
주제	이별의 정한
특징	① 3음보의 율격을 보임. ② 분연체로 매 연마다 **❼**⬚가 있음. ③ 간결한 형식과 순우리말인 소박한 시어를 사용함.

• 〈진달래꽃〉

갈래	자유시, 서정시
주제	승화된 이별의 정한
특징	① 3음보의 율격을 보임. ② 이별의 상황을 가정하여 시상을 전개함. ③ 1연, 4연이 유사한 **❽**⬚의 구조를 이룸.

❼ 후렴구

❽ 수미상관

개념 Catch

• **정한(情恨)**: '정'과 '한'을 아울러 이르는 말.

• **고려 가요**: 고려 시대에 평민들이 부르던 민요적 시가.

• **분연체(연장체)**: 한 작품이 여러 연으로 이루어진 시의 형식.

1 다음 ㉠, ㉡에 들어갈 알맞은 말을 각각 쓰시오.

> 고려 가요 〈가시리〉와 현대 시 〈진달래꽃〉은 모두 (㉠)을 주제로 임과의 이별에서 오는 슬픔을 전통적인 (㉡)의 율격에 담아내고 있다. 이같은 점에서 볼 때 두 시는 과거부터 현대까지 이어져 내려오는 한국 문학의 특성이 무엇인지 잘 보여 주는 작품이라고 할 수 있다.

• ㉠: ( ) • ㉡: ( )

2 〈가시리〉의 일부를 다음과 같이 현대어로 풀이할 때, 빈칸에 알맞은 말을 쓰시오.

> [1연] 가시리 가시리잇고 나는
> 부리고 가시리잇고 나는
>
> [3연] 잡스와 두어리마ᄂᆞᆫ
> 선ᄒᆞ면 아니 올셰라
>
> [4연] 셜온 님 보내ᄋᆞᆸ노니 나는
> 가시는 듯 도셔 오쇼셔 나는

↓

> [1연] 가시렵니까, 가시렵니까?
> 버리고 가시렵니까?
>
> [3연] 잡아 두고 싶지만,
> ( ) 아니 올까 두렵습니다.
>
> [4연] ( ) 마음으로 임을 보내오나니
> 가자마자 곧 돌아서서 오십시오.

3 시에 담긴 화자의 의도를 고려할 때, '진달래꽃'의 의미로 적절하지 않은 것은?

> 영변(寧邊)에 약산(藥山)
> 진달래꽃
> 아름 따다 가실 길에 뿌리우리다.
>
> 가시는 걸음걸음
> 놓인 그 꽃을
> 사뿐히 즈려밟고 가시옵소서

① 임의 앞날에 대한 축복
② 떠나는 임에 대한 배려
③ 임에 대한 강렬한 사랑
④ 임에 대한 헌신과 순종
⑤ 이별에 대한 후회와 자책

4 다음과 같은 특징이 〈가시리〉와 〈진달래꽃〉에 나타나면 O, 나타나지 않으면 X 표 하시오.

	특징	〈가시리〉	〈진달래꽃〉
(1)	후렴구로 연이 구분되며, 여음이 나타난다.	( )	( )
(2)	처음과 끝이 유사한 수미상관의 구조를 이루고 있다.	( )	( )
(3)	이별의 상황에서 화자가 체념하는 모습이 나타난다.	( )	( )
(4)	웃음을 통해 이별의 슬픔을 극복하려는 태도가 드러난다.	( )	( )

교과서 기출 베스트

[1~13] 다음 글을 읽고, 물음에 답하시오.

가 가시리 가시리잇고 나는
　　브리고 가시리잇고 나는 　[A]
　　　　위 증즐가 大平盛代(대평셩디)

　　날러는 엇디 살라 ᄒ고
　　브리고 가시리잇고 나는
　　　　위 증즐가 大平盛代(대평셩디)

　　잡ᄉ와 두어리마ᄂᆞᆫ
　　선ᄒ면 ㉠아니 올셰라
　　　　위 증즐가 大平盛代(대평셩디)

　　셜온 님 보내ᄋᆞ노니 나는
　　㉡가시ᄂᆞᆫ 듯 도셔 오쇼셔 나는
　　　　위 증즐가 大平盛代(대평셩디)

나 나 보기가 역겨워
　　가실 때에는
　　말없이 고이 보내 드리우리다

　　영변(寧邊)에 약산(藥山)
　　진달래꽃
　　아름 따다 가실 길에 ㉢뿌리우리다.

　　가시는 걸음걸음
　　놓인 그 꽃을
　　㉣사뿐히 즈려밟고 가시옵소서

　　나 보기가 역겨워
　　가실 때에는
　　죽어도 아니 눈물 흘리우리다.

다 아리랑 아리랑 아라리요
　　아리랑 고개로 넘어간다
　　나를 버리고 가시는 님은
　　㉤십 리도 못 가서 발병 난다

시의 형식상 특징 파악하기

1 **(가)~(다)에 대한 설명으로 적절하지 않은 것은?**
빈출유형

① (가)~(다) 모두 음보를 규칙적으로 반복하여 운율을 형성하고 있다.

② (가), (나)는 각 연의 끝에서 동일한 시행을 반복하여 통일감을 주고 있다.

③ (가)는 의문형 문장을 사용하여 화자의 정서를 부각하고 있다.

④ (나)는 시의 처음과 끝을 유사한 구조로 제시하여 주제를 강조하고 있다.

⑤ (다)는 '아리랑'이라는 말을 반복하여 운율을 형성하고 있다.

화자의 상황과 정서 파악하기

2 **(가)~(다)의 화자에 대한 설명으로 적절한 것은?**
빈출유형

① (가)의 화자는 임과의 만남을 후회하고 있다.

② (가)의 화자는 임이 떠나지 않기를 바라고 있다.

③ (나)의 화자는 떠난 임이 돌아오기를 기원하고 있다.

④ (나)의 화자는 이별의 아픔을 직접적으로 드러내고 있다.

⑤ (다)의 화자는 임과 이별한 자신의 서글픈 신세를 한탄하고 있다.

한국 문학의 특성 파악하기

3 **(가)~(다)에 공통적으로 드러난 한국 문학의 고유한 특성**
서술유형 **이 무엇인지 〈조건〉에 맞게 서술하시오.**

┌─────────── 조건 ───────────
• 각 시의 주제를 고려하여 공통점을 서술할 것

• '(가)~(다)를 통해 알 수 있는 한국 문학의 고유한 특성은 ~ 상황에서 ~이 나타난다는 것이다.'의 문장 형식으로 서술할 것
└─────────────────────────

세부 구절의 의미 파악하기

4 **⊙~⊚에 대한 설명으로 적절하지 않은 것은?**
빈출유형

① ⊙: 걱정이나 두려움의 의미를 더해 주는 어미 '-ㄹ셰라'를 사용하여 화자가 염려하는 내용을 드러내고 있다.

② ⓛ: 떠나는 임을 적극적으로 만류하지 못하고 임이 빨리 돌아오기만을 소망하는 화자의 소극적인 태도가 드러난다.

③ ⓒ: 상대방에게 단호한 명령의 태도를 드러내는 어미 '-우리다'를 사용하여 임을 축복하는 마음을 강조하고 있다.

④ ⓔ: '즈려밟고'는 '힘주어 밟고'의 뜻으로, '사뿐히'와 함께 사용되어 역설적 의미를 보여 준다.

⑤ ⓜ: 자신을 버리고 가는 임에게 위협의 말을 함으로써 임을 붙잡고 싶은 소망을 드러내고 있다.

후렴구의 기능 이해하기

5 **〈보기〉의 설명을 참고하여 (가)의 후렴구에 대해 이해한**
빈출유형 **내용으로 적절하지 않은 것은?**

┌─────────── 보기 ───────────
시가에서 일정 간격을 두고 반복되어 나타나는 말이나 소리인 후렴구는 고려 가요와 민요 등에서 발달하였는데, 노래의 내용과 무관하게 흥을 돋우거나 시 전체의 연(聯)이나 장(章)을 구분하는 형식적 측면에서 기능하였다. 특히 고려 가요에서 보이는 독특한 후렴구는 궁중악으로 쓰이면서 첨가된 것으로 추정된다.
└─────────────────────────

① 각 연을 구분하고 통일감을 부여하고 있다.

② 작품이 궁중악으로 편입되었음을 보여 주고 있다.

③ 시적 화자가 느끼는 슬픔의 정서를 극대화하고 있다.

④ 전체 노래의 주제와 무관한 내용으로 이루어져 있다.

⑤ '나는'과 함께 노래의 흥을 돋우는 기능을 하고 있다.

시행의 구조 이해하기

6 〈보기〉를 참고할 때, (가)의 [A]와 유사한 표현 방식으로
빈출
유형 볼 수 <u>없는</u> 것은?

─────────── 보기 ───────────

[A]에는, '가시리(잇고)'(a)를 연이어 배열하되 중간
에 '브리고'(b)라는 시어를 삽입한 'a-a-b-a 구조'가
나타나고 있다. 이와 같은 반복과 변화를 통해서 운율
을 형성하고 의미를 강조하는 것이다.

① 살어리 살어리랏다 청산애 살어리랏다.

– 작자 미상, 〈청산별곡〉

② 형님 온다 형님 온다 분고개로 형님 온다.

– 작자 미상, 〈시집살이 노래〉

③ 꽃 피네 / 꽃이 피네 / 갈 봄 여름 없이 / 꽃이 피네

– 김소월, 〈산유화〉

④ 해야 솟아라. 해야 솟아라. 말갛게 씻은 얼굴 고운
해야 솟아라. – 박두진, 〈해〉

⑤ 너 오는 길에 무쇠로 성을 쌓고 성 안에 담 쌓고 담
안에 집을 짓고 집 안에 뒤주 놓고

– 작자 미상, 〈어이 못 오던가〉

시의 세부 내용 이해하기

7 (가)의 시적 화자가 임을 떠나보내는 이유를 〈조건〉에 맞
서술
유형 게 서술하시오.

─────────── 조건 ───────────

• 근거가 되는 연을 밝힐 것
• '~연을 보면, 시적 화자는 ~ 때문에 임을 떠나보내
고 있다.'의 문장 형식으로 서술할 것

시적 상황에 대한 화자의 대응 방식 파악하기

8 다음은 (나)의 내용을 요약한 것이다. 빈칸에 들어갈 화자
빈출
유형 의 행동으로 적절한 것은?

• **시적 상황**: 사랑하는 임을 떠나보내야 하는 상황
• **화자의 태도**: 임을 말없이
고이 보내려 함.
• **화자의 행동**:
(   )
• **화자의 속마음**: 임이 나를
떠나지 않았으면 좋겠음.

① 영변 약산에 올라가 슬픈 마음을 달램.

② 임 앞에 모습을 보이지 않겠다고 다짐함.

③ 꽃을 따다가 임이 가는 길에 뿌려 축복함.

④ 임이 떠나지 못하게 꽃으로 길을 채워 막음.

⑤ 이별을 받아들이고 다른 사람을 만나기로 다짐함.

시의 표현상 특징 파악하기

9 (나)의 1연, 4연에 대한 설명으로 적절하지 <u>않은</u> 것은?
빈출
유형

① 동일한 종결 어미를 사용하여 운율을 형성하고 있다.

② 설의법을 활용하여 주제를 효과적으로 드러내고 있다.

③ 수미상관의 방식으로 구조적 안정감을 형성하고
있다.

④ 임과 이별하는 상황을 가정하여 시상을 전개하고
있다.

⑤ 상황에 대한 화자의 순응적, 체념적 태도를 드러내
고 있다.

화자의 태도 이해하기

10 〈보기〉에 나타난 선생님의 설명을 참고로 할 때, 학생이 (나)의 화자를 이해한 내용으로 적절하지 <u>않은</u> 것은?

> ► 보기 ◄

여러분, 실제와 반대되는 표현을 통해서 본래의 뜻을 보다 인상적으로 전달하는 것을 '반어'라고 하죠? (나)의 화자는 이 반어의 방식을 사용하고 있어요. 또 화자 자신 또는 화자의 마음을 상징하는 '진달래꽃'이라는 소재를 사용하여 자신의 속마음을 더욱 절실하게 전달하고 있어요. 이를 바탕으로 화자의 말과 행동의 의미를 생각해 볼까요?

그렇다면 (나)에서

① 화자는 임을 고이 보내 주겠다고 말하지만, 마음속으로는 보내고 싶지 않은 것이겠네요.

② 화자는 임이 떠나도 눈물을 흘리지 않겠다고 말하지만, 사실은 이별의 슬픔에 아파하겠네요.

③ 화자는 임에게 진달래꽃을 밟고 가라고 하지만, 사실은 임이 미련 없이 떠나길 바라는 것이겠네요.

④ 화자가 떠나는 임이 가실 길에 진달래꽃을 뿌려 주는 것도 순수한 축복의 행위만은 아닐 수도 있겠네요.

⑤ 화자는 자신이 싫어져 임이 떠나는 상황을 가정하고 있지만, 실제로는 그런 일이 없기를 바라고 있겠네요.

시어의 의미 파악하기

11 다음 설명의 빈칸에 들어갈 알맞은 말을 (나)에서 찾아 쓰시오.

> (나)에서 (　　　　　　　　)은 단순한 자연물이 아니라 임에 대한 헌신과 희생, 화자의 사랑 등을 드러내기 위한 표상이다.

작품 간의 특징 비교하기

12 (나)와 (다)에 대한 설명으로 가장 적절한 것은?

① (나)는 (다)와 달리 이별의 정한을 주제로 하고 있다.

② (나)는 (다)와 달리 임의 모습을 자연물에 빗대고 있다.

③ (다)는 (나)와 달리 3음보의 율격을 바탕으로 하고 있다.

④ (다)는 (나)와 달리 임에 대한 원망과 야속한 감정을 솔직하게 드러내고 있다.

⑤ (나)와 (다) 모두 이별을 진실한 사랑을 완성하는 데 필요한 과정으로 승화시키고 있다.

한국 문학의 특성 파악하기

13 다음은 (가)~(다)를 배운 후 정리한 노트이다. 내용이 적절하지 <u>않은</u> 것은?

> **한국 문학의 고유한 특성**
>
> | | |
> |---|---|
> | 소재 | 사랑하는 사람과의 이별 상황에서 느끼는 정한을 소재로 함. |
> | 성격 | 애상적이고 서정적임. |
> | 운율 | 음보율을 바탕으로 운율을 형성함. |
> | 구조 | 선경후정의 방식으로 시상을 전개함. |
> | 전통 계승 | 한국 문학의 소재 및 운율적 전통은 현대 시까지 계승되었음. |

① 소재　　　　② 성격　　　　③ 운율

④ 구조　　　　⑤ 전통 계승

🔊) 도움말

• **선경후정** 시에서, 앞부분에 자연 경관이나 사물에 대한 묘사를 먼저 하고 뒷부분에 자기의 감정이나 정서를 그려 내는 구성.

2 일

(2) 상춘곡 / 울타리 밖

생각 열기 · 자연 친화적 태도는 어떤 것일까?

어린 왕자는 자신이 머물러 있는 곳이 '대한민국'의 한 도시라는 것을 알게 되었어요.
그리고 이곳의 사람들이 어떻게 사는지 궁금해서 유심히 관찰해 보았습니다.

여기 사람들은 엄청 바빠 보이네.
모두 정신없이 앞만 보고 가는 것 같아.

시간이 없으니까요.
빨리 공부하고, 빨리 돈을 벌고,
빨리 행복하게 살아야 하니까요.

왜 이렇게 모두
바쁘게 사는 거죠?

당연히 여유롭게 사는 거죠.
천천히 경치도 구경하고
자연도 즐기고요~!

행복하게 사는 건
어떤 건데요?

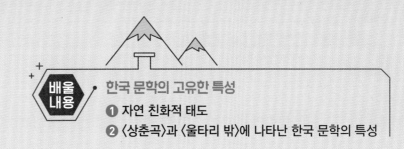

한국 문학의 고유한 특성
❶ 자연 친화적 태도
❷ 〈상춘곡〉과 〈울타리 밖〉에 나타난 한국 문학의 특성

어린 왕자는 이 도시에 오기 전, 자신이 자연 속에서 지냈던 경험을 떠올려 보았어요.

아하, 예를 들면 이런 건가요?

맞아요! 제가 항상
꿈꾸는 삶이죠.
정말 자연 속에서
쉬고 싶네요.
제가 이상한가요?

아니에요. 이렇~게 많은
문학 작품들에 그런 마음이 반영되어
있는 걸 보면 그동안 많은 분들이
자연 속에서의 삶을 꿈꿨던 것 같아요.

홍진에 뭇친 분네
이내 생애 엇더ᄒᆞ고

울타리 밖에도 화초를
심는 마을이 있다.

핵심 1   한국 문학의 특성 ③ – 자연 친화

• **자연 친화**: 자연과 인간이 ❶ [　　] 를 이루는 것, 즉 자연과의 합일을 추구하는 태도   ❶ 조화

〈상춘곡〉	〈울타리 밖〉
봄을 맞은 자연을 감상하고 그 아름다움을 예찬하며 그 속에 동화되고 싶은 화자	아름다운 자연과 어우러진 ❷ [　　] 과, 자연을 닮아 순수한 삶을 살아가는 사람들

❷ 마을

⬇

자연과 인간이 조화를 이루는 자연 친화적인 삶을 추구함.

핵심 2   〈상춘곡〉의 특징

• 〈상춘곡〉 제재 정리

갈래	°가사	주제	자연을 감상하며 느낀 ❸ [　　] 과 °안빈낙도
특징	① 직유법, 대구법, 의인법, 설의법 등 다양한 표현 기법을 사용함. ② 화자의 ❹ [　　] 이동에 따라 시상을 전개함. ③ 4음보의 율격을 지니며, 마지막 행은 시조의 종장과 같은 형식으로 전개됨.		

❸ 즐거움

❹ 공간

• 〈상춘곡〉에 나타난 자연관

홍진(속세)	산림(❺ [　　])
공명과 부귀를 누리는 공간	자연을 감상하며 풍류를 즐기는 공간
⋮	⋮
"헛튼 혜음(=❻ [　　] 생각)"	"백년행락(=평생 즐거움)"

❺ 자연

❻ 헛된

핵심 3   〈울타리 밖〉의 특징

• 〈울타리 밖〉 제재 정리

갈래	자유시, 서정시	주제	자연과 인간이 어우러진 고향에 대한 그리움
특징	① 주로 ❼ [　　] 이미지를 활용하여 마을 풍경을 묘사함. ② 간결하고 압축적인 시어로 향토적인 정서를 서정적으로 그림. ③ 하나의 시어로 독립적인 연을 구성하여 주제 의식을 함축적으로 드러냄.		

❼ 시각적

❽ 집약

• 3연의 시어 '천연히'의 기능

천연히 ┬ '자연-인간'의 공통된 속성을 드러냄.
├ 작품의 앞(1연, 2연)과 뒤(4연)를 연결하여 의미의 상관성을 보여 줌.
└ 시상을 ❽ [　　] 하며 주제를 함축함.

개념 Catch

• **가사**: 시조와 함께 조선조를 대표하는 국문 시가. 시가와 산문의 중간 형식으로, 4음보를 기준으로 행의 제한을 두지 않으며 사대부가 주요 작가층임.

• **안빈낙도**: 가난한 생활을 하면서도 편안한 마음으로 도(道)를 즐겨 지킴.

정답과 해설 **80**쪽

2일

1 다음은 〈상춘곡〉과 〈울타리 밖〉에 대한 설명이다. ㉠, ㉡에 들어갈 알맞은 말을 각각 쓰시오.

> 〈상춘곡〉은 봄을 느끼며 산중을 한가롭게 거니는 화자의 모습을, 〈울타리 밖〉은 천연하고 아름다운 자연과 그 자연을 닮은 마을의 모습을 그리고 있다. 따라서 두 작품에는 모두 (㉠)과 인간이 (㉡)를 이루는 삶을 추구하는 한국 문학의 특성이 담겨 있다.

• ㉠: (   ) • ㉡: (   )

3 다음 한자의 뜻을 참고하여 '상춘곡'이라는 제목의 의미를 쓰시오.

賞	① 즐기다 ② 즐겨 구경하다
春	봄
曲	노래

↓

(   )

2 〈상춘곡〉의 주제를 함축하는 한자 성어로 적절하지 않은 것은?

풍월주인	—	맑은 바람과 밝은 달 따위의 아름다운 자연을 즐기는 사람.	… ①
물아일체	—	'나(자아)'와 '외부 세계'가 어울려 하나가 됨.	… ②
한중진미	—	한가한 가운데 깃드는 참다운 맛.	… ③
부귀공명	—	재산이 많고 지위가 높으며 공을 세워 이름을 떨침.	… ④
단표누항	—	누항에서 먹는 한 그릇의 밥과 한 바가지의 물이라는 뜻으로, 선비의 청빈한 생활을 이르는 말.	… ⑤

4 다음은 〈울타리 밖〉에 쓰인 시어들이다. 이를 바탕으로 하여 파악한 작품의 성격으로 적절하지 않은 것은?

> 마늘쪽, 고향의 소녀, 알몸, 고향의 소년,
> 들길, 아지랑이, 태양, 제비, 물, 울타리, 잔광, 별

① 인간과 자연의 관계에 대해 그리는 서정적인 작품이다.
② 고향의 모습을 순수하고 평화롭게 그린 낭만적인 작품이다.
③ 고향의 여러 풍광을 눈에 보이듯 묘사한 감각적인 작품이다.
④ 고향을 떠나 가슴 아파하는 화자의 슬픔을 그린 애상적인 작품이다.
⑤ 고향의 정취를 느낄 수 있는 소재들이 많이 쓰인 향토적인 작품이다.

2일 교과서 기출 베스트

[1~3] 다음 글을 읽고, 물음에 답하시오.

홍진에 뭇친 분네 ㉠이내 생애 엇더ᄒ고

㉡녯사룸 풍류룰 미출가 못 미출가

천지간 남자 몸이 날만 ᄒ 이 하건마ᄂᆞ

산림에 뭇쳐 이셔 지락을 ᄆ 룰 것가
　더할 나위 없는 즐거움.
㉢수간모옥을 벽계수 앏픠 두고
　작은 초가.
송죽 울울리에 ㉣풍월주인 되어셔라
자연의 임자. 맑은 바람과 밝은 달 따위의 아름다운 자연을 즐기는 사람.
엇그제 겨울 지나 새봄이 도라오니

　┌ 도화 행화ᄂᆞ 석양리에 퓌여 잇고
[A]　복숭아꽃, 살구꽃.
　└ 녹양방초ᄂᆞ 세우 중에 프르도다
　　푸른 버드나무와 향긋한 풀.
칼로 몰아 낸가 붓으로 그려 낸가

조화신공이 물물마다 헌ᄉ룹다
조물주의 신비로운 솜씨.
수풀에 ㉤우ᄂᆞ 새ᄂᆞ 춘기룰 못내 계워

소ᄅ리마다 교태로다

물아일체어니 흥이이 다룰소냐
'나(자아)'와 '외부 세계'가 어울려 하나가 됨.
시비예 거러 보고 정자애 안자 보니

소요음영ᄒ야 산일이 적적ᄒᆞᄃ
자유롭게 이리저리 슬슬 거닐며 나지막이 시를 읊조림.
한중진미룰 알 니 업시 호재로다
한가한 가운데 깃드는 참다운 맛.

시의 특징 이해하기

1 윗글에 대한 설명으로 적절하지 않은 것은?
빈출유형

① 인간 세상과 자연을 대조적으로 바라보고 있다.

② 시간의 흐름에 따른 화자의 인식 변화를 보여 주고 있다.

③ 4음보의 규칙적인 율격을 지녀 안정된 리듬감을 형성하고 있다.

④ 자연 속에서 살아가는 화자의 모습과 행동을 구체적으로 제시하고 있다.

⑤ 청자에게 질문하는 방식을 통해 자신의 삶에 대한 자부심을 드러내고 있다.

구절의 의미 파악하기

2 ㉠~㉤에 대한 이해로 적절하지 않은 것은?
빈출유형

① ㉠: 자연에 묻혀 사는 화자 자신의 삶을 가리킨다.

② ㉡: 자연을 벗 삼아 살았던 옛 선인들을 가리킨다.

③ ㉢: 화자가 소박한 생활을 하고 있음을 보여 준다.

④ ㉣: 화자가 자연을 소유의 대상으로 여기고 있음을 보여 준다.

⑤ ㉤: 자연의 정취를 만끽하고 있는 화자의 정서가 이입된 대상이다.

구절의 표현 방법 파악하기

3 [A]를 〈보기〉와 같이 현대어로 풀이할 때, 이를 이해한 내용으로 적절하지 않은 것은?

> ─── 보기
> 복숭아꽃, 살구꽃은 석양에 피어 있고
> 푸른 버들, 향긋한 풀은 가랑비에 푸르도다.

① 대구법을 사용하고 있다.

② 색채어를 활용하고 있다.

③ 계절적 배경을 드러내고 있다.

④ 특정한 시간대의 풍경을 묘사하고 있다.

⑤ 청각적 이미지가 반복적으로 나타나고 있다.

[4~8] 다음 글을 읽고, 물음에 답하시오.

가 이바 니웃드라 산수 구경 가쟈스라

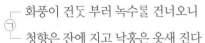

답청으란 오늘 ᄒ고, 욕기란 내일 ᄒ새
풀을 밟으며 산책함. 또는 그런 산책.   기수에서 목욕한다는 뜻.
아춤에 채산ᄒ고, 나조히 조수ᄒ새
　　　산에서 나물을 캠.　　　낚시질.

나 ᄀ굿 괴여 닉은 술을 갈건으로 밧타 노코
　　　　칡으로 짠 베로 만든 두건.
곳나모 가지 것거 수 노코 먹으리라

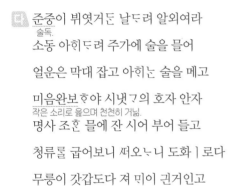

　┌ 화풍이 건듯 부러 녹수ᄅ를 건너오니
㉠│
　└ 청향은 잔에 지고 낙홍은 옷새 진다

다 준중이 뷔엿거든 날ᄃ려 알외여라
　　술독.
소동 아ᄒ ᄃ려 주가에 술을 믈어

얼운은 막대 잡고 아ᄒᄂ는 술을 메고

미음완보ᄒ야 시냇ᄀ의 호자 안자
작은 소리로 읊으며 천천히 거닒.
명사 조ᄒ 믈에 잔 시어 부어 들고

청류ᄅ를 굽어보니 ᄯ서오ᄂ니 도화ㅣ로다

무릉이 갓갑도다 져 ᄆ이 건거인고

라 송간세로에 두견화ᄅ를 부치 들고
　　　　　진달래.
봉두에 급피 올나 구름 소긔 안자 보니

천촌만락이 곳곳이 버러 잇니
수많은 마을.
　┌ 연하일휘ᄂ는 금수ᄅ를 재폇ᄂ는 듯
㉡│
　└ 엇그제 검은 들이 봄빗도 유여ᄒ샤

마 공명도 날 ᄭ릐우고, 부귀도 날 ᄭ릐우니

청풍명월 외예 엇던 벗이 잇ᄉ올고

단표누항에 <u>흣튼 혜음</u> 아니 ᄒ니

아모타 백년행락이 이만ᄒ들 엇지ᄒ리
한평생 잘 놀고 즐겁게 지냄.

화자의 상황과 정서 파악하기

4
빈출유형
(가)~(마)에 대한 설명으로 적절하지 않은 것은?

① (가): 화자는 산수 구경을 가기 전에 마쳐야 할 일들을 제시하고 있다.

② (나): 화자는 술을 마시며 풍류를 즐기고 싶은 바람을 드러내고 있다.

③ (다): 화자는 이상향을 뜻하는 '무릉'에 빗대어 자연 속의 삶을 예찬하고 있다.

④ (라): 화자는 높은 곳으로 이동해 눈 아래 넓게 펼쳐진 풍경을 감상하고 있다.

⑤ (마): 화자는 자신이 중요하게 여기는 삶의 방식이 무엇인지를 밝히고 있다.

구절의 특징 비교하기

5
㉠과 ㉡의 공통점으로 가장 적절한 것은?

① 자연물에게 말을 걸며 친밀감을 드러내고 있다.

② 자연과 어우러진 인간의 모습을 묘사하고 있다.

③ 인간과 자연의 상반된 속성을 과장하여 제시하고 있다.

④ 색채 대비를 통해 자연에 대한 태도 변화를 드러내고 있다.

⑤ 시각적 심상을 활용하여 자연의 풍경을 감각적으로 묘사하고 있다.

화자의 태도 파악하기

6
서술유형
윗글의 화자가 지니고 있는 인생관이 무엇인지 〈조건〉에 맞게 서술하시오.

조건

• '청풍명월'과 '단표누항'의 의미를 고려하여 서술할 것

• '화자는 ~ 살아가고자 한다.'의 문장 형식으로 서술할 것

시구의 함축적 의미 파악하기

7 (마)에서 훗튼 혜음의 함축적 의미와 그것이 가리키는 구체적인 시어로 적절한 것은?

	함축적 의미	구체적인 시어
①	삶의 무상감	술, 구름
②	학문적인 포부	봉두, 금수
③	속세에 대한 미련	공명, 부귀
④	이상을 향한 기대	도화, 무릉
⑤	영원히 지속되는 행복	백년행락

시적 공간의 의미 파악하기

8 〈보기〉는 윗글 전체의 시적 공간을 정리한 것이다. 이를 바탕으로 작품을 이해한 내용으로 적절하지 않은 것은?
빈출
유형

━━━ 보기 ━━━

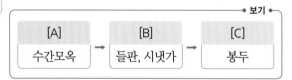

[A]	→	[B]	→	[C]
수간모옥		들판, 시냇가		봉두

① [A]는 자연 속에서 사는 삶에 대한 화자의 자부심을 드러내는 곳이군.

② [A]에서 화자는 집 주변을 거닐며 아름다운 봄의 경치에 감탄하고 있군.

③ [B]는 화자가 '무릉'을 떠올리면서 현실에서 벗어나고 싶은 소망을 드러내는 곳이군.

④ [C]에서 화자는 '봄빛'이 넘치는 들을 보면서 겨울이 지나 새봄이 왔음을 느끼고 있군.

⑤ [C]는 윗글에서 위치상 가장 높은 공간으로, 화자가 느끼는 감흥의 정점을 상징하는군.

[9~12] 다음 글을 읽고, 물음에 답하시오.

머리가 마늘쪽같이 생긴 고향의 소녀와
한여름을 알몸으로 사는 고향의 소년과
같이 낯이 설어도 사랑스러운 들길이 있다

그 길에 아지랑이가 피듯 태양이 타듯
제비가 날듯 길을 따라 물이 흐르듯 그렇게
그렇게

천연(天然)히
생긴 그대로 조금도 꾸밈이 없이.

울타리 밖에도 화초를 심는 마을이 있다
오래오래 잔광이 부신 마을이 있다
밤이면 더 많이 별이 뜨는 마을이 있다.

각 연의 의미 파악하기

9 윗글에 대한 설명으로 적절하지 <u>않은</u> 것은?

빈출 유형

① 1연에서 고향의 소녀, 소년과 들길은 인간과 자연의 대립을 드러낸다.

② 1연의 '같이'는 중의적으로 해석할 수 있어 시의 의미를 풍부하게 한다.

③ 2연에 제시된 여러 가지 자연물들의 속성에는 화자가 지향하는 가치관이 담겨 있다.

④ 3연은 여러 대상들이 지닌 공통적 속성을 집약하기 위해 한 단어를 독립된 연으로 구성하였다.

⑤ 4연에서 화초를 심는 행위는 인위적인 경계를 나누지 않는 천연한 삶의 태도를 보여 준다.

시어와 시구의 이미지 이해하기

10 〈보기〉를 바탕으로 하여, 윗글의 시어와 시구를 이해한 내용으로 적절하지 <u>않은</u> 것은?

> ● 보기 ●
>
> 윗글의 작가인 박용래는 사라져 가는 *재래의 것들을 회화적 이미지로 표현하여 토속적 정취를 불러일으키고, 소박한 자연의 이미지를 통해 자연의 지속성과 인간과 자연의 조화에 대한 바람을 드러냈다.
>
> *재래 예전부터 있어 전하여 내려옴.

① '머리가 마늘쪽같이 생긴'에서는 소녀의 소박한 모습을 회화적 이미지로 표현하고 있군.

② '한여름을 알몸으로 사는'에서는 원시적이고 순수한 토속적 정취를 불러일으키고 있군.

③ '아지랑이', '태양', '제비', '물' 등의 소재에서 아름다운 자연의 이미지가 나타나고 있군.

④ '울타리 밖에도 화초를 심는 마을'에서는 '울타리 밖'이라는 자연과 '마을'이라는 인간의 삶이 이루는 조화를 형상화하고 있군.

⑤ '잔광', '별' 등의 소재에서 이미 사라지고 없는 순수한 자연물에 대한 안타까움이 드러나고 있군.

다른 작품과 비교하기

11 윗글의 <u>천연(天然)히</u>와 〈보기〉의 '절로'를 중심으로 하여 두 작품을 비교한 내용으로 적절하지 <u>않은</u> 것은?

> ● 보기 ●
>
> 청산도 절로절로 녹수도 절로절로
> 산 절로 수 절로 산수 간에 나도 절로
> 그중에 절로 자란 몸이 늙기도 절로 하리라.
>
> – 송시열

① 세영 : 〈보기〉의 '절로'는 '저절로, 자연스럽게'를 뜻한다는 점에서 윗글의 '천연히'와 비슷해.

② 민수 : 〈보기〉의 '절로'는 '청산, 녹수'와 같은 자연이 지닌 속성이라고 볼 수 있어.

③ 지헌 : 윗글의 '천연히' 역시 '아지랑이, 태양'과 같은 자연이 지닌 속성이라고 볼 수 있어.

④ 승현 : 자연을 대하는 태도로 보아 윗글과 〈보기〉의 화자가 지향하는 삶의 모습은 서로 비슷하다고 할 수 있어.

⑤ 지연 : '늙기도 절로' 하겠다는 말을 통해 〈보기〉의 화자는 늙어 가는 것에 대해 한탄하고 있다는 점에서 윗글과 차이가 있지.

화자의 태도 파악하기

12 윗글의 4연을 〈보기〉와 같이 나타낼 때, 빈칸에 들어갈 시적 화자의 소망을 한 문장으로 서술하시오.

서술 유형

> ● 보기 ●
>
> 안 ——— 울타리 ——— 밖
> (화초를 심음.)   화초를 심음.
>
> ↓
>
> | 시적 화자의 소망 | |
> |---|---|

3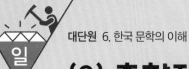

일

(3) 춘향전

생각 열기 풍자와 해학은 어떻게 사용되는가?

어린 왕자는 어느 마을에 도착했어요.

그 마을에는 백성들을 괴롭힌다고 소문난 나쁜 사또가 살고 있었습니다.

고을을 다스리는 이가
저렇게 포악하다니.
사또의 악행을 널리
퍼뜨려야겠어!

아이고 사또,
그것만은 제발······.

사또: 작년에 빌린 곡식을 아직도 안 갚았다고?
여봐라, 이 집에서 쓸 만한 물건을 모두 거두어라!

어린 왕자는 사람들이 많이 모인 시장에 가서 이야기를 시작했어요.

어린 왕자: 여러분~ 혹시 그 소문 들으셨나요?
이 고을 저 위쪽에 계신 분은 때때로 흉악
하게 변신을 하는데, 어찌나 탐욕스러운지
백성들의 양식까지 죄다 뺏어 먹는대요.
사람들: 그런 몹쓸 짐승을 당장 혼내 줍시다!

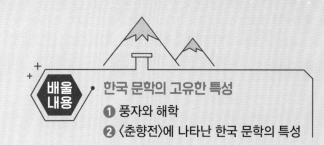
어린 왕자가 퍼뜨린 이야기를 들은 사또는 그게 자신의 이야기인 줄 알고 화가 나서
당장 어린 왕자를 잡아들였습니다.

어린 왕자의 해명을 들은 사또는
별수 없이 어린 왕자를 풀어 주었습니다.

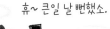

그 이후로 마을 사람들은 사또가 괴롭힐 때마다
풍자와 해학이 담긴 이야기를 지어내 시름을 달래곤 했답니다.

핵심 1   한국 문학의 특성 ④ – 풍자와 해학

풍자	해학
• 권력이나 권위를 가진 인물이나 현실의 모순, 부정적 현상 등을 과장·왜곡하고 비꼬며 ❶ [ ]하는 방식 • 대상에 대한 부정적 인식을 바탕으로 함.	• 평범하거나 그 이하인 인물의 행동에서 드러나는 비합리성, 비정상성, 상식의 파괴를 통해 희극적인 상황을 만들고 동정심을 유발하는 방식 • 대상에 대한 ❷ [ ]과 애정을 바탕으로 함.

↓

공통적으로 대상을 과장, 왜곡하여 ❸ [   ]을 유발함.

❶ 공격
❷ 연민
❸ 웃음

핵심 2   〈춘향전〉 제재 정리

갈래	고전 소설, ❹ [ ]계 소설, 염정 소설
주제	❺ [ ]을 뛰어넘는 남녀 간의 사랑, 불의한 지배 계층에 대한 항거
특징	① 해학과 풍자에 의한 골계미가 나타남. ② 판소리의 영향으로 운문체와 산문체가 섞여 있음. ③ 남녀의 사랑 이면에 ❻ [ ]을 고취함. ④ 여러 근원 설화의 영향을 받음. (열녀 설화, 관탈 민녀 설화, 암행어사 설화 등)

❹ 판소리
❺ 신분
❻ 인간 평등사상

핵심 3   〈춘향전〉에 나타난 풍자와 해학

작품 속 표현	풍자와 해학의 방법	
• "갈비 한 대 먹고지고."(동음이의어 활용) • "어 추워라. 문 들어온다 바람 닫아라. 물 마르다 목 들여라."(언어 도치)	❼ [ ]	→ 본관 사또, 고을 수령 등 무능하고 탐욕스러운 ❽ [ ] 계층을 공격하고 비판하여 독자들에게 통쾌함과 흥미를 줌.
• 등을 밀쳐 내니 어찌 아니 명관인가. • "내려오는 관장마다 모두 명관이로구나."	반어적 표현	
• 모든 수령 도망갈 제 ～ 관청색은 상을 잃고 문짝을 이고 내달으니	과장되고 우스꽝스러운 행동 묘사	

❼ 언어유희
❽ 지배

개념 Catch

• **골계미**: 미적 범주의 하나. 자연의 질서나 이치를 의의 있는 것으로 존중하지 않고 추락시킴으로써 미의식이 나타난다.

• **도치**: 차례나 위치 따위를 서로 뒤바꿈.

1 다음은 한국 문학의 특성 중 하나인 풍자와 해학에 대한 설명이다. ㉠~㉢에 들어갈 알맞은 말을 각각 쓰시오.

> 풍자와 해학은 (㉠)을 유발한다는 공통점이 있다. 하지만 (㉡)가 부정적인 대상을 날카롭게 공격하고 조롱하는 반면, (㉢)은 연민과 애정을 바탕으로 대상을 감싸 안는다는 차이점이 있다.

- ㉠: ( ) • ㉡: ( ) • ㉢: ( )

2 다음은 〈춘향전〉에 대한 설명이다. 맞으면 O, 틀리면 X 표 하시오.

(1) 신분을 초월한 남녀 간의 사랑을 주제로 하고 있다. ( )

(2) 시간의 흐름에 따라 인물의 일대기를 서술하고 있다. ( )

(3) 비범한 능력을 지닌 영웅적인 인물의 삶을 다루고 있다. ( )

(4) 선한 인물과 악한 인물이 대립하는 구조를 지니고 있다. ( )

3 다음 [A]에 들어갈 춘향에 대한 설명으로 적절하지 <u>않은</u> 것은?

성춘향(기생 월매의 딸)

[A]

① 사회 제도와 관습으로 고통을 받는다.
② 신의와 정절을 지키기 위해 노력한다.
③ 사랑하는 사람을 주체적으로 선택한다.
④ 자신이 옳다고 믿는 바를 끝까지 지킨다.
⑤ 운명에 순응하는 전통적 여인상을 대표한다.

4 〈보기〉는 판소리계 소설에 대한 설명이다. 빈칸에 들어갈 말로 가장 적절한 것은?

• 보기 •

판소리는 소리꾼이 관중들 앞에서 북 장단에 맞추어 말과 몸짓을 섞어 불렀던 노래이다. 〈춘향전〉과 같은 판소리계 소설은 노래였던 판소리의 사설을 바탕으로 소설화한 것이기 때문에 ( )이/가 나타난다는 특징이 있다.

① 양반의 언어　　　　② 운문체의 문장
③ 편집자적 논평　　　④ 권선징악의 결말
⑤ 전기성과 초현실성

5 〈보기〉의 빈칸에 알맞은 말을 쓰시오.

• 보기 •

저 오리는 십 리를 가든지 백 리를 가든지 언제나 오리라고만 하니 무슨 이치인가?

할미새는 어제 태어나도 할미새, 오늘 태어나도 할미새라 하니 그 이치는 무엇입니까?

두 사람은 소리가 같은 말을 활용하여 재미있는 문답을 주고받고 있다. 동물인 '오리'의 '리'와 거리의 단위인 '리', 새의 종류인 '할미새'와 늙은 여자를 뜻하는 '할미'의 소리가 같다는 점을 활용한 것이다. 이와 같이 동음이의어나 각운 등을 해학적으로 사용하는 표현 방법을 ( )라고 하는데, '어, 추워라! 문 들어온다, 바람 닫아라.'와 같이 말의 순서를 뒤바꾸어 표현하기도 한다.

[1~6] 다음 글을 읽고, 물음에 답하시오.

가 가까운 읍의 수령들이 모여든다. 운봉 영장, 구례, 곡성, 순창, 옥과, 진안, 장수 원님이 차례로 모여든다. 왼쪽에 행수, 군관 오른쪽에 청령, 사령이 있고 본관 사또는 주인이 되어 한가운데 있어 하인 불러 분부하되,

"관청색(官廳色) 불러 다담(茶啖)을 올리라. 육고자 불러
수령의 음식을 맡아보던 사람.   잘 차린 음식상.
큰 소를 잡고, 예방(禮房) 불러 악공을 대령하고, 승발 불러 천막을 대령하라. 사령 불러 잡인을 금하라."
일정한 장소나 일에 아무 관계가 없는 사람.

이렇듯 요란할 제 온갖 깃발이며 삼현육각 풍류 소리 공중에 떠 있고, 붉은 옷 붉은 치마 입은 기생들은 흰 손 비단 치마 높이 들어 춤을 추고, ⓐ<u>지화자 둥덩실 하는 소리에 어사의 마음이 심란하구나.</u>

나 "ⓑ<u>여봐라 사령들아, 너의 사또에게 여쭈어라.</u> 먼 데 있는 걸인이 좋은 잔치에 왔으니 술과 안주나 좀 얻어먹자고 여쭈어라."

저 사령의 거동 보소.

"우리 사또님이 걸인을 금하였으니, 어느 양반인지는 모르오만 그런 말은 내지도 마오."

㉠<u>등을 밀쳐 내니 어찌 아니 명관(名官)인가.</u> 운봉 영장이 그 거동을 보고 본관 사또에게 청하는 말이,

"저 걸인의 의관은 남루하나 양반의 후예인 듯하니 말석에 앉히고 술잔이나 먹여 보냄이 어떠하뇨?"

본관 사또 하는 말이,

"운봉의 소견대로 하오마는."

'마는' 하는 끝말을 내뱉고는 입맛이 사납겠다.

다 어사또 들어가 단정히 앉아 좌우를 살펴보니, 당 위의 모든 수령 다담상을 앞에 놓고 진양조가 높아 가는데, ⓒ<u>어사또의 상을 보니 어찌 아니 통분하랴.</u> 모서리 떨어진 개상판에 닥나무 젓가락, 콩나물, 깍두기, 막걸리 한 사발 놓았구나.

상을 발길로 탁 차 던지며 운봉 영장의 갈비를 가리키며,

"갈비 한 대 먹고지고."

"다리도 잡수시오."

라 운봉이 하는 말이,

"이러한 잔치에 풍류로만 놀아서는 맛이 적사오니 차운
남이 지은 시의 운자를 따서 시를 지음. 또는 그런 방법.
(次韻) 한 수씩 하여 보면 어떠하오?"

"그 말이 옳다."

하니 운봉이 운을 낼 제 '높을 고(高)' 자, '기름 고(膏)' 자 두 자를 내어놓고 차례로 운을 달아 시를 짓는다. 이때 어사또 하는 말이,

"걸인이 어려서 한시(漢詩)깨나 읽었더니 ⓓ<u>좋은 잔치 당하여서 술과 안주를 포식하고 그냥 가기 민망하니 차운 한 수 하사이다.</u>"

운봉 영장이 반겨 듣고 필연(筆硯)을 내어 주니, ⓔ<u>좌중 사
붓과 벼루.
람들이 다 짓지도 않았는데 순식간에 글 두 귀를 지었으되,</u> 백성들의 형편을 생각하고 본관 사또의 정체를 감안하여 지었것다.

[A]
　金樽美酒(금준미주) 千人血(천인혈)이요
　玉盤佳肴(옥반가효) 萬姓膏(만성고)라
　燭淚落時(촉루락시) 民淚落(민루락)이요
　歌聲高處(가성고처) 怨聲高(원성고)라.

소설의 서술상 특징 파악하기

1 윗글에 대한 설명으로 적절한 것은?

① 중심인물이 자신이 겪은 일을 직접 전달하고 있다.

② 하나의 사건을 여러 인물의 시점에서 서술하고 있다.

③ 작품 밖 서술자가 객관적인 태도로 사건을 전달하고 있다.

④ 작품 속 서술자가 중심인물을 관찰한 내용을 전달하고 있다.

⑤ 작품 밖 서술자가 상황에 대한 주관적 견해를 자주 드러내고 있다.

소설의 세부 내용 파악하기

2 윗글에서 알 수 있는 내용으로 적절한 것은?

빈출 유형

① 본관 사또는 어사또가 올 것을 예상해 잡인의 출입을 금하고 있다.

② 사령은 어사또가 비록 걸인이지만 큰일을 할 사람이라는 것을 예감하고 있다.

③ 본관 사또는 어사또에게 자리를 내어 주자는 운봉의 제안을 못마땅하게 여기고 있다.

④ 운봉은 어사또의 능력을 시험하기 위해 붓과 벼루를 내어 주며 시를 짓도록 하고 있다.

⑤ 운봉은 어사또의 정체를 짐작하고 이를 알아차리지 못하는 본관 사또를 답답해하고 있다.

소설의 표현 방법 파악하기

3 (가)~(라)에 대한 설명으로 적절하지 않은 것은?

① (가): 장면을 자세히 묘사하여 화려한 잔치 분위기를 드러낸다.

② (나): 인물들의 대화를 통해 내용을 전개한다.

③ (다): 동음이의어를 활용한 언어유희가 나타난다.

④ (라): 서정적인 시를 삽입하여 긴장감을 완화한다.

⑤ (가)~(라): 시간의 흐름에 따라 사건을 전개한다.

구절의 표현 방법과 효과 파악하기

4 ㉠에 사용된 표현 방법과 그 효과를 〈조건〉에 맞게 서술하시오.

서술 유형

───── 조건 ●

'㉠은 ~적 표현을 활용해 ~하는 효과가 있다.'의 문장 형식에 맞게 서술할 것

삽입된 시의 기능과 의미 파악하기

5 〈보기〉는 [A]를 풀이한 것이다. 이를 참고할 때 [A]에 대한 설명으로 적절하지 않은 것은?

───── 보기 ●

금동이의 아름다운 술은 일만 백성의 피요
옥소반의 아름다운 안주는 일만 백성의 기름이라.
촛불 눈물 떨어질 때 백성 눈물 떨어지고
노랫소리 높은 곳에 원망 소리 높았더라.

① 심상치 않은 사건이 발생할 것임을 암시하고 있다.

② 백성들의 고통과 희생을 비유적으로 나타내고 있다.

③ 어사또가 평범한 인물이 아님을 짐작하게 하고 있다.

④ 본관 사또와 수령들의 불의와 부정을 지적하고 있다.

⑤ 백성들을 구제하기 위한 구체적 방안을 제시하고 있다.

인물의 심리와 성격 파악하기

6 ⓐ~ⓔ에 나타난 어사또의 심리와 성격을 파악한 내용으로 적절하지 않은 것은?

① ⓐ: 백성들은 궁핍한데 수령들은 호화로운 잔치를 여는 것을 보고 심란해하고 있구나.

② ⓑ: 비록 걸인의 행색을 하고 있지만 당당한 태도를 잃지 않고 있구나.

③ ⓒ: 상차림을 보고 업신여김을 당하는 자신의 처지에 울분을 느끼고 있구나.

④ ⓓ: 좋은 대접을 받지 못했지만 양반으로서 상대에 대한 예의를 지키려 노력하는구나.

⑤ ⓔ: 순식간에 글을 완성할 만큼 다른 이들보다 뛰어난 재능을 지니고 있구나.

[7~11] 다음 글을 읽고, 물음에 답하시오.

본관 사또는 몰라보는데 운봉 영장은 글을 보며 속으로,

'아뿔싸! 일이 났다.'

이때 어사또가 하직하고 간 연후에 각 아전들에게 분부하되, / "야야, 일이 났다."

[A] 공방 불러 돗자리 단속, 병방 불러 역마(驛馬) 단속, 관청색 불러 다담상 단속, 옥형방 불러 죄인 단속, 집사 불러 형구(刑具) 단속, 형방 불러 장부 단속, 사령 불러 숙직 단속.

한참 이리 요란할 제 사정 모르는 저 본관 사또가,

㉠"여보 운봉은 어디를 다니시오?"

"소피 보고 들어오오."

본관 사또가 술주정이 나서 분부하되,

"춘향을 급히 올리라."

이때에 어사또 부하들과 내통한다. 서리를 보고 눈길을 보내니 서리, 중방 거동 보소. 역졸을 불러 단속할 제 이리 가며 수군, 저리 가며 수군수군. 서리, 역졸 거동 보소. 외올망건 공단 모자 새 패랭이 눌러쓰고, 석 자 감발 새 짚신에 한삼(汗衫) 고의 산뜻하게 차려입고, 육모 방망이 사슴 가죽 끈을 손목에 걸어 쥐고, 여기서 번쩍 저기서 번쩍, 남원읍이 우글우글. 청파 역졸 거동 보소. ㉡달 같은 마패를 햇빛같이

번쩍 들어,

"암행어사 출도야."

㉢외치는 소리에 강산이 무너지고 천지가 뒤집히는 듯 초목금수(草木禽獸)인들 아니 떨랴. 남문에서,

"출도야."

북문에서, / "출도야."

동서문 출도 소리 청천(靑天)에 진동하고,

"모든 아전들 들라."

외치는 소리에 육방(六房)이 넋을 잃어, / "공형이오."

등채로 휘닥딱. / "애고 죽겠다."

"공방, 공방." / 공방이 자리 들고 들어오며,

"안 하겠다던 공방을 하라더니 저 불속에 어찌 들랴."

등채로 휘닥딱. / "애고 박 터졌네."

좌수(座首), 별감(別監) 넋을 잃고 이방, 호방 혼을 잃고 나졸들이 분주하네. 모든 수령 도망갈 제 거동 보소. ㉣인궤 잃고 강정 들고, 병부(兵符) 잃고 송편 들고, 탕건 잃고 용수 쓰고, 갓 잃고 소반 쓰고. 칼집 쥐고 오줌 누기. 부서지는 것은 거문고요, 깨지는 것은 북과 장고라. ㉤본관 사또가 똥을 싸고 멍석 구멍 새앙쥐 눈 뜨듯 하고, 안으로 들어가서,

ⓐ"어 추워라. 문 들어온다 바람 닫아라. 물 마르다 목 들여라."

관청색은 상을 잃고 문짝을 이고 내달으니, 서리, 역졸 달려들어 후닥딱. / "애고 나 죽네."

이때 어사또 분부하되, 〈중략〉

"본관 사또는 봉고파직이오."

사대문(四大門)에 방을 붙이고 옥형리 불러 분부하되,

"네 골 옥에 갇힌 죄수를 다 올리라."

호령하니 죄인을 올린다. 다 각각 죄를 물은 후에 죄가 없는 자는 풀어 줄새,

소설에 반영된 시대 상황 파악하기

7 윗글에서 알 수 있는 당대 사회의 모습으로 적절한 것끼리 바르게 묶은 것은?

> ㄱ. 신분에 따른 차별이 있었다.
> ㄴ. 탐관오리들의 횡포가 심했다.
> ㄷ. 여성의 사회 진출이 늘어나고 있었다.
> ㄹ. 관리들의 부정을 감시하는 직책이 있었다.
> ㅁ. 도덕관념이 무너져 죄를 짓는 백성들이 많았다.

① ㄱ, ㄴ, ㄷ   ② ㄱ, ㄴ, ㄹ   ③ ㄴ, ㄷ, ㄹ
④ ㄴ, ㄹ, ㅁ   ⑤ ㄷ, ㄹ, ㅁ

소설의 특징 파악하기

8 [A]에 대한 다음 설명의 빈칸에 알맞은 말을 쓰시오.

서술
유형

> [A]는 운봉이 관속들을 단속하는 부분으로, 판소리의 특징 중 하나인 (   )가 나타난다. 열거와 대구를 통해 상황을 사실적으로 재현하고 생동감을 주고 있으며, 또한 서술 어미의 생략으로 긴장감을 고조하고 문장에 리듬감을 형성하고 있다.

소설의 장면 이해하기

9 ㉠~㉤에 대한 설명으로 적절하지 않은 것은?

빈출
유형

① ㉠: 상황과 어울리지 않는 대화로 웃음을 유발하고 있다.
② ㉡: 비유를 통해 대상의 위엄과 기세를 드러내고 있다.
③ ㉢: 과장된 표현을 통해 인물의 비범한 면모를 부각하고 있다.
④ ㉣: 인물들의 엉뚱한 행동에서 심리적 당혹감과 상황의 다급함이 드러나고 있다.
⑤ ㉤: 공포에 질린 인물의 모습을 희화화하여 제시하고 있다.

소설의 세부 내용 파악하기

10 한자 성어를 활용하여 윗글을 이해한 내용으로 적절하지 않은 것은?

① 본관 사또는 지금까지 백성들에게 가렴주구(苛斂誅求)를 일삼아 왔었군.
② 암행어사가 출도하자 수령들은 혼비백산(魂飛魄散)하며 도망치고 있군.
③ 어사또가 본관 사또를 벌하는 상황은 결자해지(結者解之)라고 봐야겠군.
④ 본관 사또가 봉고파직을 당한 것은 사필귀정(事必歸正)이라고 말할 수 있군.
⑤ 운봉은 암행어사가 출도하기 전에 이미 일촉즉발(一觸卽發)의 상황임을 직감했군.

소설의 표현 기법 이해하기

11 ⓐ와 유사한 표현 방식이 쓰이지 않은 것은?

①
> 운봉 영장의 갈비를 가리키며,
> "갈비 한 대 먹고지고."

②
> 남편 하나 미련새요 자식 하난 우는 새요 나 하나만 썩는 새일세.

③
> 꿈은 고향에 가지만 나는 어이 못 가는가.
> 꿈아 너는 어느새 이 고향 갔다 왔느냐.

④
> 어이구, 그만 정신 없다 보니 말이 빠져서 이가 헛나와 버렸네.

⑤
> 이 양반이 허리 꺾어 절반인지, 개다리 소반인지, 꾸레미전에 백반인지.

[12~16] 다음 글을 읽고, 물음에 답하시오.

"저 계집은 무엇인고?" / 형리 여쭈오되,

"기생 월매의 딸이온데 관청에서 ㉠포악한 죄로 옥중에 있삽내다."

"무슨 죄인고?" / 형리 아뢰되,

"본관 사또 수청 들라고 불렀더니 ㉡수절이 정절이라. 수청 아니 들려 하고 사또에게 악을 쓰며 달려든 춘향이로소이다."

어사또 분부하되,

"너 같은 년이 수절한다고 관장(官長)에게 포악하였으니 살기를 바랄쏘냐. 죽어 마땅하되 내 수청도 거역할까?"

춘향이 기가 막혀, / "내려오는 관장마다 모두 명관(名官)이로구나. 어사또 들으시오. 충암절벽 높은 바위가 바람 분들 무너지며, 청송녹죽 푸른 나무가 눈이 온들 변하리까. 그런 분부 마옵시고 어서 바삐 죽여 주오."

하며, / "향단아, 서방님 어디 계신가 보아라. 어젯밤에 옥 문간에 와 계실 제 천만당부하였더니 어디를 가셨는지 나 죽는 줄 모르는가."

어사또 분부하되, / "얼굴 들어 나를 보라."

하시니 춘향이 고개 들어 위를 살펴보니, 걸인으로 왔던 낭군이 분명히 어사또가 되어 앉았구나. 반 웃음 반 울음에,

"얼씨구나 좋을시고. 어사 낭군 좋을시고. 남원 읍내 가을 이 들어 떨어지게 되었더니, 객사에 봄이 들어 이화춘풍(李花春風) 날 살린다. 꿈이냐 생시냐? 꿈을 깰까 염려로다."

한참 이리 즐길 적에 춘향 어미 들어와서 가없이 즐겨 하는 말을 어찌 다 설화(說話)하랴.

춘향의 높은 절개 광채 있게 되었으니 어찌 아니 좋을쏜가. 어사또 남원의 공무 다한 후에 춘향 모녀와 향단이를 서울로 데려갈새, ㉢위의(威儀)가 찬란하니 세상 사람들이 누가 아니 칭찬하랴. 이때 춘향이 남원을 하직할새, ㉣영귀(榮貴)하게 되었건만 고향을 이별하니 일희일비(一喜一悲)가 아니 되랴.

[A]

이때 어사또는 좌도와 우도의 읍들을 순찰하여 민정을 살핀 후에, 서울로 올라가 임금께 절을 하니 판서, 참판, 참의들이 입시하시어 보고서를 살핀다. 임금께서 크게 칭찬하시며 즉시 이조 참의 대사성을 봉하시고 춘향으로 ㉤정렬부인을 봉하신다. 은혜에 감사드리고 물러 나와 부모께 뵈오니 성은(聖恩)을 못 잊어 하시더라. 이때 이조 판서, 호조 판서, 좌의정, 우의정, 영의정 다 지내고 퇴임한 후에 정렬부인으로 더불어 백년동락(百年同樂)할새, 정렬부인에게 삼남삼녀(三男三女)를 두었으니 모두가 총명하여 그 부친보다 낫더라. 일품 관직이 대대로 이어져 길이 전하더라.

소설의 특징 파악하기

12 윗글에 대한 설명으로 적절하지 <u>않은</u> 것은?

① 관점에 따라 다양한 주제 의식을 전달하고 있다.

② 행복한 결말이라는 고전 소설의 일반적인 특징이 드러나 있다.

③ 인물이 처해 있던 문제 상황이 모두 해소되었음을 보여 주고 있다.

④ 핵심 사건이 끝난 이후의 인물들의 행적이 요약적으로 제시되어 있다.

⑤ 인물에 대한 후대인들의 평가를 제시해 작품의 주제를 직접 드러내고 있다.

소설에 반영된 시대 상황 파악하기

13 윗글에 창작 당시의 서민 의식이 반영되어 있다고 할 때, 빈출 유형 그 내용으로 적절한 것을 모두 고른 것은?

> ㄱ. 경제적 형편에 따라 차별받지 않으면 좋겠다.
> ㄴ. 관리들이 백성을 잘 보살피는 정치를 하면 좋겠다.
> ㄷ. 여성에게 요구되는 정절의 덕목이 없어지면 좋겠다.
> ㄹ. 개인이 제도나 관습에 의해 부당하게 억압받는 일이 없으면 좋겠다.

① ㄱ, ㄷ   ② ㄴ, ㄷ   ③ ㄴ, ㄹ

④ ㄱ, ㄴ, ㄹ   ⑤ ㄴ, ㄷ, ㄹ

어휘의 의미 파악하기

14 ㄱ~ㅁ의 의미로 적절하지 <u>않은</u> 것은?

① ㄱ: 사납고 악한.

② ㄴ: 절개를 지킴.

③ ㄷ: 위엄이 있고 엄숙한 태도나 차림새.

④ ㄹ: 영원히 돌아올 수 없게.

⑤ ㅁ: 정조와 지조를 굳게 지킨 부인에게 내리던 칭호.

삽입된 시의 의미 파악하기

15 다음은 [A]에 들어가는 춘향의 시이다. 이를 감상한 내용 빈출 유형 으로 적절하지 <u>않은</u> 것은?

> 놀고 자던 부용당아, / 너 부디 잘 있거라.
> 광한루 오작교며 / 영주각(瀛州閣)도 잘 있거라.
> 봄풀은 해마다 푸르건만
> 떠난 객은 돌아오지 않는다고 이른 시(詩)는
> 나를 두고 이름이라.
> 다 각기 이별할 제
> 길이길이 무고하옵소서.
> 다시 보기 기약 없네.

① 고향을 떠나는 아쉬운 심정을 드러내고 있군.

② 돌아오지 않는 '떠난 객'과 일체감을 느끼고 있군.

③ 실재하는 장소를 언급하여 사실감을 더해 주고 있군.

④ 유사한 상황과 정서를 노래한 다른 시를 인용하였군.

⑤ 인물의 심리와 작품의 주제를 함축하여 보여 주는군.

다른 작품과 비교하기

16 윗글의 근원 설화 중 하나인 〈보기〉의 왕과 윗글의 본관 서술 유형 사또의 공통점을 〈조건〉에 맞게 서술하시오.

> ● 보기 ●
> 도미에게는 아름답고 절개가 굳은 아내가 있었다. 왕이 이 말을 듣고 그 정절을 시험하려고 도미의 아내에게 찾아가 궁인으로 맞아들이겠다고 했다. 도미의 아내는 겉으로 순종하는 체하고 여종을 대신 보냈다. 그 뒤 왕은 속은 것을 알고 노하여 도미의 두 눈을 멀게 한 뒤 작은 배에 실어 강물에 띄워 보내고, 도미의 아내를 궁으로 잡아들였다. 남편의 상황을 알게 된 도미의 아내는 이번에도 역시 순종하는 척하다가 궁에서 도망쳤다. 그리고 남편을 찾아 조각배를 타고 멀리 떠나 천성도에 이르러 도미를 만났다.
> – 《삼국사기》(김부식) 가운데 〈도미의 아내〉 줄거리

> ● 조건 ●
> 인물의 구체적인 행동이나 태도를 바탕으로 하여 서술할 것

(1) 창의적 읽기

생각 열기 ## 책을 어떻게 읽어야 할까?

어느 사막에 도착한 어린 왕자는 추락한 비행기를 발견했어요.
비행기 조종사는 고장 난 비행기를 고치느라 많이 지쳐 있었어요.

대체 뭐가 문제인지 모르겠고,
목도 너무 마르군.
물을 찾아봐야겠어.

물을 찾아 사막을 헤매던 어린 왕자와 조종사의
눈앞에 오아시스와 책 더미가 보였어요.

조종사: 아! 저기 오아시스와 책이잖아!
저 책에 해결 방법이 있을까?

어린 왕자와 조종사는 책들을 살펴봤지만
비행기를 고칠 방법은 여전히 찾지 못했습니다.

비행기에 관한
책인데 왜
해결책을 찾을
수 없을까?

책을 더 꼼꼼히
읽으면 될까요?

그때 어린 왕자와 조종사 앞에 '창의적 읽기의 문'이라고 쓰인 신비한 문이 나타났어요.
조종사는 살펴보던 책을 들고 이 문을 통과해 보기로 했습니다.

어린 왕자: 아! 읽기에도
　　　　　방법이 있었나 봐요.
조종사: 그럼 내가 한번
　　　　통과해 보마.

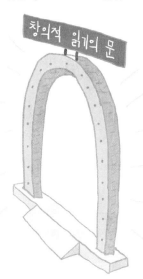

뭔가 문제였는지 이제 알겠군.
대안을 생각하며 글을 읽었어야 해.

아하!

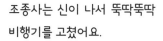

조종사는 신이 나서 뚝딱뚝딱
비행기를 고쳤어요.

잘 가요. 안녕~!

비행기를 고친 조종사는 자신의 나라로 돌아갔고,
어린 왕자는 남은 여행을 이어 가기로 했습니다.

4일 교과서 핵심 정리

핵심 1 ⟩ 창의적 읽기의 개념과 방법

1 **❶** [　　] 읽기: 글에 제시된 글쓴이의 생각을 넘어서서 새로운 문제 해결 방안을 찾거나 대안을 마련하며 읽는 것

❶ 창의적

2 창의적 읽기의 방법

글의 화제, 주제, 관점 등을 파악 ➡
- 화제, 주제, **❷** [　　] 등과 관련하여 자신의 생각 정리하기
- 자신과 사회의 문제를 해결할 방법 찾기
- 글쓴이의 생각을 보완하거나 대체할 수 있는 방안 찾기

❷ 관점

핵심 2 ⟩ ⟨로봇 시대와 인간의 일⟩ 제재 정리

갈래	논설문
주제	**❸** [　　] 시대에 발생할 수 있는 일자리 감소 문제와 그 해결 방안
특징	① 다양하고 구체적인 **❹** [　　] 를 통해 로봇 시대의 현상을 보여 줌. ② 로봇 시대에 대한 전망을 바탕으로 로봇 시대가 야기하는 문제와 그 해결 방안을 제시함.

❸ 로봇

❹ 사례

핵심 3 ⟩ ⟨로봇 시대와 인간의 일⟩에 나타난 글쓴이의 관점과 문제 해결 방안

1 글쓴이의 관점

인간 고유의 지적, 정신적 작업을 인공 지능을 갖춘 로봇이 담당하는 로봇 시대

일자리 감소 문제	일의 필요성	해결 방안 모색
많은 사람들이 경쟁력을 잃고 **❺** [　　] 를 잃게 될 것임. (비관적 전망)	행복하고 보람 있는 삶을 위해 인간은 반드시 **❻** [　　] 을 해야 함.	개인적, 사회적으로 심각한 문제이므로 해결을 위한 방안을 모색해야 함.

❺ 일자리

❻ 일

2 글쓴이가 제안하는 문제 해결 방안

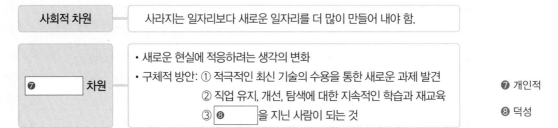

사회적 차원	사라지는 일자리보다 새로운 일자리를 더 많이 만들어 내야 함.
❼ [　　] 차원	• 새로운 현실에 적응하려는 생각의 변화 • 구체적 방안: ① 적극적인 최신 기술의 수용을 통한 새로운 과제 발견 ② 직업 유지, 개선, 탐색에 대한 지속적인 학습과 재교육 ③ **❽** [　　] 을 지닌 사람이 되는 것

❼ 개인적

❽ 덕성

1 '창의적 읽기'의 방법이 맞으면 O, 틀리면 X 표 하시오.

(1) 특별한 목적 없이 자유롭게 읽는다. (　　　)

(2) 글쓴이의 생각에 대한 대안을 찾아본다. (　　　)

(3) 읽은 내용을 새로운 상황에 적용해 본다. (　　　)

(4) 내용을 있는 그대로 객관적으로 파악하며 읽는다.

(　　　)

2 다음은 〈로봇 시대와 인간의 일〉에서 로봇이 일자리를 대체한 사례를 찾아 정리한 것이다. 빈칸에 들어갈 자료를 〈보기〉에서 골라 그 기호를 쓰시오.

(1) | 운전사 | ▶ | (　　　) |

(2) | 택배 기사 | ▶ | (　　　) |

(3) | 소방대원, 구조대원 | ▶ | (　　　) |

━━ 보기 ━━

 ㉠ '드론'으로 상자를 옮기는 모습

 ㉡ 2인승 '자율 주행 차'가 도로에서 달리는 모습

 ㉢ 우리나라 '재난 구조 로봇'이 플러그를 뽑는 모습

3 〈보기〉의 ⓐ, ⓑ에 대한 글쓴이의 관점으로 가장 적절한 것은?

━━ 보기 ━━

(가) 21세기 들어 ⓐ일자리 구조에 근본적인 바람이 불어오고 있다. 〈중략〉 농업과 제조업에 이어 서비스업의 일자리마저 로봇에 내준 노동자들은 새로운 일자리를 얻게 될까? 농업을 제조업이, 이를 다시 3차 산업인 서비스업이 대체한 것처럼 우리가 모르는 4차 산업이 인류를 위해 예비되어 있는가? 이 물음에 대해 낙관적으로 답하기 어려운 것이 현실이다.

(나) 20세기 영국의 철학자 버트런드 러셀은 인간은 권태, 죄의식, 피해망상증 때문에 불행해지며, 그 대신 열정, 사랑, 노력과 체념, 그리고 ⓑ일을 통해서 행복에 이르게 된다고 주장했다. 고된 노동은 힘들지만 적당한 일은 행복하고 보람 있는 삶에 필수적 요소라는 게 많은 현인들의 가르침이다.

	ⓐ	ⓑ
①	희망적	없어도 됨.
②	비관적	꼭 필요함.
③	낙관적	행복을 줌.
④	개방적	고통스러움.
⑤	부정적	불행하게 함.

4 〈로봇 시대와 인간의 일〉의 글쓴이가 제시한 문제 해결 방안을 바르게 연결하시오.

(1) | 사회적 차원 | ・ | ・Ⓐ | 덕성을 지닌 사람이 된다. |

(2) | 개인적 차원 | ・ | ・Ⓑ | 새로운 일자리를 더 많이 만들어 낸다. |

[1~3] 다음 글을 읽고, 물음에 답하시오.

가 21세기 들어 일자리 구조에 근본적인 바람이 불어오고 있다. 증기 기관의 발명으로 시작된 18세기 산업 혁명이 ㉠'제1의 기계 시대'를 열었다면 디지털과 컴퓨터 기술은 ㉡'제2의 기계 시대'를 만들고 있다. 제1의 기계 시대에는 동력을 이용하는 기계가 저임금 육체노동을 대체했지만, 제2의 기계 시대에는 그동안 인간 고유의 지적이고 정신적인 작업으로 여겼던 업무마저 인공 지능을 갖춘 로봇이 담당한다.

로봇은 여러 방면에서 인간과 경쟁하고 있다. 로봇은 각종 퀴즈 대결에서 이미 인간을 이기기도 했다. 기계 학습 기능을 갖춘 인공 지능 로봇은 학습이나 프로그래밍이 되어 있지 않은 상태에서 시행착오를 거치며 스스로 학습함으로써 사람보다 뛰어난 과업 수행 능력을 보여 준다. 운전자 없이 장거리를 운행하는 자율 주행 차, 각종 산업 현장에서 인간보다 높은 생산성을 보이는 로봇, 재난 구조 로봇, 군사 로봇 등이 등장하였다.

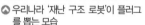
△ 우리나라 '재난 구조 로봇'이 플러그를 뽑는 모습

△ 인공 지능과 인간의 바둑 경기 중계 모습

나 제2의 기계 시대에는 그동안 인간만이 할 수 있던 지식 기반 업무도 상당 부분 로봇에 의해 대체된다. 로봇이 복잡한 계산 업무를 대신하는 수준을 넘어서서 사람만의 영역이었던 인지적 판단이나 고도의 지적이고 정신적인 업무마저
자극을 받아들이고, 저장하고, 인출하는 일련의 정신 과정.
넘보기 시작했다. 3차 산업이라고 불리는 서비스업 가운데 부가 가치와 전문성이 높은 영역도 로봇과의 경쟁에 직면했다. 기자, 의사, 약사, 변호사, 회계사, 세무사, 교수 등의 전문 직종도 예외가 아니다. 재교육을 받고 새로운 기기나 기술, 서비스 방법을 익히는 것만으로도 예전에는 충분히 경쟁력을 유지할 수 있었으나 이제는 그렇지 않다. ⓐ경쟁 상황과 시장 조건이 근본적으로 달라졌기 때문이다.

글의 내용 전개 방식 파악하기

1 **윗글에 대한 설명으로 적절한 것은?**
빈출유형
① 문답 형식을 통해 현상의 원인을 밝히고 있다.
② 구체적인 사례를 활용해 사회 현상을 설명하고 있다.
③ 하나의 문제에 대한 두 가지 관점을 비교하고 있다.
④ 전문가 의견을 직접 인용하여 문제를 제기하고 있다.
⑤ 글쓴이의 경험을 통해 내용의 사실감을 높이고 있다.

정보 간의 관계 파악하기

2 **㉠, ㉡을 이해한 내용으로 적절하지 않은 것은?**
빈출유형
① 증기 기관의 발명으로 ㉠이 시작되었다.
② ㉠ 때문에 노동자의 임금이 점차 상승하였다.
③ 컴퓨터 기술의 발전이 ㉡을 이끌게 되었다.
④ ㉡의 로봇은 스스로 학습할 수 있다.
⑤ ㉡에는 지식 기반 업무를 로봇이 대체한다.

글의 내용 추론하기

3 **ⓐ의 의미로 가장 적절한 것은?**
① 로봇이 복잡한 계산 업무를 대신하게 되었다.
② 전문 직종의 재교육을 받기가 더 어려워졌다.
③ 서비스업의 부가 가치가 조금씩 떨어지고 있다.
④ 이전과 달리 인간과 로봇의 경쟁이 시작되었다.
⑤ 새로운 기술을 전수하지 않는 경우가 늘고 있다.

[4~6] 다음 글을 읽고, 물음에 답하시오.

《로스앤젤레스 타임스》는 2015년 3월 30일 새벽 2시 캘리포니아 주 인근에서 진도 4의 지진이 발생했다는 기사를 보도했다. 지진 발생에서 기사 보도까지 걸린 시간은 단 5분이었다. 이는 작성자가 사람이 아니라 ⓐ퀘이크봇(Quakebot)이라는 기사 작성 로봇이었기 때문에 가능했다. 〈중략〉

> 어떤 지역에서 나타나는 지진의 진동 크기나 피해 정도.

의사와 약사의 업무도 예외는 아니다. 2000년대 국내에도 도입된 ⓑ'의약품 안심 서비스'는 과거 의사와 약사가 수행하던 전문적 업무를 훌륭하게 대신하고 있다. 투약 정보를 인터넷에서 실시간으로 공유함으로써, 부작용을 일으킬 수 있는 다량의 약을 처방받거나 함께 먹어서는 안 될 약품을 복용하는 상황을 예방할 수 있다. 전문가의 업무를 자동화 프로그램이 대신하게 됨으로써 가능해진 것이다. 그동안 전문가들이 맡던 일을 로봇이 대체하는 현상은 광범위하게 나타나고 있다.

변화는 제조업 영역에서 서비스업 분야로 빠르게 이동하고 있다. 농업과 제조업에 이어 서비스업의 일자리마저 로봇에 내준 노동자들은 새로운 일자리를 얻게 될까? 농업을 제조업이, 이를 다시 3차 산업인 서비스업이 대체한 것처럼 우리가 모르는 4차 산업이 인류를 위해 예비되어 있는가? 이 물음에 대해 낙관적으로 답하기 어려운 것이 현실이다.

거대한 변화의 물결 속에서 미숙련 노동자의 앞날은 더 암울하다. 산업 사회는 이들에게 단순 노무나 판매직 같은 제조업, 서비스업의 일자리를 제공했지만, 앞으로 미숙련 노동자들은 로봇과 자동화에 밀려 평생 일자리를 갖지 못하는 재앙을 만날 수도 있다.

> 임금을 받으려고 육체적 노력을 들여서 하는 일.

4 윗글에 나타난 글쓴이의 관점을 가장 잘 요약한 것은?

① 자동화 프로그램에는 치명적 문제가 있다.

② 기자, 의사, 약사의 일자리는 보존되어야 한다.

③ 전문가들의 일을 적극적으로 로봇이 대체해야 한다.

④ 자동화가 인간에게 재앙을 가져오지 않도록 해야 한다.

⑤ 변화된 시대에 노동자들은 일자리를 얻지 못할 수 있다.

5 ⓐ, ⓑ의 기능으로 적절하지 <u>않은</u> 것은?

① ⓐ와 ⓑ는 모두 인간의 일을 대신한다.

② ⓐ와 ⓑ는 모두 전문적인 업무를 맡는다.

③ ⓐ는 기사 작성을 매우 빠른 시간 내에 할 수 있다.

④ ⓑ는 인터넷을 활용하여 서비스를 제공한다.

⑤ ⓑ는 부작용이 없는 약을 실시간으로 처방해 준다.

6 윗글에서 〈보기〉의 설명에 해당하는 어구를 찾아서 3어절로 쓰시오.

> 서술
> 유형

> ─● 보기 ●─
> • 새롭게 변화하는 시대의 흐름을 가리킴.
> • 비유적인 표현을 활용함.

[7~9] 다음 글을 읽고, 물음에 답하시오.

기술 변화에 따라 일자리가 감소하는 문제를 어떻게 바라봐야 할까? 두 가지 차원에서 생각해 볼 수 있다. 사회적 차원에서는 사라지는 일자리보다 새로운 일자리를 더 많이 만들어 내면 된다. 하지만 개인에게 중요한 것은 사라지는 일자리보다 새로운 일자리가 더 많이 생길지에 대한 논의는 아닐 것이다. 그런 것은 경제학자나 정책 기획자에게나 중요한 문제이지 개인의 관심사는 아닐 수 있다. 개인들에게는 "자동화의 거센 물결 속에서 내 일자리가 앞으로 유지될 수 있느냐?" 하는 것이 훨씬 중요한 문제이다.

로봇이 일자리를 없애더라도 생산성이 높아지고 그 덕분에 사회 전체적으로 부가 가치가 늘어나면 역소득세나 기본 _{저소득자에게 정부가 보조금을 지급하는 제도.} 소득의 도입, 또는 사회 복지 확대와 같은 재분배 방법을 동원해서 사람들이 일은 덜 하면서도 소비와 여가는 더 많이 누릴 수 있다는 것이 ⊙로봇 문명을 낙관하는 사람들의 생각이다. 하지만 일자리 없이 안락함을 누리는 삶이 과연 더 행복할지는 의문이다. 노동은 자존감을 높이고 정체성을 지키게 하는 등 사람의 정신 건강에 갖는 의미가 지대하다. 기본소득 보장과 같은 금전적 수단만으로 미래의 실업 문제를 해결하려는 것은 그래서 지나치게 단편적 접근 방식이다. 사회 구성원에게 적절한 일자리를 제공하는 것은 로봇 시대에 무엇보다 중요한 사회적 과제이다.

20세기 영국의 철학자 ⓒ버트런드 러셀은 인간은 권태, 죄의식, 피해망상증 때문에 불행해지며, 그 대신 열정, 사랑, 노력과 체념, 그리고 일을 통해서 행복에 이르게 된다고 주장했다. 고된 노동은 힘들지만 적당한 일은 행복하고 보람 있는 삶에 필수적 요소라는 게 많은 현인들의 가르침이다.

로봇과 자동화의 시대에도 공동체의 안녕과 구성원의 행복을 위해서 적정한 일자리가 필요하다는 것은 (ⓐ) 하다. 아무리 사회적 안전망이 잘 갖춰져 있고 유산이나 기본 소득으로 안정된 삶을 유지할 수 있다 하더라도 일자리가 없다면 진정한 행복을 누리기 어렵다.

7 윗글의 내용과 일치하는 것은?
빈출유형
① 로봇보다 사람이 일을 할 때 생산성이 높다.
② 일자리 감소 문제는 두 가지 차원에서 살펴볼 수 있다.
③ 일자리를 만드는 것은 개인적 차원에서 해야 할 일이다.
④ 로봇 사회에서는 많이 일해야 더 많은 여가를 누릴 수 있다.
⑤ 금전적인 지원을 통해 실업 문제를 근본적으로 해결할 수 있다.

8 ⊙과 ⓒ이 대화를 나눈다고 할 때, 적절하지 <u>않은</u> 것은?
① ⊙: 일자리 없이도 안락한 삶을 누릴 수 있어요.
② ⓒ: 사람은 일을 통해 행복을 느끼기도 합니다.
③ ⊙: 일을 덜 하고 소비와 여가를 더 많이 누리는 것이 행복이죠.
④ ⓒ: 고된 노동 후에 느끼는 성취감도 필요합니다.
⑤ ⊙: 로봇 시대의 문제는 늘어난 부가 가치로 해결할 수 있어요.

9 일자리에 대한 글쓴이의 관점을 바탕으로 할 때, ⓐ에 들
빈출유형 어갈 말로 가장 적절한 것은?
① 설상가상 ② 어불성설 ③ 유명무실
④ 명약관화 ⑤ 일석이조

4일

[10~11] 다음 글을 읽고, 물음에 답하시오.

직업의 세계에 밀려오는 거대한 물결을 우리는 어떻게 맞아야 하는가? 모든 일이 자동화될 수도 있다는 점을 이해하고, 평생 직업 따위는 없다는 사실을 받아들이며, 새로운 현실에 적응해야 한다.

달라진 현실에서 성공적으로 직업 생활을 하려면 다음 사항에 유의하여 스스로 길을 찾아야 한다.

첫 번째는 적극적으로 최신 기술을 수용하고 이를 통해 새로운 과제를 발견하는 것이다. 이때 인공 지능, 로봇 기술, 자동화의 구조와 질서를 탐구하고 주도적으로 받아들여 로봇 환경에 적응하는 것이 중요하다. 미세 수술에 수술용 로봇을 활용하는 것처럼 자신의 영역에 최신 기술을 접목할 방법을 찾아 나가는 것이다. 이제껏 사람이 해 오던 직무를 더

> 둘 이상의 다른 현상 따위를 알맞게 조화하게 함을 비유적으로 이르는 말.

정확하고 신속하게 해낼 로봇에게 맡기고, 우리는 그동안 마주하지 못했던 새로운 과업을 발견하고 존재하지 않던 가치를 만들어 내는 등 더 중요한 일에 집중해야 한다.

두 번째는 직업을 유지, 개선, 탐색하기 위한 지속적인 학습과 재교육이다. 평생직장이나 종신직이 불가능한 환경에

> 평생 동안 일할 수 있는 직위.

서 가장 필요한 능력은 유연성과 평생 학습자로서의 태도이다. 아무리 자신의 직업 영역에서 최신 기술을 익히고 로봇을 능숙하게 다룰 수 있는 능력을 갖추더라도 곧 그보다 더 높은 수준의 기술적 변화에 직면할 수 있기 때문이다. 이제껏 내가 알지 못하던 전혀 새로운 환경이 언제든지 닥쳐올 수 있다는 것을 유념하고, 유연성을 발휘해서 새로운 길을 찾으려는 태도를 지녀야 한다. 인간은 지금까지 숱한 어려움에 맞닥뜨려 왔지만 언제나 유연성을 잃지 않고 창의적 방법을 찾아 헤쳐 나왔다. 유연성은 불안 요소가 가득한, 그렇기 때문에 예측하기 어려운 미래의 직업 세계에서도 마찬가지로 요구되는 덕목이다.

끝으로, 주위에서 함께 일하고 싶어 하는 덕성을 지닌 사

람이 되는 것이다. 아무리 로봇이 득세하더라도 여전히 마지막 결정과 관리는 사람이 담당하게 된다. 함께 일하고 싶은 '좋은 동료', 곧 인격을 갖춘 사람이 더욱 귀하고 중요해질 수밖에 없다.

글의 핵심 내용 파악하기

10
빈출유형

글쓴이가 제안한, 달라진 현실에 대처하는 방안 중 성격이 다른 것은?

① 인격을 갖추려는 자세
② 로봇을 신뢰하려는 태도
③ 최신 기술을 수용하는 자세
④ 지속적으로 학습하려는 태도
⑤ 새로운 과제를 발견하려는 자세

구체적 사례에 적용하기

11
서술유형

대화의 빈칸에 들어갈 알맞은 말을 윗글에서 찾아 순서대로 쓰시오.

> 코딩이 중요하다고 하니, 열심히 공부해서 코딩 자격증을 따야겠어. 그러면 어느 회사든 들어갈 수 있을 테니 말이야.

> 요즘은 코딩을 많이 배우지만 언제든 다른 기술이 중요해질 수 있다는 점에 유념하고 (   )을 발휘해야 해. 그리고 최신 기술만 있다고 해서 회사에 들어갈 수 있는 것은 아니야. (   )을 지녀 함께 일하고 싶은 사람이 되는 것도 중요해.

5 일

(2) 자발적으로 책 읽기
(3) 쓰기 과정 성찰하기

생각 열기   글을 고쳐 쓸 때 무엇을 고려해야 할까?

여러 별을 여행하고 다양한 사람들을 만난 어린 왕자는
자신의 별에 남아 있는 장미에게 편지를 쓰기로 했어요.

들려주고 싶은
이야기가 너무 많아.

참, 쓰는 김에
여우에게도 쓸까?

편지를 완성한 어린 왕자는
새들에게 편지 배달을 부탁했어요.

편지는 무사히 장미에게 배달되었지만,
장미는 편지의 내용을 제대로 이해할 수 없었어요.

어린 왕자는 대체 무슨
말을 하고 싶었던 걸까?
순서도 뒤죽박죽인 데다
내가 아니라 여우에게
쓴 거 아니야?

화가 난 장미의 답장을 받고
어린 왕자는 고민에 빠졌어요.

내 글의 문제가 뭐였을까?

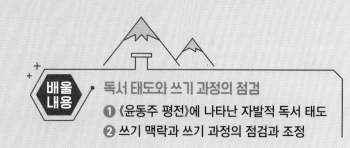
편지 배달 전문가였던 새들은 이 모습을 지켜보다가 어린 왕자를 도와주기로 했어요.

누구에게, 어떤 내용을, 어떤 목적으로 쓰는 건지 먼저 고려해 봐.

쓰기 단계에 맞게 글을 쓰고 고쳐쓰기도 해야 해.

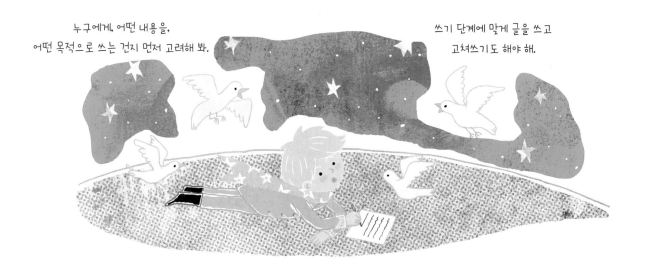

어린 왕자는 편지를 고쳐 써서 다시 장미에게 보냈습니다.
전하고 싶은 이야기가 알맞게 담긴 편지를 받고 장미는 진심으로 감동했답니다.

편지를 잘 부탁해!

이렇게 날 생각해 주다니 감동이야. 나도 네가 보고 싶어, 어린 왕자!

핵심 1 자발적으로 책 읽기

1 자발적 독서의 의미와 효과

❶ ☐☐☐ 독서
다른 사람의 지시나 요청 없이 스스로 책을 찾아 읽는 태도

→

- 능동적으로 책을 선택하고 읽음으로써 내용을 더 잘 이해할 수 있음.
- 성공적인 독서 경험을 할 수 있음.
- 독서를 ❷ ☐☐☐ 하는 습관을 형성할 수 있음.

❶ 자발적

❷ 생활화

2 책 한 권 읽기 활동의 과정

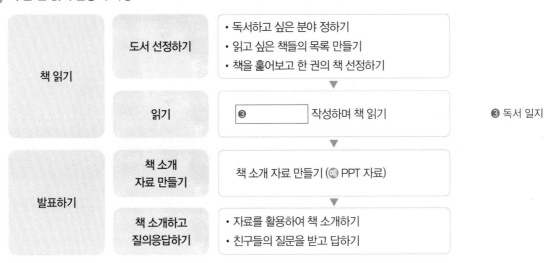

	도서 선정하기	• 독서하고 싶은 분야 정하기 • 읽고 싶은 책들의 목록 만들기 • 책을 훑어보고 한 권의 책 선정하기	
책 읽기	읽기	❸ ☐☐☐☐ 작성하며 책 읽기	❸ 독서 일지
발표하기	책 소개 자료 만들기	책 소개 자료 만들기 (예 PPT 자료)	
	책 소개하고 질의응답하기	• 자료를 활용하여 책 소개하기 • 친구들의 질문을 받고 답하기	

핵심 2 《윤동주 평전》 제재 정리

갈래	평전(전기문)	주제	문학 작품과 독서에 대한 ❹ ☐☐☐의 열정
특징	① ❺ ☐☐를 중심으로 시인 윤동주의 학창 시절을 소개함. ② 가족들의 증언을 통해 학창 시절 윤동주의 ❻ ☐☐ 태도를 보여 줌.		

❹ 윤동주

❺ 일화

❻ 독서

핵심 3 《윤동주 평전》에 나타난 윤동주의 독서 태도

- 교복 안감을 대라고 받은 돈으로 ❼ ☐을 사서 읽음.
- 늘 새벽 2~3시까지 책을 읽을 정도로 독서를 열심히 함.
- 많은 문학 책을 사 모으고, 필사·스크랩을 하며 탐독함.

→ 자발적 독서

❼ 책

1 다음 학생의 질문에 적절한 답변이 될 수 있도록 빈칸에 알맞은 말을 채워 넣으시오.

> 저는 주로 부모님이 사 주신 책을 읽는 편인데요. 자발적인 독서가 왜 필요한가요?

➜ 자발적 독서는 능동적으로 책을 선택하고 읽는 것이므로 내용을 더 잘 (   )할 수 있고, 목적에 맞는 성공적인 (   )을 할 수 있어.

2 ㉠~㉣ 중, 자발적 독서에 해당하는 것을 모두 고르시오.

> ㉠ 자신의 관심사에 따라 책을 선택하여 읽는다.
> ㉡ 최근 유행한 전염병이 궁금하여 책을 찾아 읽는다.
> ㉢ 학교 숙제를 하기 위해 유명 대학의 추천 도서를 읽는다.
> ㉣ 선생님의 권유에 따라 흥미는 없지만 전문 지식을 전달하는 책을 읽는다.

3 자발적 독서를 위해 자신의 독서 태도를 점검할 때의 기준으로 적절하지 <u>않은</u> 것은?

① 스스로 책을 찾아 읽는 편인가?
② 고른 책을 포기하지 않고 끝까지 읽는가?
③ 많은 사람들이 읽은 유명한 책을 읽는가?
④ 자신의 흥미나 수준을 고려하여 책을 고르는가?
⑤ 책을 읽고 나서 관련된 내용의 책을 더 찾아보는가?

4 책을 읽고 발표하는 과정에 따라 ⓐ~ⓔ를 바르게 배열하시오.

> ⓐ 읽은 날짜, 인상적인 구절 등을 기록하며 책을 읽는다.
> ⓑ 글의 종류와 분량, 난이도를 고려하여 책을 선정한다.
> ⓒ 자료를 활용하여 책을 소개하고 질의응답 시간을 갖는다.
> ⓓ 자신의 흥미나 적성, 가치관에 맞는 책을 찾아 목록을 작성한다.
> ⓔ 책의 서지 정보, 주요 내용 등을 포함하여 책 소개 자료를 만든다.

(   ) → (   ) → (   ) → (   ) → (   )

5 《윤동주 평전》을 통해 알 수 있는 윤동주에 대한 설명이 맞으면 O, 틀리면 X 표 하시오.

(1) 문학 관계 유품들이 많이 남아 있다.　(　　　)
(2) 책 읽기와 더불어 건강 관리도 게을리하지 않았다.
　(　　　)
(3) 중학교를 다니던 용정에서 서울로 오면서 좋아하는 책들을 두고 와야만 했다.　(　　　)
(4) 광명중학에 다닐 당시에 문학 수업과 상급 학교 진학 문제로 고민하고 있었다.　(　　　)

[1~3] 다음 글을 읽고, 물음에 답하시오.

윤동주는 당시 두 가지의 큰 목표를 앞에 두고 있었다. 첫째 문학 수업, 둘째 상급 학교 진학.

그가 문학 수업을 얼마나 성실히 했는가는, 그의 문학 관계 유품들이 오늘도 생생한 모습으로 증언하고 있다. 그중에서 무엇보다도 압권인 것이 백석(白石)의 시집 《사슴》의 친필 필사본. ㉠1936년 1월 20일에 출간된 《사슴》이 단지 200부 한정판이었기에 구할 수 없자, 그는 학교 도서관에서 일일이 손수 베껴 필사본을 만들어 가졌던 것이다. 물론 직접 사들인 문학 관계 서적도 많다.

⬥ 윤동주가 필사하여 소장한 백석의 시집 《사슴》

중학 시절의 그의 서가에 꽂혔던 책 중에서 기억에 남는 것은 《정지용 시집》(1936. 3. 10. 평양에서 구입), 변영로 《조선의 마음》, 주요한 《아름다운 새벽》, 김동환 《국경의 밤》, 한용운 《님의 침묵》, 이광수·주요한·김동환 《3인 시가집》, 양주동 《조선의 맥박》, 이은상 《노산 시조집》, 윤석중 동요집 《잃어버린 댕기》, 황순원 《방가》, 《영랑 시집》, 《을해 명시 선집》 등으로서, 그중에서 그가 계속 갖고 와서 서울에 두었기에 지금 나에게 보관되어 있는 것으로는 백석 시집 《사슴》(사본), 《정지용 시집》, 《영랑 시집》, 《을해 명시 선집》 등이다. 그것은 특히 애착을 갖고 있었다는 뜻이 되겠다.

이것은 친동생 윤일주 교수의 증언이다.

글의 내용 전개 방식 파악하기

1 윗글에 대한 설명으로 알맞은 것을 모두 고른 것은?

빈출유형

> ⓐ 관련된 인물의 증언을 인용하여 전달하고 있다.
> ⓑ 글쓴이의 판단 없이 내용을 객관적으로 전달하고 있다.
> ⓒ 실제 사실에 허구의 이야기를 덧붙여 흥미롭게 전달하고 있다.
> ⓓ 구체적인 날짜와 책의 제목 등을 제시하여 사실성을 높이고 있다.

① ⓐ, ⓑ   ② ⓐ, ⓒ   ③ ⓐ, ⓓ
④ ⓑ, ⓒ   ⑤ ⓒ, ⓓ

글의 세부 내용 파악하기

2 윗글을 통해 윤동주에 대해 알 수 있는 내용으로 적절하지 **않은** 것은?

① 윤동주는 문학 수업에 성실하게 임했다.
② 윤동주는 좋아하는 책을 필사하거나 사들였다.
③ 윤동주는 상급 학교 진학을 위해 많은 책을 읽었다.
④ 윤동주는 자신이 좋아하는 책에 대한 애착이 강했다.
⑤ 윤동주는 주로 시나 소설과 같은 문학 작품들을 많이 읽었다.

구절의 의미 파악하기

3 ㉠의 의미를 〈조건〉에 맞게 서술하시오.

서술유형

┌─────── 조건 ───────
• 윤동주의 독서 태도와 관련하여 알 수 있는 구체적인 내용을 서술할 것
• '㉠을 통해 윤동주가 ~는 점을 알 수 있다.'의 문장 형식으로 서술할 것

[4~5] 다음 글을 읽고, 물음에 답하시오.

　윤동주가 그 시절에 이렇게 책을 사 모은 과정의 뒷이야기로서, 다음과 같은 윤혜원 씨의 증언도 재미있다.

　동주 오빠가 중학생 때 아버지께 야단맞는 걸 본 일이 있어요. 용정은 추운 곳이라서 학생들은 겨울이 되면 으레 양복점에 가서 학생복의 안에 따로 천을 대어 입었지요. 그런데 오빠가 교복에 안감 대라고 준 돈으로 안감을 대지 않고 달리 써 버려서 야단치신 거예요. 나중에 오빠가 어머니께 "그 돈으로 책을 샀다."라고 고백하더군요.

　당시 집안 형편이 안감값으로 책을 사야 할 정도로 궁하지는 않았는데 동주 오빠가 왜 그랬는지 모르겠다고 윤혜원 씨는 덧붙였다. 윤동주는 중학생 시절에도 무서운 독서가였다고 한다. 자기 공부방을 따로 갖고 있었는데 늘 새벽 2~3시까지 책을 읽곤 했다는 것. 어떤 때 자다가 한밤중에 일어나 보면 동주는 그때까지도 불을 켜 놓고 책을 보고 있었다고 한다. 윤일주 교수가 작성한 '윤동주의 연보'에 따르면 "광명 중학교 시절, 일본판 세계 문학 전집과 한국인 작가의 소설과 시를 탐독하다. …… 한국 문학 작품을 신문과 잡지에서 스크랩하다. 이상(李箱)의 작품을 스크랩하다."라고 되어 있다. 당시 윤동주가 새벽 2~3시까지 자지 않고 읽은 책의 내용을 짐작하게 한다.

　그러나 '문학 수업'이란 본래 끝이 없는 명제이고 또 어디까지나 그 자신 혼자에게 속한 문제였다. 그것보다 더욱 시급한 현안이며 또 가족들과 연관된 일로 들이닥친 것이 바로 '상급 학교 진학' 문제였다.

자발적 독서 태도 파악하기

4　윤동주의 독서 태도를 드러내는 일화로 적절하지 <u>않은</u> 것은?

① 교복 안감을 댈 돈으로 책을 샀다.
② 자기 공부방을 따로 가지고 있었다.
③ 문학 관계 서적을 직접 사서 모았다.
④ 한국인 작가의 소설과 시를 탐독했다.
⑤ 새벽 2~3시까지 잠을 자지 않고 책을 읽었다.

감상의 적절성 평가하기

5　윗글을 읽고 난 후에 의견을 나눈다고 할 때, 적절하지 <u>않</u>은 것은?

① 경희: 새벽 2~3시까지 자지 않고 책을 읽은 것을 보니 윤동주는 책을 정말 좋아했나 봐.
② 민경: 남들이 권해 주는 책을 억지로 읽는 나와 달리 누가 시키지 않아도 스스로 독서를 하는 윤동주의 자발적 독서 태도가 돋보여.
③ 정훈: 교복에 안감을 대라고 준 돈까지 책을 사는 데 쓴 것도 그런 태도를 뒷받침해 주는 것 같아.
④ 한수: 일본판 세계 문학 전집보다 한국 문학 작품을 주로 탐독했다는 점에서 윤동주가 자신의 가치관을 고려해서 책을 선택했다는 것이 드러나.
⑤ 민호: 나는 흥미를 끄는 책을 찾지 못해 책 읽기를 포기한 적이 많았는데, 윤동주가 읽거나 스크랩한 책이 주로 시나 소설이라는 점에서 그가 문학을 열정적으로 좋아했다는 것을 알 수 있어.

핵심 1 　쓰기 맥락을 구성하는 요소와 쓰기 과정

1 쓰기 맥락을 구성하는 요소

독자	글을 읽을 사람(독자의 나이, 지식, 직업, 태도, 흥미 등을 분석해야 함.)
❶	글을 쓰는 이유(정보 전달, 설득, 정서 표현 등)
주제	글을 통해 전달하려는 글쓴이의 중심 생각
매체	글을 독자에게 전달하는 ❷ [　] (신문·잡지와 같은 인쇄 매체, 텔레비전·라디오와 같은 방송 매체, 인터넷 등)
종류	글의 갈래(설명문, 논설문, 기사문, 수필, 감상문 등)

❶ 목적

❷ 수단

2 쓰기 과정

계획하기	내용 생성하기	내용 조직하기	표현하기	고쳐쓰기
쓰기 ❸ [　] 의 요소를 고려하여 글의 내용과 형식 결정하기	다양한 방식으로 자료를 수집하여 글의 내용 마련하기	글의 흐름, 구조를 고려하여 내용을 짜임새 있게 배열하기	의도가 잘 전달되고 독자가 쉽게 이해하도록 ❹ [　] 하기	쓰기의 전 과정을 점검하여 수정하고 고쳐 쓰기

❸ 맥락

❹ 표현

핵심 2 　〈다원이의 글쓰기 과정〉에 나타난 조정 내용

쓰기 과정	고려한 쓰기 맥락	조정 내용
계획하기	독자	독자의 ❺ [　] 를 끌 만한 제목으로 수정함.
내용 ❻ [　]	독자	독자의 배경지식과 수준을 고려하여 공정 여행의 필요성과 관련한 내용을 추가함.
내용 조직하기	주제	• 글의 흐름을 고려하여 처음과 끝에 들어갈 내용의 순서를 바꿈. • 글의 통일성을 고려하여 ❼ [　] 와 관련이 적은 내용을 삭제함.
표현하기	독자	독자의 흥미를 끌기 위해 문장의 어순을 바꾸고, 의문문으로 표현함.
고쳐쓰기	매체	신문에 실릴 것을 고려하여 그림말을 삭제하고 격식체로 표현함.
	목적	글의 목적을 고려하여 공정 여행의 실천 방법에 대한 내용을 추가함.
	❽ [　]	독자에게 내용을 인상 깊게 전달하기 위해 유명인의 말을 인용함.

❺ 흥미

❻ 생성하기

❼ 주제

❽ 독자

1 ㉠~㉤을 쓰기 과정에 따라 알맞게 배열하시오.

> ㉠ 표현하기
> ㉡ 고쳐쓰기
> ㉢ 계획하기
> ㉣ 내용 조직하기
> ㉤ 내용 생성하기

( ) ➡ ( ) ➡ ( ) ➡ ( ) ➡ ( )

2 일반적인 쓰기의 과정과 해당 과정에서 해야 할 일을 바르게 연결하시오.

(1) 고쳐쓰기 · · ⓐ 글의 흐름에 따라 내용 배열하기

(2) 표현하기 · · ⓑ 다양한 방식으로 자료 모으기

(3) 계획하기 · · ⓒ 글쓴이의 의도를 살려 표현하기

(4) 내용 생성하기 · · ⓓ 글쓰기를 점검하며 수정, 보완하기

(5) 내용 조직하기 · · ⓔ 글의 내용과 글쓰기 방법 결정하기

3 다음 상황에서 여학생의 말에 대한 남학생의 대답으로 가장 적절한 것은?

글을 쓸 때 첫 문장을 어떻게 시작해야 할지 모르겠어.

① 쓰기 맥락을 고려해서 고쳐쓰기를 해 봐.
② 글의 흐름에 따라 내용을 배열하면 좋을 거야.
③ 예상 독자의 흥미를 끌 만한 문장을 생각해 봐.
④ 자료를 보다 다양한 방법으로 수집하면 좋겠어.
⑤ 문장 사이의 연결이 자연스럽게 연결하는 말을 넣어 보완해 봐.

4 계획하기 단계에서 다음 글쓴이가 고려한 쓰기 맥락이 무엇인지 모두 쓰시오.

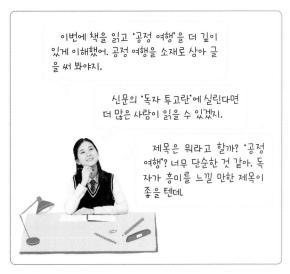

이번에 책을 읽고 '공정 여행'을 더 깊이 있게 이해했어. 공정 여행을 소재로 삼아 글을 써 봐야지.

신문의 '독자 투고란'에 실린다면 더 많은 사람이 읽을 수 있겠지.

제목은 뭐라고 할까? '공정 여행'? 너무 단순한 것 같아. 독자가 흥미를 느낄 만한 제목이 좋을 텐데.

➡ 글쓴이는 ( ), ( ), ( )를 고려하여 글쓰기를 계획하고 있다.

교과서 기출 베스트

[1~3] 다음 글을 읽고, 물음에 답하시오.

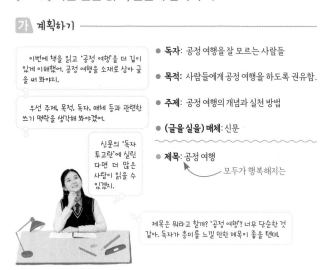

가 계획하기

이번에 책을 읽고 '공정 여행'을 더 깊이 있게 이해했어. 공정 여행을 소재로 삼아 글을 써 봐야지.

우선 주제, 목적, 독자, 매체 등과 관련한 쓰기 맥락을 생각해 봐야겠어.

신문의 '독자 투고란'에 실린다면 더 많은 사람이 읽을 수 있겠지.

제목은 뭐라고 할까? '공정 여행'? 너무 단순한 것 같아. 독자가 흥미를 느낄 만한 제목이 좋을 텐데.

- **독자**: 공정 여행을 잘 모르는 사람들
- **목적**: 사람들에게 공정 여행을 하도록 권유함.
- **주제**: 공정 여행의 개념과 실천 방법
- **(글을 실을) 매체**: 신문
- **제목**: 공정 여행
  → 모두가 행복해지는

나 내용 생성하기

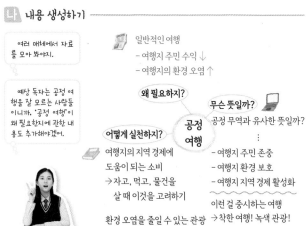

여러 매체에서 자료를 모아 봐야지.

예상 독자는 공정 여행을 잘 모르는 사람들이니까, '공정 여행'이 왜 필요한지에 관한 내용도 추가해야겠어.

일반적인 여행
– 여행지 주민 수익 ↓
– 여행지의 환경 오염 ↑

왜 필요하지? **무슨 뜻일까?**
공정 여행
공정 무역과 유사한 뜻일까?
⋮

어떻게 실천하지?
여행지의 지역 경제에 도움이 되는 소비
→자고, 먹고, 물건을 살 때 이것을 고려하기

환경 오염을 줄일 수 있는 관광
→탄소 배출이나 쓰레기 줄이기

– 여행지 주민 존중
– 여행지 환경 보호
– 여행지 지역 경제 활성화
이런 걸 중시하는 여행
→착한 여행! 녹색 관광!

다 내용 조직하기

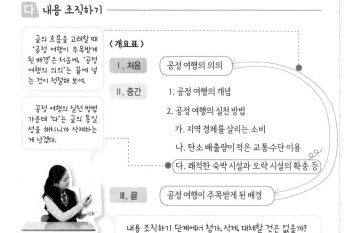

글의 흐름을 고려할 때 '공정 여행'이 주목받게 된 배경'은 처음에, '공정 여행의 의의'는 끝에 넣는 것이 적절해 보여.

공정 여행의 실천 방법 가운데 '다'는 글의 통일성을 해치니까 삭제하는 게 낫겠어.

〈개요표〉

Ⅰ. 처음 — 공정 여행의 의의

Ⅱ. 중간
　1. 공정 여행의 개념
　2. 공정 여행의 실천 방법
　　가. 지역 경제를 살리는 소비
　　나. 탄소 배출량이 적은 교통수단 이용
　　다. 쾌적한 숙박 시설과 오락 시설의 확충 등

Ⅲ. 끝 — 공정 여행이 주목받게 된 배경

내용 조직하기 단계에서 첨가, 삭제, 대체할 것은 없을까?

쓰기 맥락 분석하기

1 (가), (나)를 통해 알 수 있는 내용으로 적절하지 <u>않은</u> 것은?

① 글쓴이가 쓰려는 글은 공정 여행에 관한 글이다.
② 글의 목적은 사람들에게 공정 여행을 권하는 것이다.
③ 예상 독자는 공정 여행을 잘 모르는 학급 친구들이다.
④ 신문, 책, 인터넷 등을 통해 자료를 수집하였다.
⑤ 주제, 목적, 독자, 매체 등 쓰기 맥락을 고려하였다.

쓰기 맥락을 고려하여 내용 점검하기

2 서술
유형
다음은 (가)~(다)에서 점검한 내용과 고려한 쓰기 맥락이다. ㉠~㉢에 들어갈 알맞은 말을 각각 쓰시오.

점검 내용	쓰기 맥락
제목을 수정함.	(㉠)
공정 여행의 (㉡)에 관한 내용을 추가함.	독자
• 개요표에서 글의 처음과 끝부분에 들어갈 내용의 순서를 바꿈. • 개요표에서 통일성을 해치는 내용을 삭제함.	(㉢)

• ㉠: (　　　　) • ㉡: (　　　　) • ㉢: (　　　　)

주제를 고려하여 개요 작성하기

3 빈출
유형
글의 주제를 '공정 여행을 준비하는 방법'으로 바꾼다고 할 때, (다)의 〈개요표〉를 수정하는 방안으로 적절하지 <u>않은</u> 것은?

① '공정 여행의 개념'을 처음 부분으로 옮긴다.
② '공정 여행을 할 때 불편한 점' 관련 내용을 추가한다.
③ '쾌적한 숙박·오락 시설 확충' 관련 내용을 유지한다.
④ '공정 여행의 실천 방법' 대신 '공정 여행을 준비할 때 고려할 점'을 넣는다.
⑤ '공정 여행의 의의' 대신 '든든한 준비로 더 즐거워지는 공정 여행'이라는 내용으로 글을 마무리한다.

[4～5] 다음 글을 읽고, 물음에 답하시오.

모두가 행복해지는 공정 여행

ⓐ 여행은 생각만으로도 우리를 설레게 한다. ⓐ^▽^ 그런데 우리가 이제껏 해 온 편안하고 즐거운 여행에 과연 문제는 없을까? 대형 호텔이나 콘도에 묵으며 유명 관광지를 둘러보는 여행을 하면 여행의 수익 대부분이 여행 관련 업체에만 돌아갈 뿐 ⓑ여행지의 주민에게는 거의 돌아가지 않아요.ㅜㅜ 더구나 여행 과정에서 나오는 쓰레기와 탄소는 자연을 훼손하고 지구 온난화에 영향을 미치지요. 이러한 문제의식에서 나온 새로운 방식의 여행이 바로 공정 여행이다.

공정 여행은 여행지의 주민을 존중하고 환경을 보호하며 지역 경제를 활성화하자는 취지의 여행으로, '착한 여행', '녹색 관광'으로 불리기도 한다. 공정 여행은 다소 느리고 불편할 수 있지만, 여행자는 뜻깊은 체험을 할 수 있고 여행지 주민에게는 유익함을 가져다준다.

공정 여행을 실천하려면 어떻게 해야 할까? 지역 경제에 도움이 되는 소비를 해야 한다. 지역 주민이 운영하는 작은 규모의 숙박 시설이나 민박을 이용하고, 지역 특산물을 재료로 하여 지역 주민이 직접 만든 음식으로 식사하고, 지역 재래시장에서 그 지역의 상품을 구매하는 것이 좋다. (ⓒ) 여행자의 소비가 지역 주민의 소득으로 이어져 여행지의 지역 경제에 도움을 줄 수 있다. 지역 주민과 정을 나누고 여행지의 문화에 대해 더 잘 이해할 수 있다. ⓓ여행을 통해 알게 된 그 지역의 문화, 역사 등이 입시 공부에도 도움이 될 수 있다.

둘째, 탄소 배출량이 적은 교통수단을 이용해야 한다. 〈중략〉 대중교통을 이용하고 자전거나 도보로 여행을 하면 탄소 배출량을 줄여 환경을 보호할 수 있다. 또 자전거 여행이나 도보 여행을 하면 여행지를 구석구석 살펴볼 수 있을 뿐만 아니라 자신을 돌아볼 수 있는 여유도 생긴다.

ⓔ

독자를 고려하여 고쳐쓰기

4 다음과 같은 글쓴이의 생각을 고려하여 ⓐ을 〈조건〉에 맞게 고쳐 쓰시오.
서술유형

"여행은 생각만으로도 우리를 설레게 한다."라고 시작하는 것보다 주어와 서술어의 어순을 바꾸어 표현하는 것이 독자에게 더 흥미로울 거야.

▸ 조건 ◂
명사구와 느낌표로 문장을 마무리할 것

적절한 고쳐쓰기 방안 파악하기

5 다음을 고려하여 ⓐ～ⓔ를 고쳐 쓰는 방안으로 적절하지 **않은** 것은?
빈출유형

- 독자: 공정 여행을 잘 모르는 사람들
- 목적: 사람들에게 공정 여행을 하도록 권유함.
- 주제: 공정 여행의 개념과 실천 방법
- 글을 실을 매체: 신문

① ⓐ: 글을 실을 매체를 고려하여 삭제한다.
② ⓑ: 종결 표현을 일관성 있게 수정한다.
③ ⓒ: 문장의 연결이 어색하므로 '그러면'을 넣는다.
④ ⓓ: 글의 흐름에 맞지 않으므로 첫 번째 문단의 끝으로 옮긴다.
⑤ ⓔ: 목적을 고려하여 공정 여행에 동참할 것을 권유하는 내용을 추가한다.

[1~4] 다음 글을 읽고, 물음에 답하시오.

가 가시리 가시리잇고 나ᄂᆞᆫ

　　㉠ᄇᆞ리고 가시리잇고 나ᄂᆞᆫ

　　　　위 증즐가 大平盛代(대평셩ᄃᆡ)

날러는 엇디 살라 ᄒᆞ고

ᄇᆞ리고 가시리잇고 나ᄂᆞᆫ

　　　　위 증즐가 大平盛代(대평셩ᄃᆡ)

잡ᄉᆞ와 두어리마ᄂᆞᄂᆞᆫ

㉡선ᄒᆞ면 아니 올셰라

　　　　위 증즐가 大平盛代(대평셩ᄃᆡ)

㉢셜온 님 보내ᄋᆞᆸ노니 나ᄂᆞᆫ

가시ᄂᆞᆫ 듯 도셔 오쇼셔 나ᄂᆞᆫ

　　　　위 증즐가 大平盛代(대평셩ᄃᆡ)

나 나 보기가 역겨워 / 가실 때에는

말없이 고이 보내 드리우리다

영변(寧邊)에 약산(藥山) / ㉣진달래꽃

아름 따다 가실 길에 뿌리우리다.

가시는 걸음걸음 / 놓인 그 꽃을

사뿐히 즈려밟고 가시옵소서

나 보기가 역겨워 / 가실 때에는

㉤죽어도 아니 눈물 흘리우리다.

1 (가), (나)의 시구를 이해한 내용으로 적절하지 <u>않은</u> 것은?

① ㉠: 시적 화자가 임에게 이별을 확인하는 물음이다.

② ㉡: ㉡의 주체는 임으로, 화자는 임이 돌아오지 않을까 염려하고 있다.

③ ㉢: 임을 보내는 화자의 서러운 심정이 드러나 있다.

④ ㉣: 시적 화자의 분신과도 같은 대상이다.

⑤ ㉤: 1연과 달리 임과의 이별을 냉정하게 받아들이고 있다.

2 (가)의 시적 화자에 대한 설명으로 적절하지 <u>않은</u> 것은?

① 임을 적극적으로 말리지 못함.

② 떠나는 임에 대한 원망을 드러냄.

③ 임과 재회하고 싶은 소망을 드러냄.

④ 태평성대에 대한 긍정적 기대를 지님.

⑤ 소극적이고 자기희생적인 모습을 보임.

3 (나)의 표현상 특징으로 적절하지 <u>않은</u> 것은?

① 인간사와 대비되는 자연 현상을 통해 주제를 드러내고 있다.

② 민요를 계승한 3음보의 율격으로 리듬감을 형성하고 있다.

③ 종결 어미 '–우리다'의 반복으로 음악적 효과를 내고 있다.

④ 반어적 표현을 활용하여 화자의 내면 심리를 효과적으로 드러내고 있다.

⑤ 1연과 4연이 대응하는 수미상관의 구성을 통해 구조적 안정감을 보이고 있다.

정답과 해설 88쪽

6일

4 주제 면에서 드러나는 (가)와 (나)의 공통점을 〈조건〉에 맞게 서술하시오.

〔서술유형〕

┌─── 조건 ───
'~ 상황에서 화자가 느끼는 ~ 정서를 표현하고 있다.'의 문장 형식으로 서술할 것
└─────────

[5~8] 다음 글을 읽고, 물음에 답하시오.

가 홍진에 뭇친 분네 이내 생애 엇더ᄒᆞ고
넷사ᄅᆞᆷ 풍류ᄅᆞᆯ 미츨가 못 미츨가
천지간 남자 몸이 날만 ᄒᆞᆫ 이 하건마ᄂᆞᆫ
산림에 뭇쳐 이셔 지락을 ᄆᆞᄅᆞᆯ 것가
㉠수간모옥을 벽계수 앏픠 두고
송죽 울울리에 풍월주인 되어셔라
엇그제 겨을 지나 새봄이 도라오니
도화행화ᄂᆞᆫ 석양리에 픠여 잇고
녹양방초ᄂᆞᆫ 세우 중에 프르도다
〈중략〉
이바 니웃드라 산수 구경 가쟈스라
답청으란 오ᄂᆞᆯ ᄒᆞ고, ㉡욕기란 내일 ᄒᆞ새

아ᄎᆞᆷ에 채산ᄒᆞ고, 나조ᄒᆡ 조수ᄒᆞ새
ᄀᆞᆺ 괴여 닉은 술을 ㉢갈건으로 밧타 노코
곳나모 가지 것거 수 노코 먹으리라
화풍이 건듯 부러 녹수ᄅᆞᆯ 건너오니
청향은 잔에 지고 낙홍은 옷새 진다
〈중략〉
송간세로에 두견화ᄅᆞᆯ 부치 들고
봉두에 급피 올나 구름 소긔 안자 보니
㉣천촌만락이 곳곳이 버러 잇니
연하일휘ᄂᆞᆫ 금수ᄅᆞᆯ 재펏ᄂᆞᆫ 듯
엇그제 검은 들이 봄빗도 유여ᄒᆞ샤
공명도 날 씌우고, 부귀도 날 씌우니
청풍명월 외예 엇던 벗이 잇ᄉᆞ올고
㉤단표누항에 훗튼 혜음 아니 ᄒᆞ니
아모타 백년행락이 이만ᄒᆞᆫᄃᆞᆯ 엇지ᄒᆞ리

나 머리가 마늘쪽같이 생긴 고향의 소녀와
한여름을 알몸으로 사는 고향의 소년과
같이 낯이 설어도 사랑스러운 들길이 있다

그 길에 아지랑이가 피듯 태양이 타듯
제비가 날듯 길을 따라 물이 흐르듯 그렇게 / 그렇게

│천연(天然)│히

울타리 밖에도 화초를 심는 마을이 있다
오래오래 잔광이 부신 마을이 있다
밤이면 더 많이 별이 뜨는 마을이 있다.

5 (가)와 (나)에 대한 설명으로 적절한 것은?

① (가)와 (나) 모두 과거의 삶에 대한 반성과 후회를 담고 있다.

② (가)와 (나) 모두 전통적인 율격과 반복을 통해 운율을 형성하고 있다.

③ (가)와 (나) 모두 설의적인 표현을 통해 화자의 생각을 강조하고 있다.

④ (가)는 (나)와 달리 인간 세상과 자연을 대조적으로 바라보고 있다.

⑤ (나)는 (가)와 달리 역설법을 통해 자연에서 얻은 깨달음을 드러내고 있다.

6 ㉠~㉤을 이해한 내용으로 적절하지 <u>않은</u> 것은?

① ㉠: 작은 초가라는 뜻으로 화자가 사는 공간임.

② ㉡: 기수(沂水)에서 목욕한다는 뜻으로 다시 조정으로 돌아가기 위한 준비임.

③ ㉢: 칡으로 짠 베로 만든 두건이라는 뜻으로 풍류를 즐기는 모습을 나타냄.

④ ㉣: 수많은 마을이라는 뜻으로 봉우리에서 내려다본 풍경임.

⑤ ㉤: 누항에서 먹는 밥과 물이라는 뜻으로 소박하고 청빈한 생활을 이름.

7 (나)의 <u>천연(天然)히</u>에 대한 설명으로 적절하지 <u>않은</u> 것은?

① 의미를 부각하여 시의 주제를 드러냄.

② 앞부분과 뒷부분을 연결하는 역할을 함.

③ 시어를 천천히 읽도록 유도하여 호흡을 조절함.

④ 대상의 속성을 드러내어 역동적 분위기를 조성함.

⑤ 시어 하나로 독립된 연을 구성하여 시상을 집약함.

8 _{서술유형} (가)와 (나)의 시적 화자가 공통적으로 지향하는 삶이 무엇인지 〈조건〉에 맞게 서술하시오.

조건
• '조화'라는 단어를 포함할 것
• '(가)와 (나)의 시적 화자는 ~을 지향하고 있다.'의 문장 형식으로 서술할 것

[9~12] 다음 글을 읽고, 물음에 답하시오.

가 온갖 깃발이며 삼현육각 풍류 소리 공중에 떠 있고, 붉은 옷 붉은 치마 입은 기생들은 흰 손 비단 치마 높이 들어 춤을 추고, ㉠지화자 둥덩실 하는 소리에 어사의 마음이 심란하구나.

"여봐라 사령들아, 너의 사또에게 여쭈어라. 먼 데 있는 걸인이 좋은 잔치에 왔으니 술과 안주나 좀 얻어먹자고 여쭈어라."

나 ㉡어사또 들어가 단정히 앉아 좌우를 살펴보니, 당위의 모든 수령 다담상을 앞에 놓고 진양조가 높아 가는데, 어사또의 상을 보니 어찌 아니 통분하랴. 모서리 떨어진 개상판에 닥나무 젓가락, 콩나물, 깍두기, 막걸리 한 사발 놓았구나. 상을 발길로 탁 차 던지며 운봉 영장의 갈비를 가리키며, / ⓐ"갈비 한 대 먹고지고."

다 본관 사또가 술주정이 나서 분부하되,

"춘향을 급히 올리라." / ㉢이때에 어사또 부하들과 내통한다. 서리를 보고 눈길을 보내니 서리, 중방 거동 보소. 역졸을 불러 단속할 제 이리 가며 수군, 저리 가며 수군 수군. 서리, 역졸 거동 보소. 외올망건 공단 모자 새 패랭이 눌러쓰고, 석 자 감발 새 짚신에 한삼(汗衫) 고의 산뜻하게 차려입고, 육모 방망이 사슴 가죽끈을 손목에 걸어 쥐고, 여기서 번쩍 저기서 번쩍, 남원읍이 우글우글. 청파 역졸 거동 보소. 달 같은 마패를 햇빛같이 번쩍 들어,

"암행어사 출도야."

라 ㉣좌수, 별감 넋을 잃고 이방, 호방 혼을 잃고 나졸들이 분주하네. 모든 수령 도망갈 제 거동 보소. 인궤 잃고 강정 들고, 병부 잃고 송편 들고, 탕건 잃고 용수 쓰고, 갓 잃고 소반 쓰고. 칼집 쥐고 오줌 누기. 부서지는 것은 거문고요, 깨지는 것은 북과 장고라. 본관 사또가 똥을 싸고 멍석 구멍 새앙쥐 눈 뜨듯 하고, 안으로 들어가서,

ⓑ"어 추워라. 문 들어온다 바람 닫아라. 물 마르다 목 들여라."

관청색은 상을 잃고 문짝을 이고 내달으니, 서리, 역졸 달려들어 후닥딱. / "애고 나 죽네."

마 "얼굴 들어 나를 보라."

하시니 ㉤춘향이 고개 들어 위를 살펴보니, 걸인으로 왔던 낭군이 분명히 어사또가 되어 앉았구나. 반 웃음 반 울음에, / "얼씨구나 좋을시고. 어사 낭군 좋을시고. 남원 읍내 가을이 들어 떨어지게 되었더니, 객사에 봄이 들어 이화춘풍(李花春風) 날 살린다. 꿈이냐 생시냐? 꿈을 깰까 염려로다." 〈중략〉

춘향의 높은 절개 광채 있게 되었으니 어찌 아니 좋을쏜가.

9 (가)~(마)를 요약한 내용으로 적절하지 <u>않은</u> 것은?

① (가): 변 사또의 생일잔치에 어사또가 참석하려 함.

② (나): 생일잔치에 끼어든 어사또가 푸대접을 받음.

③ (다): 어사또가 춘향과 내통하여 잔치를 망침.

④ (라): 암행어사 출도에 수령들이 놀라 도망침.

⑤ (마): 춘향과 어사또가 된 이몽룡이 재회함.

10 (라)에서 인물들이 처한 상황과 어울리는 한자 성어로 가장 적절한 것은?

① 상전벽해　　　　② 일장춘몽

③ 오월동주　　　　④ 호사다마

⑤ 혼비백산

11 ㉠~㉤ 중, 편집자적 논평에 해당하는 것은?

① ㉠　　② ㉡　　③ ㉢　　④ ㉣　　⑤ ㉤

12 〈보기〉를 바탕으로 하여 ⓐ, ⓑ에 나타난 표현 방법을 〈조건〉에 맞게 서술하시오.

　서술유형

┌─ 보기 ─

　언어유희는 다른 의미를 암시하기 위해 말을 해학적으로 사용하는 표현 방법이다. 언어유희에는 동음이의어를 활용한 것, 유사 음운을 반복한 것, 언어 도치를 활용한 것, 발음의 유사성을 활용한 것 등이 있다.

└─

┌─ 조건 ─

　'ⓐ는 ~를, ⓑ는 ~를 활용한 언어유희이다.'의 문장 형식으로 서술할 것

└─

[1 ~ 2] 다음 글을 읽고, 물음에 답하시오.

가 21세기 들어 일자리 구조에 근본적인 바람이 불어오고 있다. 증기 기관의 발명으로 시작된 18세기 산업 혁명이 '제1의 기계 시대'를 열었다면 디지털과 컴퓨터 기술은 '제2의 기계 시대'를 만들고 있다. 제1의 기계 시대에는 동력을 이용하는 기계가 저임금 육체노동을 대체했지만, ㉠제2의 기계 시대에는 그동안 인간 고유의 지적이고 정신적인 작업으로 여겨졌던 업무마저 인공 지능을 갖춘 로봇이 담당한다.

로봇은 여러 방면에서 인간과 경쟁하고 있다. 로봇은 각종 퀴즈 대결에서 이미 인간을 이기기도 했다. 기계 학습 기능을 갖춘 인공 지능 로봇은 학습이나 프로그래밍이 되어 있지 않은 상태에서 시행착오를 거치며 스스로 학습함으로써 사람보다 뛰어난 과업 수행 능력을 보여 준다. 〈중략〉 편리하면서도 강력한 신기술이 개발되면 결국 그동안 해당 업무를 수행해 온 사람들은 일자리를 빼앗길 운명에 처한다.

나 기자, 의사, 약사, 변호사, 회계사, 세무사, 교수 등의 전문 직종도 예외가 아니다. 재교육을 받고 새로운 기기나 기술, 서비스 방법을 익히는 것만으로도 예전에는 충분히 경쟁력을 유지할 수 있었으나 이제는 그렇지 않다. 경쟁 상황과 시장 조건이 근본적으로 달라졌기 때문이다. 예를 들어 살펴보자.

《로스앤젤레스 타임스》는 2015년 3월 30일 새벽 2시 캘리포니아 주 인근에서 진도 4의 지진이 발생했다는 기사를 보도했다. 지진 발생에서 기사 보도까지 걸린 시간은 단 5분이었다. 이는 작성자가 사람이 아니라 퀘이크봇(Quakebot)이라는 기사 작성 로봇이었기 때문에 가능했다.

1 윗글에서 답을 찾을 수 있는 질문에 해당하지 <u>않는</u> 것은?

① 로봇이 인간과 경쟁하는 분야는 어떤 것인가?
② 21세기에 생긴 일자리 구조의 변화란 무엇인가?
③ 전문 직종의 일자리들도 대체될 가능성이 있는가?
④ 제1의 기계 시대와 제2의 기계 시대의 차이는 무엇인가?
⑤ 인공 지능 로봇은 누가 어떤 과정을 거쳐 발명하였는가?

2 ㉠에 해당하는 사례로 적절하지 <u>않은</u> 것은?

① 멜로디 패턴을 이해하고 클래식을 작곡하는 프로그램
② 눈동자 사진으로 망막 질환을 판단하는 인공 지능 안구 검진기
③ 인터넷을 통해 상품을 주문하면 하루 만에 도착하는 택배 서비스
④ 꽃 사진을 찍으면 자동으로 꽃에 대한 정보를 찾아 주는 스마트폰 앱
⑤ 변호사 대신 문서를 검토하고 증거를 조사해 주는 인공 지능 기반의 소프트웨어

[3 ~ 5] 다음 글을 읽고, 물음에 답하시오.

가 그렇다면 기술 변화에 따라 일자리가 감소하는 문제를 어떻게 바라봐야 할까? 〈중략〉

로봇이 일자리를 없애더라도 생산성이 높아지고 그 덕분에 사회 전체적으로 부가 가치가 늘어나면 역소득세나 기본 소득의 도입, 또는 사회 복지 확대와 같은 재분배 방법을 동원해서 사람들이 일은 덜 하면서도 소비와 여가는 더 많이 누릴 수 있다는 것이 로봇 문명을 낙관하는 사람들의 생각이다. 하지만 일자리 없이 안락함을 누리

는 삶이 과연 더 행복할지는 의문이다. 노동은 자존감을 높이고 정체성을 지키게 하는 등 사람의 정신 건강에 갖는 의미가 지대하다.

◢ 달라진 현실에서 성공적으로 직업 생활을 하려면 다음 사항에 유의하여 스스로 길을 찾아야 한다.

첫 번째는 적극적으로 최신 기술을 수용하고 이를 통해 새로운 과제를 발견하는 것이다. 이때 인공 지능, 로봇 기술, 자동화의 구조와 질서를 탐구하고 주도적으로 받아들여 로봇 환경에 적응하는 것이 중요하다. 미세 수술에 수술용 로봇을 활용하는 것처럼 자신의 영역에 최신 기술을 접목할 방법을 찾아 나가는 것이다. 〈중략〉

두 번째는 직업을 유지, 개선, 탐색하기 위한 지속적인 학습과 재교육이다. 평생직장이나 종신직이 불가능한 환경에서 가장 필요한 능력은 유연성과 평생 학습자로서의 태도이다. 아무리 자신의 직업 영역에서 최신 기술을 익히고 로봇을 능숙하게 다룰 수 있는 능력을 갖추더라도 곧 그보다 더 높은 수준의 기술적 변화에 직면할 수 있기 때문이다. 이제껏 내가 알지 못하던 전혀 새로운 환경이 언제든지 닥쳐올 수 있다는 것을 유념하고, 유연성을 발휘해서 새로운 길을 찾으려는 태도를 지녀야 한다. 〈중략〉

끝으로, 주위에서 함께 일하고 싶어 하는 덕성을 지닌 사람이 되는 것이다. 아무리 로봇이 득세하더라도 여전히 마지막 결정과 관리는 사람이 담당하게 된다. 함께 일하고 싶은 '좋은 동료', 곧 인격을 갖춘 사람이 더욱 귀하고 중요해질 수밖에 없다.

3 윗글에 대한 설명으로 가장 적절한 것은?

① 로봇 시대에 새롭게 부각될 일자리를 소개하고 있다.

② 로봇 시대가 가져올 결과를 낙관적으로 전망하고 있다.

③ 로봇 시대에 발생할 수 있는 문제에 대한 해결 방안을 제시하고 있다.

④ 로봇 시대로의 변화에 따른 장점과 단점을 살핀 후 절충안을 제시하고 있다.

⑤ 로봇 시대에 대한 전문가의 의견을 들어 부정적 인식을 긍정적으로 바꾸고 있다.

4 윗글에 나타난 글쓴이의 생각과 일치하지 않는 것은?

① 노동을 통해 자존감을 높이고 행복을 찾을 수 있다.

② 정신적, 인성적인 부분보다는 기술적인 역량을 개발한다.

③ 언제든 새로운 환경에 적응할 수 있는 유연성이 필요하다.

④ 달라진 현실에서 살아남기 위해 개인이 스스로 길을 찾아야 한다.

⑤ 인간의 일자리 문제가 해결되지 않고는 로봇 문명을 낙관적으로만 볼 수 없다.

5 서술형 〈보기〉와 같이 글쓴이의 생각에 대한 대안을 찾으며 글을 읽었다고 할 때, 이러한 독서를 무엇이라고 하는지 쓰시오.

보기

글쓴이는 개인적 차원에서 직업을 가질 수 있도록 준비하고 역량을 강화하라고 하고 있어. 하지만 나는 사회 구성원들이 줄어든 일자리를 나눔으로써 모두가 자신의 일을 가질 수 있는 방법을 찾아야 한다고 생각해. 그래서 줄어든 소득은 국가가 기본 소득 보장 제도를 도입해 어느 정도 채워 주면 될 것 같아.

[6~7] 다음 글을 읽고, 물음에 답하시오.

윤동주는 당시 두 가지의 큰 목표를 앞에 두고 있었다. 첫째 문학 수업, 둘째 상급 학교 진학.

그가 문학 수업을 얼마나 성실히 했는가는, 그의 문학 관계 유품들이 오늘도 생생한 모습으로 증언하고 있다. 그중에서 무엇보다도 압권인 것이 백석(白石)의 시집 《사슴》의 친필 필사본. 1936년 1월 20일에 출간된 《사슴》이 단지 200부 한정판이었기에 구할 수 없자, 그는 학교 도서관에서 일일이 손수 베껴 필사본을 만들어 가졌던 것이다. 물론 직접 사들인 문학 관계 서적도 많다. 〈중략〉

동주 오빠가 중학생 때 아버지께 야단맞는 걸 본 일이 있어요. 〈중략〉 오빠가 교복에 안감 대라고 준 돈으로 안감을 대지 않고 달리 써 버려서 야단치신 거예요. 나중에 오빠가 어머니께 "그 돈으로 책을 샀다."라고 고백하더군요.

당시 집안 형편이 안감값으로 책을 사야 할 정도로 궁하지는 않았는데 동주 오빠가 왜 그랬는지 모르겠다고 윤혜원 씨는 덧붙였다. 윤동주는 중학생 시절에도 무서운 독서가였다고 한다. 자기 공부방을 따로 갖고 있었는데 늘 새벽 2~3시까지 책을 읽곤 했다는 것. 어떤 때 자다가 한밤중에 일어나 보면 동주는 그때까지도 불을 켜 놓고 책을 보고 있었다고 한다. 윤일주 교수가 작성한 '윤동주의 연보'에 따르면 "광명중학교 시절, 일본판 세계 문학 전집과 한국인 작가의 소설과 시를 탐독하다. …… 한국 문학 작품을 신문과 잡지에서 스크랩하다. 이상(李箱)의 작품을 스크랩하다."라고 되어 있다.

6 윗글에 대한 설명으로 적절한 것은?

① 윤동주가 학창 시절 겪었던 갈등의 양상을 상세하게 묘사하고 있다.
② 다양한 일화를 통해 윤동주가 문학에 심취하게 된 계기를 밝히고 있다.
③ 윤동주의 일생을 시간 순서대로 배열하여 그의 숭고한 삶을 드러내고 있다.
④ 가족의 증언을 인용하여 문학에 대한 윤동주의 태도를 생생하게 전달하고 있다.
⑤ 그동안 밝혀지지 않았던 윤동주의 새로운 면모를 비판적 시각에서 평가하고 있다.

7
_{서술}
_{유형} 윗글에 나타난 윤동주의 자발적 독서 태도를 두 가지 이상 서술하시오.

[8~10] 다음 글을 읽고, 물음에 답하시오.

가 〈개요표〉

처음 공정 여행이 주목받게 된 배경 ·············· ㉠

중간 1. 공정 여행의 개념 ································ ㉡

2. 공정 여행의 실천 방법

가. 지역 경제를 살리는 소비 ·············· ㉢

나. 탄소 배출량이 적은 교통수단 이용 ···· ㉣

다. 여행지의 문화를 이해할 수 있는

다양한 체험 활동 참여 ··············· ㉤

끝 공정 여행의 의의

📙 모두가 행복해지는 공정 여행

생각만으로도 우리를 설레게 하는 여행! ＼▽＾ 그런데 우리가 이제껏 해 온 편안하고 즐거운 여행에 과연 문제는 없을까? 대형 호텔이나 콘도에 묵으며 유명 관광지를 둘러보는 여행을 하면 여행의 수익 대부분이 여행 관련 업체에만 돌아갈 뿐 여행지의 주민에게는 거의 돌아가지 ~~않는다.~~ 않아요. 더구나 여행 과정에서 나오는 쓰레기와 탄소는 자연을 훼손하고 지구 온난화에 영향을 ~~미치지요.~~ 미친다. 이러한 문제의식에서 나온 새로운 방식의 여행이 바로 공정 여행이다.

공정 여행은 여행지의 주민을 존중하고 환경을 보호하며 지역 경제를 활성화하자는 취지의 여행으로, '착한 여행', '녹색 관광'으로 불리기도 한다. 공정 여행은 다소 느리고 불편할 수 있지만, 여행자는 뜻깊은 체험을 할 수 있고 여행지 주민에게는 유익함을 가져다준다.

공정 여행을 실천하려면 어떻게 해야 할까? 지역 경제에 도움이 되는 소비를 해야 한다. 지역 주민이 운영하는 작은 규모의 숙박 시설이나 민박을 이용하고, 지역 특산물을 재료로 하여 지역 주민이 직접 만든 음식으로 식사하고, 지역 재래시장에서 그 지역의 상품을 구매하는 것이 좋다. 여행자의 소비가 지역 주민의 소득으로 이어져 여행지의 지역 경제에 도움을 줄 수 있다.

둘째, 탄소 배출량이 적은 교통수단을 이용해야 한다. 한국문화관광연구원의 논문 자료에 따르면, 1년 동안 국내 여행에 이용한 교통수단에서 배출된 탄소로 오염된 공기를 정화하려면 무려 47억 그루 정도의 나무를 심어야 한다고 한다. 대중교통을 이용하고 자전거나 도보로 여행을 하면 탄소 배출량을 줄여 환경을 보호할 수 있다.

8 (가)의 ㉠~㉤ 중 (나)에 반영되지 <u>않은</u> 것은?

① ㉠ ② ㉡ ③ ㉢ ④ ㉣ ⑤ ㉤

9 (가), (나)를 바탕으로 하여 학생의 글쓰기 과정을 추측한 내용으로 적절하지 <u>않은</u> 것은?

① 계획하기: 예상 독자를 공정 여행에 대해 잘 모르는 사람들로 설정했을 것이다.
② 내용 생성하기: 공정 여행이 왜 필요한지에 대한 정보를 수집했을 것이다.
③ 내용 조직하기: 공정 여행이 주목받게 된 배경을 글의 처음 부분에 넣었을 것이다.
④ 표현하기: 독자의 흥미를 끌기 위해 다양한 표현 기법을 사용했을 것이다.
⑤ 고쳐쓰기: 글이 신문에 실릴 것을 고려하여 사진 자료를 추가했을 것이다.

10 다음을 참고하여 (나)의 마지막 문장을 쓴다고 할 때, 가장 적절한 것은?

- 공정 여행에 동참할 것을 권유하는 내용을 담을 것
- 청유형 문장을 사용할 것
- 도치법을 사용할 것

① 모두가 행복해지는 녹색 관광! 지금 떠나라!
② 떠나 볼까요? 느리지만 여유 있는 공정 여행을.
③ 모두 준비가 되었다면 이제 착한 여행을 떠납시다.
④ 우리 함께 떠나자. 인간과 자연이 모두 행복해지는 착한 여행을.
⑤ 제 블로그에 방문해서 확인하세요. 공정 여행에 대한 더 많은 정보를.

[1~2] 다음 글을 읽고, 물음에 답하시오.

가 가시리 가시리잇고 나는
ᄇ리고 가시리잇고 나는
　　위 증즐가 大平盛代(대평셩디)

날러는 엇디 살라 ᄒ고
ᄇ리고 가시리잇고 나는
　　위 증즐가 大平盛代(대평셩디)

잡ᄉ와 두어리마ᄂᆞᆫ
선ᄒ면 아니 올셰라
　　위 증즐가 大平盛代(대평셩디)

셜온 님 보내ᄋᆸ노니 나는
가시ᄂᆞᆫ 듯 도셔 오쇼셔 나는
　　위 증즐가 大平盛代(대평셩디)

나 나 보기가 역겨워
가실 때에는
말없이 고이 보내 드리우리다

영변에 약산
진달래꽃
아름 따다 가실 길에 뿌리우리다

가시는 걸음걸음
놓인 그 꽃을
사뿐히 즈려밟고 가시옵소서

나 보기가 역겨워
가실 때에는
죽어도 아니 눈물 흘리우리다

다 아리랑 아리랑 아라리요
아리랑 고개로 넘어간다
나를 버리고 가시는 님은
십 리도 못 가서 발병 난다

1 **융합 코딩** (가)에 나타난 화자의 태도를 아래 체크 리스트를 통해 분석해 보고, 화자의 심리를 고려하여 화자에게 조언할 말을 한 문장으로 서술하시오.

이별 상황에서의 태도 체크	Yes	No
예 임을 원망하며 애원한다.	☑	☐
① 나를 떠날 수 없게 임을 붙잡는다.	☐	☐
② 임이 서운하면 안 되므로 일단 보내 준다.	☐	☐
③ 슬프지만 겉으로 절대 내색하지 않는다.	☐	☐
④ 임이 나에게 돌아올 것을 믿고 기다린다.	☐	☐

↓

■ 조언:

2
융합
(가)~(다)의 공통점을 바탕으로 하여 한국 시가 문학의 특성을 〈조건〉에 맞게 서술하시오.

─● 조건 ●
• (가)~(다)의 형식적 측면에서 공통점을 찾을 것
• 구체적인 구절을 예로 들어 설명할 것

3
창의
|홋튼 혜음|을 중심으로 하여 다음 시의 주제를 〈조건〉에 맞게 서술하시오.

서사
홍진에 뭇친 분네 이내 생애 엇더ᄒᆞᆫ고
녯사ᄅᆞᆷ 풍류를 미ᄎᆞᆯ가 못 미ᄎᆞᆯ가
천지간 남자 몸이 날만ᄒᆞᆫ 이 하건마ᄂᆞᆫ
산림에 뭇쳐 이셔 지락을 ᄆᆞ를 것가
수간모옥을 벽계수 앏픠 두고
송죽 울울리에 풍월주인 되어셔라
〈중략〉

결사
공명도 날 씌우고, 부귀도 날 씌우니
청풍명월 외예 엇던 벗이 잇ᄉᆞ올고
단표누항에 |홋튼 혜음| 아니 ᄒᆞ니
아모타 백년행락이 이만ᄒᆞᆫ들 엇지ᄒᆞ리

─● 조건 ●
'홋튼 혜음'과 의미가 통하는 시어 두 개를 결사에서 찾고, 이에 대한 화자의 태도를 중심으로 하여 시의 주제를 서술할 것

4
창의
융합
다음 시의 화자가 〈보기〉의 '폭포수'와 '분수' 중 어느 것을 더 좋아할지 그 이유를 밝혀 서술하시오.

머리가 마늘쪽같이 생긴 고향의 소녀와
한여름을 알몸으로 사는 고향의 소년과
같이 낯이 설어도 사랑스러운 들길이 있다

그 길에 아지랑이가 피듯 태양이 타듯
제비가 날 듯 길을 따라 물이 흐르듯 그렇게
그렇게

천연(天然)히

울타리 밖에도 화초를 심는 마을이 있다
오래오래 잔광이 부신 마을이 있다
밤이면 더 많이 별이 뜨는 마을이 있다

─● 보기 ●
폭포수는 자연이 만든 물줄기이며, 분수는 인공적인 힘으로 만든 물줄기이다. 그래서 폭포수는 심산유곡에 들어가야 볼 수 있고, 거꾸로 분수는 도시의 가장 번화한 곳에 가야 구경할 수가 있다. 하나는 숨어 있고, 하나는 겉으로 드러나 있다. 폭포수는 자연의 물이요, 분수는 도시의 물, 문명의 물인 것이다.
– 이어령, 〈폭포와 분수〉에서

[5~6] 다음 글을 읽고, 물음에 답하시오.

가 모든 수령 도망갈 제 거동 보소. 인궤 잃고 강정 들고, 병부(兵符) 잃고 송편 들고, 탕건 잃고 용수 쓰고, 갓 잃고 소반 쓰고. 칼집 쥐고 오줌 누기. 부서지는 것은 거문고요, 깨지는 것은 북과 장고라. 본관 사또가 똥을 싸고 멍석 구멍 새앙쥐 눈 뜨듯 하고, 안으로 들어가서,

"어 추워라. 문 들어온다 바람 닫아라. 물 마르다 목 들여라."

관청색은 상을 잃고 문짝을 이고 내달으니, 서리, 역졸 달려들어 후닥딱.

"애고 나 죽네."

나 "본관 사또 수청 들라고 불렀더니 수절이 정절이라. 수청 아니 들려 하고 사또에게 악을 쓰며 달려든 춘향이로소이다."

어사또 분부하되,

"너 같은 년이 수절한다고 관장(官長)에게 포악하였으니 살기를 바랄쏘냐. 죽어 마땅하되 내 수청도 거역할까?"

춘향이 기가 막혀,

[A] ⎡ "내려오는 관장마다 모두 명관(名官)이로구나. 어사또 들으시오. ㉠충암절벽 높은 바위가 바람 분들 무너지며, ㉡청송녹죽 푸른 나무가 눈이 온들 변하리까. 그런 분부 마옵시고 어서 바삐 죽여 주오." ⎦

하며,

"향단아, 서방님 어디 계신가 보아라. 어젯밤에 옥 문간에 와 계실 제 천만당부하였더니 어디를 가셨는지 나 죽는 줄 모르는가."

5 〈가〉와 〈보기〉에서 사용한 표현 방법의 공통점과 차이점을 〈조건〉에 맞게 서술하시오.
창의 융합

● 보기 ●

장인님이 일어나라고 해도 내가 안 일어나니까 눈에 독이 올라서 저편으로 횡 하게 가더니 지게 작대기를 들고 왔다. 그리고 그걸로 내 허리를 마치 돌 떠넘기듯이 쿡 찍어서 넘기고 넘기고 했다. 밥을 잔뜩 먹어 딱딱한 배가 그럴 적마다 통겨지면서 밸창이 꼿꼿한 것이 여간 켕기지 않았다. 그래도 안 일어나니까 이번에는 배를 지게 작대기로 위에서 쿡쿡 찌르고 발길로 옆구리를 차고 했다. 장인님은 원체 심청이 궂어서 그렇지만 나도 저만 못하지 않게 배를 차였다. 아픈 것을 눈을 꽉 감고 넌 해라 난 재밌단 듯이 있었으나, 볼기짝을 후려갈길 적에는 나도 모르는 결에 벌떡 일어나서 그 수염을 잡아챘다마는, 내 골이 난 것이 아니라 정말은 아까부터 벽 뒤 울타리 구멍으로 점순이가 우리들의 꼴을 몰래 엿보고 있었기 때문이다.

– 김유정, 〈봄·봄〉에서

● 조건 ●

• 표현 방법은 '풍자'와 '해학' 중에서 고를 것
• 대상에 대한 태도를 중심으로 차이점을 서술할 것

6 〈나〉의 내용을 극으로 구성하고자 할 때, 연출자가 '춘향' 역의 배우에게 [A]의 연기에 대해 요청할 사항을 〈조건〉에 맞게 서술하시오.
창의

● 조건 ●

㉠, ㉡을 통해 춘향이 강조하고자 한 바를 포함할 것

7 창의 융합 · 다음 글을 읽고, 글의 관점에서 자신이 생각하는 문제 해결 방안을 〈조건〉에 맞게 서술하시오.

제2의 기계 시대에는 그동안 인간만이 할 수 있던 지식 기반 업무도 상당 부분 로봇에 의해 대체된다. 로봇이 복잡한 계산 업무를 대신하는 수준을 넘어서서 사람만의 영역이었던 인지적 판단이나 고도의 지적이고 정신적인 업무마저 넘보기 시작했다. 〈중략〉

로봇이 일자리를 없애더라도 생산성이 높아지고 그 덕분에 사회 전체적으로 부가 가치가 늘어나면 역소득세나 기본 소득의 도입, 또는 사회 복지 확대와 같은 재분배 방법을 동원해서 사람들이 일은 덜 하면서도 소비와 여가는 더 많이 누릴 수 있다는 것이 로봇 문명을 낙관하는 사람들의 생각이다. 하지만 일자리 없이 안락함을 누리는 삶이 과연 더 행복할지는 의문이다. 노동은 자존감을 높이고 정체성을 지키게 하는 등 사람의 정신 건강에 갖는 의미가 지대하다. 기본 소득 보장과 같은 금전적 수단만으로 미래의 실업 문제를 해결하려는 것은 그래서 지나치게 단편적 접근 방식이다.

─ 조건 ─
로봇 시대에 나타나는 문제를 언급하고, 그 해결 방안을 구체적으로 서술할 것

8 창의 · 다음 학생에게 '자발적으로 책 읽기' 방법을 알려 준다고 할 때, 그 과정을 순서대로 서술하시오.

저는 스스로 책을 골라 읽어 본 적이 없어요. 자발적으로 책을 읽으려면 어떻게 해야 할까요?

9 창의 · 다음 여학생의 질문에 대한 적절한 답변을 〈조건〉에 맞게 서술하시오.

글을 쓸 때 쓰기 맥락을 고려해야 하는 이유가 뭐야?

─ 조건 ─
• 쓰기 맥락의 여러 가지 요소 중 두 가지 이상을 언급할 것
• 친구에게 말하듯 구어체로 서술할 것

7일 중간고사 기본 테스트 1회

[1 ~ 4] 다음 글을 읽고, 물음에 답하시오.

가 가시리 가시리잇고 나는
ᄇᆞ리고 가시리잇고 나는
위 증즐가 大平盛代(대평셩ᄃᆡ)

날러는 엇디 살라 ᄒᆞ고
ᄇᆞ리고 가시리잇고 나는
위 증즐가 大平盛代(대평셩ᄃᆡ)

잡ᄉᆞ와 두어리마ᄂᆞᄂᆞᆫ
선ᄒᆞ면 아니 올셰라
위 증즐가 大平盛代(대평셩ᄃᆡ)

셜온 님 보내ᄋᆞᆸ노니 나는
가시ᄂᆞᆫ ᄃᆞᆺ 도셔 오쇼셔 나는
위 증즐가 大平盛代(대평셩ᄃᆡ)

나 나 보기가 역겨워
가실 때에는
말없이 고이 보내 드리우리다

영변(寧邊)에 약산(藥山)
진달래꽃
아름 따다 가실 길에 뿌리우리다.

가시는 걸음걸음
놓인 그 꽃을
㉠ 사뿐히 즈려밟고 가시옵소서

나 보기가 역겨워
가실 때에는
죽어도 아니 눈물 흘리우리다

1 (가), (나)에 대한 설명으로 적절하지 않은 것은?

① (가), (나) 모두 이별 상황에 대한 화자의 심리를 드러내고 있다.
② (가)는 대상에게 말을 건네는 어투를 사용하고 있다.
③ (나)는 경어체를 사용하여 공손한 태도를 드러내고 있다.
④ (가)는 (나)와 달리, 여음을 삽입하여 주제를 강조하고 있다.
⑤ (나)는 (가)와 달리, 시각적인 이미지의 시어로 화자의 정서를 함축하고 있다.

2 (가)의 갈래에 대한 설명으로 적절한 것을 모두 고른 것은?

ⓐ 고려 시대에 노래로 불린 민요이다.
ⓑ 구전되다가 한글이 창제된 이후에 기록되었다.
ⓒ 궁중의 제사나 잔치 등에 쓰일 목적으로 창작되었다.
ⓓ 전승 과정에서 노랫말의 내용과 무관한 구절이 삽입되기도 하였다.
ⓔ 충과 효, 우국(憂國), 자연 친화 등 양반들의 진솔한 감정이 담겨 있다.

① ⓐ, ⓑ, ⓓ ② ⓐ, ⓒ, ⓔ ③ ⓑ, ⓒ, ⓓ
④ ⓑ, ⓒ, ⓔ ⑤ ⓒ, ⓓ, ⓔ

정답과 해설 **92**쪽

3 〈보기〉는 ㉠에 대한 설명이다. 이를 바탕으로 하여 나눈 대화 내용으로 적절하지 않은 것은?

보기

'즈려'는 정주 방언의 '지레' 또는 '지리'에서 온 것으로 보이며, '지레밟다' 또는 '지리밟다'는 발밑에 있는 것을 힘을 주어 밟는 동작을 가리킨다. 연약하기 짝이 없는 꽃잎을 아무리 사뿐히 밟는다 하더라도 힘을 주어 밟는다면 그 결과는 잔혹할 수밖에 없다.

① 유진: 화자는 의미상 모순 관계에 있는 표현을 사용한 것이구나.

② 대현: 화자는 임이 꽃을 즈려밟아 짓이겨지는 잔혹한 장면과 마주할 것을 의도한 것 같아.

③ 소정: 만약 꽃이 화자를 가리킨다면, 밟힌 꽃은 화자의 처참한 심정을 뜻한다고도 볼 수 있어.

④ 용준: 그렇다면 '즈려밟고'보다는 '사뿐히'라는 시어에 화자의 의도가 더 많이 담겨 있다고 볼 수 있겠어.

⑤ 미진: 결국 화자는 임에게 이별 때문에 자신이 큰 상처를 받을 것이라는 말을 전하고 싶었던 것 같아.

4 (가), (나)와 〈보기〉의 운율을 비교했을 때 나타나는 차이점을 한 문장으로 서술하시오.

보기

하늘은 날더러 구름이 되라 하고
땅은 날더러 바람이 되라 하네
청룡 흑룡 흩어져 비 개인 나루
잡초나 일깨우는 잔바람이 되라네
– 신경림, 〈목계 장터〉에서

[5~8] 다음 글을 읽고, 물음에 답하시오.

가 ㉠홍진에 뭇친 분네 이내 생애 엇더ᄒ고

㉡녯사ᄅᆞᆷ 풍류ᄅᆞᆯ 미ᄎᆞᆯ가 못 미ᄎᆞᆯ가

천지간 남자 몸이 날만 ᄒᆞᆫ 이 하건마ᄂᆞᆫ

산림에 뭇쳐 이셔 지락을 ᄆᆞᄅᆞᆯ 것가

수간모옥을 벽계수 앏ᄑᆡ 두고

송죽 울울리에 풍월주인 되어셔라

엇그제 겨을 지나 새봄이 도라오니

도화 행화ᄂᆞᆫ 석양리에 퓌여 잇고

녹양방초ᄂᆞᆫ 세우 중에 프르도다 〈중략〉

㉢청류ᄅᆞᆯ 굽어보니 ᄹᅥ오ᄂᆞ니 도화ㅣ로다

무릉이 갓갑도다 져 ᄆᆡ이 긘거인고

송간세로에 두견화ᄅᆞᆯ 부치 들고

봉두에 급피 올나 구름 소긔 안자 보니

천촌만락이 곳곳이 버러 잇ᄂᆡ

㉣연하일휘ᄂᆞᆫ 금수ᄅᆞᆯ 재폇ᄂᆞᆫ 듯

엇그제 검은 들이 봄빗도 유여ᄒᆞ샤

공명도 날 ᄭᅴ우고, 부귀도 날 ᄭᅴ우니

㉤청풍명월 외예 엇던 벗이 잇ᄉᆞ올고

단표누항에 훗튼 혜음 아니 ᄒᆞᄂᆡ

아모타 백년행락이 이만ᄒᆞᆫ들 엇지ᄒᆞ리

나 머리가 마늘쪽같이 생긴 고향의 소녀와

한여름을 알몸으로 사는 고향의 소년과

같이 낯이 설어도 사랑스러운 들길이 있다

그 길에 아지랑이가 피듯 태양이 타듯

제비가 날듯 길을 따라 물이 흐르듯 그렇게

그렇게

천연(天然)히

ⓐ 울타리 밖에도 화초를 심는 마을이 있다

오래오래 잔광이 부신 마을이 있다

밤이면 더 많이 별이 뜨는 마을이 있다.

5 (가)와 (나)에 나타난 인간과 자연의 관계를 파악한 내용으로 적절하지 <u>않은</u> 것은?

① (가)의 인간은 자연의 아름다움을 감상하고 있다.

② (가)의 인간은 속세에서 받은 상처를 자연에서 치유하고 있다.

③ (나)에 나타난 인간의 모습이나 속성은 자연의 그것과 닮아 있다.

④ (가)와 (나)의 인간은 모두 자연 속에서 삶을 살아가고 있다.

⑤ (가)와 (나)의 인간은 모두 자연과 조화를 이룬 모습을 보여 주고 있다.

6 ㉠~㉤에서 화자가 자연에 대한 정서를 드러내는 방식으로 적절하지 <u>않은</u> 것은?

① ㉠: 속세의 사람에게 자신이 어떠한지를 물으며 자연에 묻혀 산다는 만족감을 드러내고 있다.

② ㉡: 풍류를 모르고 살던 선인들과 자신을 비교하여 풍류를 누릴 줄 안다는 자부심을 드러내고 있다.

③ ㉢: 무릉도원과 관련된 소재를 통해 현재 머물고 있는 자연에 대한 찬양의 정서를 드러내고 있다.

④ ㉣: 눈앞의 경치를 '수놓은 비단'에 빗대어 자연의 아름다움에 대한 감탄을 드러내고 있다.

⑤ ㉤: 자연을 사람처럼 표현하여 자연과 더불어 살겠다는 의지를 드러내고 있다.

7 (나)에 대한 설명으로 적절하지 <u>않은</u> 것은?

① 유사한 구절을 반복하여 운율을 형성하고 있다.

② 시각적 이미지를 사용하여 회화성을 살리고 있다.

③ 자연물을 통해 공간의 대립적인 속성을 드러내고 있다.

④ 중의적인 표현을 사용하여 시의 의미를 풍부하게 만들고 있다.

⑤ 하나의 시어로 독립적인 연을 구성하여 주제 의식을 강조하고 있다.

8 (나)의 주제를 고려하여 ⓐ에 드러난 마을의 속성을 〈조건〉에 맞게 서술하시오.

┌───────────────────────── 조건 ─┐
• '경계', '합일'이라는 어휘를 포함하여 서술할 것
• '마을은 ~ 속성을 지니고 있다.'의 문장 형식으로 서술할 것
└──────────────────────────────┘

[9~13] 다음 글을 읽고, 물음에 답하시오.

가 ㉠이렇듯 요란할 제 온갖 깃발이며 삼현육각 풍류 소리 공중에 떠 있고, 붉은 옷 붉은 치마 입은 기생들은 흰 손 비단 치마 높이 들어 춤을 추고, 지화자 둥덩실 하는 소리에 ⓐ어사의 마음이 심란하구나.

"여봐라 사령들아, 너의 사또에게 여쭈어라. 먼 데 있는 걸인이 좋은 잔치에 왔으니 술과 안주나 좀 얻어먹자고 여쭈어라." / 저 사령의 거동 보소.

"우리 사또님이 걸인을 금하였으니, 어느 양반인지는 모르오만 그런 말은 내지도 마오."

ⓑ등을 밀쳐 내니 어찌 아니 명관(名官)인가. 운봉 영장이 그 거동을 보고 본관 사또에게 청하는 말이,

"저 걸인의 의관은 남루하나 양반의 후예인 듯하니 말석에 앉히고 술잔이나 먹여 보냄이 어떠하뇨?"

본관 사또 하는 말이, / "운봉의 소견대로 하오마는."

'마는' 하는 ⓒ끝말을 내뱉고는 입맛이 사납겠다. 어사또 속으로, / '오냐. 도적질은 내가 하마. 오라는 네가 받아라.'

운봉 영장이 분부하여, / "저 양반 듭시라고 하여라."

어사또 들어가 단정히 앉아 좌우를 살펴보니, 당 위의 모든 수령 다담상을 앞에 놓고 진양조가 높아 가는데, 어사또의 상을 보니 어찌 아니 통분하랴. ㉡모서리 떨어진 개상판에 닥나무 젓가락, 콩나물, 깍두기, 막걸리 한 사발 놓았구나. 상을 발길로 탁 차 던지며 운봉 영장의 갈비를 가리키며, "갈비 한 대 먹고지고."

나 운봉이 하는 말이,

"이러한 잔치에 풍류로만 놀아서는 맛이 적사오니 차운(次韻) 한 수씩 하여 보면 어떠하오?"〈중략〉"걸인이 어려서 한시(漢詩)깨나 읽었더니 좋은 잔치 당하여서 술과 안주를 포식하고 그냥 가기 민망하니 차운 한 수 하사이다."

ⓓ운봉 영장이 반겨 듣고 필연(筆硯)을 내어 주니, 좌중 사람들이 다 짓지도 않았는데 순식간에 글 두 귀를 지었으되, 백성들의 형편을 생각하고 본관 사또의 정체를 감안하여 지었것다.

[A]
금준미주(金樽美酒) 천인혈(千人血)이요
　금동이의 아름다운 술은 일만 백성의 피요
옥반가효(玉盤佳肴) 만성고(萬姓膏)라
　옥소반의 아름다운 안주는 일만 백성의 기름이라.
촉루락시(燭淚落時) 민루락(民淚落)이요
　촛불 눈물 떨어질 때 백성 눈물 떨어지고
가성고처(歌聲高處) 원성고(怨聲高)라.
　노랫소리 높은 곳에 원망 소리 높았더라.

다 "암행어사 출도야."

ⓔ외치는 소리에 강산이 무너지고 천지가 뒤집히는 듯 초목금수(草木禽獸)인들 아니 떨랴. 남문에서, / "출도야."

북문에서, / "출도야."

동서문 출도 소리 청천(靑天)에 진동하고,

"모든 아전들 들라."

외치는 소리에 육방(六房)이 넋을 잃어, / "공형이오."

등채로 휘닥딱. / "애고 죽겠다."

"공방, 공방." / 공방이 자리 들고 들어오며,

"안 하겠다던 공방을 하라더니 저 불속에 어찌 들랴."

등채로 휘닥딱. / "애고 박 터졌네."

좌수(座首), 별감(別監) 넋을 잃고 이방, 호방 혼을 잃고 나졸들이 분주하네. 모든 수령 도망갈 제 거동 보소. 인궤 잃고 강정 들고, 병부(兵符) 잃고 송편 들고, 탕건 잃고 용수 쓰고, 갓 잃고 소반 쓰고. 칼집 쥐고 오줌 누기. 부서지는 것은 거문고요, 깨지는 것은 북과 장고라.

9 (가)~(다)에 대한 설명으로 적절하지 <u>않은</u> 것은?

① (가)에서는 인물의 행동을 과장하여 묘사해 웃음을 유발하고 있다.

② (가)에서는 구체적 상황 묘사와 인물들의 대화로 사건을 전개하고 있다.

③ (나)에서는 반어적 표현을 사용하여 대상에 대한 부정적인 인식을 드러내고 있다.

④ (다)에서는 호흡이 짧은 문장을 사용하여 상황의 긴박함을 드러내고 있다.

⑤ (다)에서는 확장적 문체를 사용하여 특정 장면을 상세하게 서술하고 있다.

10 ㉠, ㉡에 대한 설명으로 적절하지 <u>않은</u> 것은?

① ㉠에는 잔치의 요란한 분위기가 드러나 있다.

② ㉠은 어사또가 질투를 느끼는 계기로 작용한다.

③ ㉡은 어사또가 받은 상차림을 묘사한 것이다.

④ ㉠, ㉡은 모두 어사또에게 노여움을 불러일으키고 있다.

⑤ ㉠, ㉡은 모두 본관 사또의 부정적인 면모를 드러내고 있다.

11 어사또가 [A]를 지은 의도가 무엇인지 〈조건〉에 맞게 서술하시오.

> ● 조건 ●
> '천인혈', '만성고'의 의미를 바탕으로 [A]에서 어사또가 비판하는 대상과 그 내용을 서술할 것

12 ⓐ~ⓔ 중, 〈보기〉의 설명에 해당하지 <u>않는</u> 것은?

> ● 보기 ●
> 편집자적 논평은 서술자가 진행 중인 사건이나 인물의 언행 등에 대해 의견을 밝히거나 평가하는 것을 말한다. 서술자는 이야기를 재미있게 이끌거나 독자의 동의 및 이해를 구하기 위해서, 또는 독자의 관심을 끌기 위하여 사건이나 인물에 대해 논평한다.

① ⓐ ② ⓑ ③ ⓒ ④ ⓓ ⑤ ⓔ

13 윗글과 〈보기〉의 공통점으로 적절하지 <u>않은</u> 것은?

> ● 보기 ●
> **말뚝이** 양반 나오신다아! 양반이라고 하니까 노론, 소론, 호조, 병조, 옥당을 다 지내고 삼정승, 육관서를 다 지낸 퇴로 재상으로 계신 양반인 줄 아지 마시오. *개잘량이라는 '양' 자에 개다리소반이라는 '반' 자 쓰는 양반이 나오신단 말이오.
> **양반들** 야아, 이놈, 뭐야아!
> **말뚝이** 아, 이 양반들, 어찌 듣는지 모르갔소. 노론, 소론, 호조, 병조, 옥당을 다 지내고 삼정승, 육관서 다 지내고 퇴로 재상으로 계신 이 생원네 삼 형제분이 나오신다고 그리하였소.
> **양반들** (합창) 이 생원이라네. (굿거리장단으로 모두 춤을 춘다.)
> – 김진옥·민천식 구술, 이두현 채록, 〈봉산 탈춤〉에서
>
>
>
> *개잘량 털이 붙어 있는 채로 무두질하여 다룬 개의 가죽. 흔히 방석처럼 깔고 앉는 데에 쓴다.

① 언어유희를 사용하고 있다.

② 대상에 대한 동정심을 유발하고 있다.

③ 대상의 권위를 의도적으로 깎아내리고 있다.

④ 대상에 대한 조롱과 공격의 의도가 담겨 있다.

⑤ 대상을 과장하거나 왜곡하여 웃음을 유발하고 있다.

[14~17] 다음 글을 읽고, 물음에 답하시오.

가 제2의 기계 시대에는 그동안 인간만이 할 수 있던 지식 기반 업무도 상당 부분 로봇에 의해 대체된다. 로봇이 복잡한 계산 업무를 대신하는 수준을 넘어서서 사람만의 영역이었던 인지적 판단이나 고도의 지적이고 정신적인 업무마저 넘보기 시작했다. 3차 산업이라고 불리는 서비스업 가운데 부가 가치와 전문성이 높은 영역도 로봇과의 경쟁에 직면했다. 기자, 의사, 약사, 변호사, 회계사, 세무사, 교수 등의 전문 직종도 예외가 아니다. 재교육을 받고 새로운 기기나 기술, 서비스 방법을 익히는 것만으로도 예전에는 충분히 경쟁력을 유지할 수 있었으나 이제는 그렇지 않다. 경쟁 상황과 시장 조건이 근본적으로 달라졌기 때문이다. 예를 들어 살펴보자. 《로스앤젤레스 타임스》는 2015년 3월 30일 새벽 2시 캘리포니아 주 인근에서 진도 4의 지진이 발생했다는 기사를 보도했다. 지진 발생에서 기사 보도까지 걸린 시간은 단 5분이었다. 이는 작성자가 사람이 아니라 퀘이크봇(Quakebot)이라는 기사 작성 로봇이었기 때문에 가능했다. 지진, 스포츠 경기 결과, 증권 시황에 대한 보도처럼 데이터를 활용해야 하는 보도는 점점 로봇의 일이 되고 있다. 기사 작성 로봇은 이미 에이피(AP)통신 등 유수의 언론 기관에서 수많은 기사를 작성하고 있다. 국내에서도 기사 작성 로봇은 이미 실험 단계를 넘어 사람 기자가 쓴 기사와 구별하기 어려울 정도로 완성도 높은 기사를 작성해 내고 있다.

나 윤동주가 그 시절에 이렇게 책을 사 모은 과정의 뒷이야기로서, 다음과 같은 윤혜원 씨의 증언도 재미있다.

동주 오빠가 중학생 때 아버지께 야단맞는 걸 본 일이 있어요. 용정은 추운 곳이라서 학생들은 겨울이 되면 으레 양복점에 가서 학생복의 안에 따로 천을 대어 입었지요. 그런데 오빠가 교복에 안감 대라고 준 돈으로 안감을 대지 않고 달리써 버려서 야단치신 거예요. 나중에 오빠가 어머니께 "그 돈으로 책을 샀다."라고 고백하더군요.

〈중략〉 윤동주는 중학생 시절에도 무서운 독서가였다고 한다. 자기 공부방을 따로 갖고 있었는데 늘 새벽 2~3시까지 책을 읽곤 했다는 것. 어떤 때 자다가 한밤중에 일어나 보면 동주는 그때까지도 불을 켜 놓고 책을 보고 있었다고 한다. 윤일주 교수가 작성한 '윤동주의 연보'에 따르면 "광명중학교 시절, 일본판 세계 문학 전집과 한국인 작가의 소설과 시를 탐독하다. …… 한국 문학 작품을 신문과 잡지에서 스크랩하다. 이상(李箱)의 작품을 스크랩하다."라고 되어 있다. 당시 윤동주가 새벽 2~3시까지 자지 않고 읽은 책의 내용을 짐작하게 한다.

14 **(가), (나)의 공통점으로 적절한 것은?**
① 구체적 사례를 제시하여 내용을 뒷받침하고 있다.
② 사회 전체의 흐름보다는 특정 개인에 주목하고 있다.
③ 주관적 서술을 피하고 객관적 정보만 전달하고 있다.
④ 대상에 대한 서술자의 정서 표현을 목적으로 하고 있다.
⑤ 권위 있는 전문가의 의견을 직접 인용하여 내용의 신뢰성을 높이고 있다.

15 (가)를 이해한 내용으로 적절하지 <u>않은</u> 것은?

① 로봇과의 경쟁은 세계적으로 일어나는 현상이군.

② 로봇은 전문직 중 기자의 업무를 가장 빨리 대체했군.

③ 전문성이 높지 않은 1, 2차 산업에는 로봇이 이미 많이 활용되고 있겠군.

④ 지진 관련 기사는 데이터를 활용하는 보도이기 때문에 퀘이크봇이 빠르게 작성할 수 있었군.

⑤ 제2의 기계 시대에는 예전과 같은 방법으로는 전문 직종의 사람들이 경쟁력을 갖추기 어렵겠군.

16 〈보기〉의 방법으로 (가)를 읽은 독자들이 글쓴이에게 질문을 던진다고 할 때, 적절하지 <u>않은</u> 것은?

──── ● 보기 ●

• 창의적 읽기: 글에 제시된 글쓴이의 생각과 자신의 생각을 종합하여 새로운 의미를 만들어 내는 읽기로, 문제 해결 방안을 찾거나 대안을 마련하며 읽는 것

 동현: 직업의 세계에 밀려오는 큰 변화를 우리는 어떻게 맞아야 할까요? ········· ①

 하균: 로봇이 인간의 지적·정신적인 업무를 하게 된 구체적 사례는 무엇인가요? ······ ②

 다정: 로봇이 일을 대체한다면 인간의 삶은 노동에서 자유로워질 수 있지 않을까요? ······ ③

 지연: 로봇이 고도화된다 해도 그것을 관리하고 통제하는 것은 결국 인간들이 아닐까요? ··· ④

 유진: 데이터를 활용한 작업이 아니라 더 창조적인 일은 인간만이 할 수 있지 않을까요? ······ ⑤

17 (나)의 내용을 바탕으로 독서에 대한 윤동주의 열정을 엿볼 수 있는 일화를 두 가지 이상 쓰시오.

[18~20] 다음 글을 읽고, 물음에 답하시오.

모두가 행복해지는 공정 여행

생각만으로도 우리를 설레게 하는 여행! 그런데 우리가 이제껏 해 온 편안하고 즐거운 여행에 과연 문제는 없을까? 대형 호텔이나 콘도에 묵으며 유명 관광지를 둘러보는 여행을 하면 여행의 수익 대부분이 여행 관련 업체에만 돌아갈 뿐 여행지의 주민에게는 거의 돌아가지 않는다. 더구나 여행 과정에서 나오는 쓰레기와 탄소는 자연을 훼손하고 지구 온난화에 영향을 미친다. 이러한 문제의식에서 나온 새로운 방식의 여행이 바로 공정 여행이다.

공정 여행은 여행지의 주민을 존중하고 환경을 보호하며 지역 경제를 활성화하자는 취지의 여행으로, '착한 여행', '녹색 관광'으로 불리기도 한다. 공정 여행은 다소 느리고 불편할 수 있지만, 여행자는 뜻깊은 체험을 할 수 있고 여행지 주민에게는 유익함을 가져다준다.

[A] 공정 여행을 실천하려면 어떻게 해야 할까? 지역 경제에 도움이 되는 소비를 해야 한다. 지역 주민이 운영하는 작은 규모의 숙박 시설이나 민박을 이용하고, 지역 특산물을 재료로 하여 지역 주민이 직접 만든 음식으로 식사하고, 지역 재래시장에서 그 지역의 상품을 구매하는 것이 좋다. 여행자의 소비가 지역 주민의 소득으로 이어져

여행지의 지역 경제에 도움을 줄 수 있다. 지역 주민과 정을 나누고 여행지의 문화에 대해 더 잘 이해할 수 있다. 여행을 통해 알게 된 그 지역의 문화, 역사 등이 입시 공부에도 도움이 될 수 있다.

둘째, 탄소 배출량이 적은 교통수단을 이용해야 한다. 한국문화관광연구원의 논문 자료에 따르면, 1년 동안 국내 여행에 이용한 교통수단에서 배출된 탄소로 오염된 공기를 정화하려면 무려 47억 그루 정도의 나무를 심어야 한다고 한다. 대중교통을 이용하고 자전거나 도보로 여행을 하면 탄소 배출량을 줄여 환경을 보호할 수 있다. 〈중략〉

끝으로, 여행지의 문화를 이해할 수 있는 다양한 체험 활동에 참여해야 한다. 지역 특산물을 생산하는 곳을 방문해 체험해 보고, 문화 유적지를 답사해 보고, 여행지의 독특한 풍속을 체험해 보자. 잊지 못할 추억을 한 아름 얻을 수 있다.

프랑스의 소설가 마르셀 프루스트는 "진정한 여행은 새로운 풍경을 보는 것이 아니라 새로운 눈을 가지는 것"이라고 했다. 한곳에 오래 머무르며 여행지의 주민을 만나고 자연의 소리를 들으며 여행지를 느릿느릿 다니다 보면, 다양한 삶을 이해할 수 있을 것이고 색다른 즐거움을 얻게 될 것이다. 유명 관광지에서 인증 사진을 찍는 것보다 공정 여행으로 가슴에 영원히 남을 사진을 찍는 것이 더 기억에 남지 않을까?

---

18 윗글을 참고하여 일반적인 여행과 공정 여행을 비교할 때, ㉠~㉢에 들어갈 알맞은 말을 각각 쓰시오.

일반적인 여행	공정 여행
• 여행 수익이 (㉠)에게 돌아가지 않음.	• 여행지의 지역 경제가 활성화됨.
• 자연환경을 (㉡) 할 수 있음.	• 자연환경을 (㉢) 할 수 있음.

• ㉠: (   ) • ㉡: (   ) • ㉢: (   )

19 윗글을 쓰면서 글쓴이가 고려했을 내용과 거리가 먼 것은?

① 유명인의 말을 인용하여 내용을 인상 깊게 전달하면 좋겠어.
② 의문문의 형식을 적절히 사용해서 독자의 주의를 끌어야겠어.
③ 자료의 출처를 제시해서 독자들이 내용을 신뢰할 수 있게 해야지.
④ 글을 실을 매체가 신문이니까 공정 여행을 할 때 고려할 점도 추가해야겠어.
⑤ 글의 흐름상 공정 여행이 주목받게 된 배경은 처음에, 공정 여행의 의의는 끝에 넣는 것이 좋겠어.

20 [A]를 다음과 같이 고쳐 썼다고 할 때, 〈보기〉의 ⓐ~ⓔ 중 글쓴이가 점검하고 조정한 내용에 해당하는 것끼리 바르게 묶은 것은?

> 공정 여행을 실천하려면 어떻게 해야 할까? 지역 경제에 도움이 되는 소비를 해야 한다. 지역 주민이 운영하는 작은 규모의 숙박 시설이나 민박을 이용하고, 지역 특산물을 재료로 하여 지역 주민이 직접 만든 음식으로 식사하고, 지역 재래시장에서 그 지역의 상품을 구매하는 것이 좋다. 그러면 여행자의 소비가 지역 주민의 소득으로 이어져 여행지의 지역 경제에 도움을 줄 수 있다. 또한 지역 주민과 정을 나누고 여행지의 문화에 대해 더 잘 이해할 수 있다.

━━ ● 보기 ●
ⓐ 주제와 관련이 없는 문장을 삭제했다.
ⓑ 격식을 갖추지 않은 표현을 수정하였다.
ⓒ 글의 목적을 고려하여 필요한 내용을 추가하였다.
ⓓ 흐름이 자연스럽지 않은 문장 사이에 연결하는 말을 넣었다.
ⓔ 내용을 인상 깊게 전달하기 위해 참신한 표현을 사용하였다.

① ⓐ, ⓑ   ② ⓐ, ⓓ   ③ ⓑ, ⓒ
④ ⓒ, ⓔ   ⑤ ⓓ, ⓔ

7일

[1~5] 다음 글을 읽고, 물음에 답하시오.

가 가시리 가시리잇고 나는 / 바리고 가시리잇고 나는

　　㉠<u>위 증즐가 大平盛代(대평셩디)</u>

날러는 엇디 살라 ᄒ고 / ᄇ리고 가시리잇고 나는

　　위 증즐가 大平盛代(대평셩디)

잡ᄉ와 두어리마ᄂᆞ는 / 선ᄒ면 아니 올셰라

　　위 증즐가 大平盛代(대평셩디)

셜온 님 보내ᄋᆞ노니 나는 / 가시ᄂᆞᆫ 듯 도셔 오쇼셔 나는

　　위 증즐가 大平盛代(대평셩디)

나 ┌ 나 보기가 역겨워 / 가실 때에는

　[A]

　　└ 말없이 고이 보내 드리우리다

영변(寧邊)에 약산(藥山) / 진달래꽃

아름 따다 가실 길에 뿌리우리다.

가시는 걸음걸음 / 놓인 그 꽃을

사뿐히 즈려밟고 가시옵소서

┌ 나 보기가 역겨워 / 가실 때에는

[B]

└ 죽어도 아니 눈물 흘리우리다.

다 아리랑 아리랑 아라리요

아리랑 고개로 넘어간다

나를 버리고 가시는 님은

십 리도 못 가서 발병 난다

1 (가)~(다)에 대한 설명으로 적절하지 <u>않은</u> 것은?

① (가)~(다) 모두 시적 화자가 시의 표면에 직접 드러나 있다.

② (가)~(다) 모두 이별의 상황에서 느끼는 슬픔을 노래하였다.

③ (가), (나)는 특정 종결 어미를 반복적으로 사용하여 운율을 형성하고 있다.

④ (가), (다)는 운율을 형성하기 위해 특별한 의미가 없는 소리를 삽입하였다.

⑤ (나), (다)는 연에 따라 음보율을 다르게 설정하여 호흡에 변화를 주고 있다.

2 다음은 (가)~(다)의 화자가 시적 상황에서 보인 대응 방식과 속마음을 정리한 것이다. ⓐ~ⓔ에 들어갈 내용으로 적절하지 <u>않은</u> 것은?

	(가)	(나)	(다)
화자의 대응 방식	임을 붙잡으면 마음이 상해 돌아오지 않을까 봐 보내 줌.	ⓐ	ⓑ
화자의 속마음	ⓒ	ⓓ	ⓔ

① ⓐ: 떠나는 임에게 꽃을 뿌리며 축복함.

② ⓑ: 자신을 떠나는 임에게 불행이 닥치기를 빎.

③ ⓒ: '지금은 보내 드리지만 곧 다시 돌아와 주세요.'

④ ⓓ: '꽃을 밟으며 내 상처와 아픔을 떠올려 주세요.'

⑤ ⓔ: '내가 곁에 없어도 행복하게 살기를 바라요.'

3 (가)~(다) 모두 한국 문학의 전통을 계승한 작품이라고 할 때, 그렇게 볼 수 있는 근거를 〈조건〉에 맞게 서술하시오.

> ─● 조건
> • 형식적 측면, 내용적 측면으로 나누어 서술할 것
> • '세 작품 모두 형식적으로 ~며, 내용적으로는 ~기 때문이다.'의 문장 형식으로 서술할 것

정답과 해설 94쪽

4 ㉠에 대한 설명으로 적절하지 <u>않은</u> 것은?

① 리듬을 조성하여 흥을 돋우고 있다.

② 화자의 정서를 집약적으로 표현하고 있다.

③ 시에 구조적 안정감과 통일성을 부여하고 있다.

④ 각 연의 끝에 배치되어 시각적으로 연을 구분 짓고 있다.

⑤ 궁중악으로 편입되는 과정에서 발생한 것으로 추정되는 시구가 포함되어 있다.

5 [A], [B]를 중심으로 감상한 내용이 적절하지 <u>않은</u> 것은?

상현: [A], [B]는 유사한 문장 구조가 반복되는 수미상관의 구조를 보여 주고 있어. ················· ①

민규: 이러한 구조는 전달하려는 시적 의미를 강조하는 효과가 있지. ······················· ②

우상: (나)는 이 구조를 통해 슬퍼도 슬픔을 드러내지 않겠다는 순종과 체념의 태도를 강조하고 있어. ·· ③

현주: [A]와 [B]는 화자의 고통과 슬픔을 반어적으로 표현하였다는 점에서 공통점이 있어. ·········· ④

고은: [B]에서는 임이 떠나면 자신이 죽을 수도 있다고 말하며 자신의 의도를 [A]보다 더 강하게 드러내고 있어. ···························· ⑤

[6~10] 다음 글을 읽고, 물음에 답하시오.

가 홍진에 뭇친 분네 이내 생애 엇더 고

㉠넷사 풍류 미츨가 믓 미츨가

천지간 남자 몸이 날만 흔 이 하건마

산림에 뭇쳐 이셔 지락을 무 것가

수간모옥을 벽계수 앏픠 두고

송죽 울울리에 풍월주인 되어셔라

엇그제 겨을 지나 새봄이 도라오니

도화 행화 석양리에 픠여 잇고

녹양방초 세우 중에 프르도다

㉡칼로 몰아 낸가 붓으로 그려 낸가

조화신공이 물물마다 헌 럽다 〈중략〉

화풍이 건 듯 부러 녹수 건너오니

㉢청향은 잔에 지고 낙홍은 옷새 진다

준중이 뷔엿거 날 려 알외여라

소동 아 려 주가에 술을 믈어

얼운은 막대 잡고 아 는 술을 메고

미음완보 야 시냇 의 호자 안자

명사 조 들에 잔 시어 부어 들고

청류 굽어보니 써오 니 도화ㅣ로다

㉣무릉이 갓갑도다 져 미이 긘거인고

송간세로에 두견화 부치 들고

봉두에 급피 올나 구름 소긔 안자 보니

천촌만락이 곳곳이 버러 잇

연하일휘 금수 재폇 듯

엇그제 검은 들이 봄빗도 유여 샤

㉤공명도 날 씌우고, 부귀도 날 씌우니

청풍명월 외예 엇던 벗이 잇스올고

단표누항에 흣튼 혜음 아니 니

아모타 백년행락이 이만 들 엇지 리

나 ⓐ머리가 마늘쪽같이 생긴 고향의 소녀와

한여름을 알몸으로 사는 고향의 소년과

ⓑ같이 낮이 설어도 사랑스러운 들길이 있다

그 길에 ⓒ아지랑이가 피듯 태양이 타듯

제비가 날듯 길을 따라 물이 흐르듯 그렇게 / 그렇게

천연(天然)히

ⓓ울타리 밖에도 화초를 심는 마을이 있다

오래오래 잔광이 부신 마을이 있다

ⓔ밤이면 더 많이 별이 뜨는 마을이 있다.

6 (가), (나)를 비교한 내용으로 적절하지 <u>않은</u> 것은?

① (가)와 (나)는 모두 자연의 모습을 시각적 이미지로 묘사하고 있다.

② (가)는 (나)와 달리 음보를 규칙적으로 반복하여 운율을 형성하고 있다.

③ (가)는 (나)와 달리 의문형 종결 어미를 통해 화자의 정서를 표현하고 있다.

④ (나)는 (가)와 달리 직유법을 활용하여 대상의 속성을 드러내고 있다.

⑤ (나)는 (가)와 달리 한 단어를 연으로 구성하여 시를 읽는 속도를 조절하고 있다.

7 (가)의 시어 중 성격이 비슷한 것끼리 바르게 묶은 것은?

① 홍진, 풍월주인　　② 홍진, 무릉

③ 풍월주인, 공명　　④ 무릉, 단표누항

⑤ 단표누항, 훗튼 혜음

8 다음은 (가)에 나타난 공간을 정리한 것이다. 이를 바탕으로 (가)를 이해한 내용으로 적절하지 <u>않은</u> 것은?

Ⓐ 초가집 → Ⓑ 시냇가 → Ⓒ 봉우리

① Ⓐ에서 Ⓒ로 갈수록 화자의 흥이 더해지고 있다.

② 화자는 점차 더 넓고 높은 공간으로 이동하고 있다.

③ 화자는 Ⓐ~Ⓒ에서 모두 새봄의 경치를 감상하고 있다.

④ Ⓐ에서 화자는 속세에 대한 미련을 느끼지만 Ⓑ를 거치면서 이를 극복하고 있다.

⑤ 화자는 Ⓒ에 이르러 자신이 지향하는 삶의 자세를 밝히고 있다.

9 ㉠~㉤ 중 〈보기〉에 해당하는 구절로 알맞은 것은?

> ───── 보기 ─────
> 주체와 객체의 위치를 바꾸어 세속적 가치에 욕심을 부리지 않는 삶의 태도를 보여 줌.

① ㉠　　② ㉡　　③ ㉢　　④ ㉣　　⑤ ㉤

10 ⓐ~ⓔ를 이해한 내용으로 적절하지 <u>않은</u> 것은?

① ⓐ: 향토적 소재를 통해 정감을 느끼게 하는군.

② ⓑ: '같이'의 해석에 따라 '낮이 설어도 사랑스러운'이 수식하는 대상이 달라지는군.

③ ⓒ: '아지랑이', '태양', '제비', '물'은 동질적인 속성을 지니고 있군.

④ ⓓ: '화초를 심는' 행위는 천연한 성질을 되찾으려는 노력을 의미하는군.

⑤ ⓔ: '마을'은 화자가 지향하는 세계를 보여 주는군.

[11 ~ 14] 다음 글을 읽고, 물음에 답하시오.

가 어사또 하는 말이, / "걸인이 어려서 한시(漢詩)깨나 읽었더니 좋은 잔치 당하여서 술과 안주를 포식하고 그냥 가기 민망하니 차운 한 수 하사이다."

운봉 영장이 반겨 듣고 필연(筆硯)을 내어 주니, 좌중 사람들이 다 짓지도 않았는데 순식간에 글 두 귀를 지었으되, 백성들의 형편을 생각하고 본관 사또의 정체를 감안하여 지었것다. 〈중략〉

금동이의 아름다운 술은 일만 백성의 피요
옥소반의 아름다운 안주는 일만 백성의 기름이라.
촛불 눈물 떨어질 때 백성 눈물 떨어지고
노랫소리 높은 곳에 원망 소리 높았더라.

이렇듯이 지었으되 본관 사또는 몰라보는데 운봉 영장은 글을 보며 속으로, / '아뿔싸! 일이 났다.'

나 이때에 어사또 부하들과 내통한다. 서리를 보고 눈길을 보내니 서리, 중방 거동 보소. 역졸을 불러 단속할 제 이리 가며 수군, 저리 가며 수군수군. 서리, 역졸 거동 보소. ㉠외올망건 공단 모자 새 패랭이 눌러쓰고, 석 자 감발 새 짚신에 한삼(汗衫) 고의 산뜻하게 차려입고, 육모 방망이 사슴 가죽 끈을 손목에 걸어 쥐고, 여기서 번쩍 저기서 번쩍, 남원읍이 우글우글. 청파 역졸 거동 보소. 달 같은 마패를 햇빛같이 번쩍 들어, / "암행어사 출도야."

㉡외치는 소리에 강산이 무너지고 천지가 뒤집히는 듯 초목금수(草木禽獸)인들 아니 떨랴.

다 "네 골 옥에 갇힌 죄수를 다 올리라."

호령하니 죄인을 올린다. 다 각각 죄를 물은 후에 죄가 없는 자는 풀어 줄새,

"저 계집은 무엇인고?" / 형리 여쭈오되,

"기생 월매의 딸이온데 관청에서 포악한 죄로 옥중에 있삽내다." / "무슨 죄인고?" / 형리 아뢰되,

"㉢본관 사또 수청 들라고 불렀더니 수절이 정절이라. 수청 아니 들려 하고 사또에게 악을 쓰며 달려든 춘향이로소이다." / 어사또 분부하되,

"너 같은 년이 수절한다고 관장(官長)에게 포악하였으니 살기를 바랄쏘냐. 죽어 마땅하되 내 수청도 거역할까?"

춘향이 기가 막혀, / "내려오는 관장마다 모두 명관(名官)이로구나. 어사또 들으시오. 충암절벽 높은 바위가 바람 분들 무너지며, 청송녹죽 푸른 나무가 눈이 온들 변하리까."

라 춘향이 고개 들어 위를 살펴보니, 걸인으로 왔던 낭군이 분명히 어사또가 되어 앉았구나. 반 웃음 반 울음에,

"얼씨구나 좋을시고. 어사 낭군 좋을시고. 남원 읍내 가을이 들어 떨어지게 되었더니, ㉣객사에 봄이 들어 이화춘풍(李花春風) 날 살린다. 꿈이냐 생시냐? 꿈을 깰까 염려로다."

한참 이리 즐길 적에 춘향 어미 들어와서 가없이 즐거 하는 말을 어찌 다 설화(說話)하랴.

㉤춘향의 높은 절개 광채 있게 되었으니 어찌 아니 좋을쏜가. 어사또 남원의 공무 다한 후에 춘향 모녀와 향단이를 서울로 데려갈새, 위의(威儀)가 찬란하니 세상 사람들이 누가 아니 칭찬하랴.

11 윗글의 인물을 이해한 내용으로 적절하지 <u>않은</u> 것은?

① 어사또의 시를 읽고 그의 의도를 알아차린 '운봉'은 눈치가 빠른 인물이다.

② 자신의 수청을 거절했다는 이유로 춘향을 옥에 가둔 '본관 사또'는 포악한 인물이다.

③ 본관 사또에 이어 어사또의 수청까지 단호하게 거절하는 '춘향'은 의리를 중시하는 인물이다.

④ 죄를 물어 억울하게 옥에 간힌 이들을 풀어 주는 '어사또'는 백성의 고통을 헤아릴 줄 아는 인물이다.

⑤ 본관 사또의 수청을 거부한 춘향의 잘못을 철저하게 따져 묻는 '어사또'는 원칙을 중시하는 인물이다.

12 ㉠~㉤에 대한 설명으로 적절하지 <u>않은</u> 것은?

① ㉠: 사건이 일어나기 전의 모습을 묘사하고 있다.

② ㉡: 과장, 비유, 설의의 표현 방식을 통해 사건의 위력을 극대화하고 있다.

③ ㉢: 반어적 표현으로 인물의 속성을 강조하고 있다.

④ ㉣: 인물이 처한 상황을 비유적으로 표현하고 있다.

⑤ ㉤: 사건에 대한 서술자의 긍정적 평가를 드러낸다.

13 다음을 바탕으로 하여 윗글의 주제를 〈조건〉에 맞게 서술하시오.

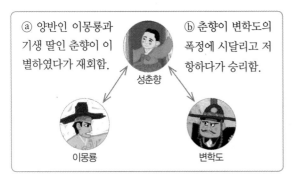

ⓐ 양반인 이몽룡과 기생 딸인 춘향이 이별하였다가 재회함.

ⓑ 춘향이 변학도의 폭정에 시달리고 저항하다가 승리함.

성춘향 / 이몽룡 / 변학도

조건
ⓐ, ⓑ에서 유추할 수 있는 주제를 각각 서술할 것

14 윗글이 여러 유형의 설화를 바탕으로 하여 만들어졌다고 할 때, 이에 대한 이해로 적절하지 <u>않은</u> 것은?

① 춘향이 고난 속에서도 정절을 지켰다는 점에서 열녀 설화와 관련이 있어.

② 억울하게 옥에 갇혀 있던 춘향이 풀려났다는 점에서 신원 설화와 관련이 있어.

③ 본관 사또가 춘향에게 수청을 강요했다는 점에서 관탈 민녀 설화와 관련이 있어.

④ 이몽룡과 춘향이 신분을 초월한 사랑을 이루어 냈다는 점에서 염정 설화와 관련이 있어.

⑤ 이몽룡이 암행어사가 되어 그와 혼인한 춘향의 신분도 상승했다는 점에서 암행어사 설화와 관련이 있어.

[15~16] 다음 글을 읽고, 물음에 답하시오.

가 21세기 들어 일자리 구조에 근본적인 바람이 불어오고 있다. 증기 기관의 발명으로 시작된 18세기 산업 혁명이 '제1의 기계 시대'를 열었다면 디지털과 컴퓨터 기술은 '제2의 기계 시대'를 만들고 있다. 〈중략〉

변화는 제조업 영역에서 서비스업 분야로 빠르게 이동하고 있다. 농업과 제조업에 이어 서비스업의 일자리마저 로봇에 내준 노동자들은 새로운 일자리를 얻게 될까? 농업을 제조업이, 이를 다시 3차 산업인 서비스업이 대체한 것처럼 우리가 모르는 4차 산업이 인류를 위해 예비되어 있는가? 이 물음에 대해 낙관적으로 답하기 어려운 것이 현실이다.

나 달라진 현실에서 성공적으로 직업 생활을 하려면 다음 사항에 유의하여 스스로 길을 찾아야 한다.

첫 번째는 적극적으로 최신 기술을 수용하고 이를 통해 새로운 과제를 발견하는 것이다. 이때 인공 지능, 로봇 기술, 자동화의 구조와 질서를 탐구하고 주도적으로 받아들여 로봇 환경에 적응하는 것이 중요하다. 〈중략〉 이제껏 사람이 해 오던 직무를 더 정확하고 신속하게 해낼 로봇에게 맡기고, 우리는 그동안 마주하지 못했던 새로운 과업을 발견하고 존재하지 않던 가치를 만들어 내는 등 더 중요한 일에 집중해야 한다.

두 번째는 직업을 유지, 개선, 탐색하기 위한 지속적인 학습과 재교육이다. 평생직장이나 종신직이 불가능한 환경에서 가장 필요한 능력은 유연성과 평생 학습자로서의 태도이다. 아무리 자신의 직업 영역에서 최신 기술을 익히고 로봇을 능숙하게 다룰 수 있는 능력을 갖추더라도 곧 그보다 더 높은 수준의 기술적 변화에 직면할 수 있기 때문이다. 이제껏 내가 알지 못하던 전혀 새로운 환경이 언제든지 닥쳐올 수 있다는 것을 유념하고, 유연성을 발휘해서 새로운 길을 찾으려는 태도를 지녀야 한다.

15 윗글에 나타난 글쓴이의 생각과 가장 유사한 것은?
① 무슨 일이든 천천히 신중하게 고민해야 한다.
② 흐르는 물처럼 변화하는 상황에 잘 대처해야 한다.
③ 한번 결정한 것은 번복하지 않고 굳건히 따라야 한다.
④ 욕심을 부리지 말고 한 가지 일에 최선을 다해야 한다.
⑤ 새로운 것을 추구하기보다는 자신만의 개성을 살리는 것이 중요하다.

16 다음 기준에 따라 (나)에 제시된 해결 방안을 비판하는 내용을 서술하시오.

> (가)에 제기된 문제를 해결하기에 충분한가?

[17 ~ 18] 다음 글을 읽고, 물음에 답하시오.

윤동주는 당시 두 가지의 큰 목표를 앞에 두고 있었다. 첫째 문학 수업, 둘째 상급 학교 진학.

그가 문학 수업을 얼마나 성실히 했는가는, 그의 ㉠<u>문학 관계 유품들</u>이 오늘도 생생한 모습으로 증언하고 있다. 그중에서 무엇보다도 압권인 것이 백석(白石)의 ㉡<u>시집 《사슴》의 친필 필사본</u>. 1936년 1월 20일에 출간된 《사슴》이 단지 ㉢<u>200부 한정판</u>이었기에 구할 수 없자, 그는 학교 도서관에서 일일이 손수 베껴 필사본을 만들어 가졌던 것이다. 물론 직접 사들인 ㉣<u>문학 관계 서적</u>도 많다.

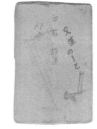
⬆ 윤동주가 필사하여 소장한 백석의 시집 《사슴》

중학 시절의 그의 서가에 꽂혔던 책 중에서 기억에 남는 것은 《정지용 시집》(1936. 3. 10. 평양에서 구입), 변영로 《조선의 마음》, 주요한 《아름다운 새벽》, 김동환 《국경의 밤》, 한용운 《님의 침묵》, …… 등으로서, 그중에서 ㉤<u>그가 계속 갖고 와서 서울에 두었기에 지금 나에게 보관되어 있는 것</u>으로는 백석 시집 《사슴》(사본), 《정지용 시집》, 《영랑 시집》, 《을해 명시 선집》 등이다. 그것은 특히 애착을 갖고 있었다는 뜻이 되겠다.

이것은 친동생 윤일주 교수의 증언이다.

17 ㉠~㉤ 중 〈보기〉에 해당하지 않는 것은?

> ────── 보기
> 문학과 독서에 대한 윤동주의 열정적인 태도가 드러난 소재

① ㉠　　　　② ㉡　　　　③ ㉢
④ ㉣　　　　⑤ ㉤

18 윗글을 읽고 난 후의 반응으로 적절하지 <u>않은</u> 것은?

① 책과 관련된 윤동주의 또 다른 일화가 있을 것 같아.

② 의무감으로 책을 읽는 나의 독서 태도를 반성하게 되었어.

③ 윤동주의 이런 열정적인 태도를 상급 학교에서도 높이 평가했을 거야.

④ 윤동주 동생의 증언을 직접 인용해서 윤동주의 독서 태도가 더 생생하게 와닿는 것 같아.

⑤ 문학에 심취했던 윤동주가 시인이 된 것으로 보아 독서 경험이 진로에도 큰 영향을 미치는 것 같아.

19 (가)를 바탕으로 하여 (나)를 이해한 내용으로 적절하지 <u>않은</u> 것은?

① 공정 여행의 필요성은 주목받게 된 배경과 관련하여 언급하겠군.

② '무슨 뜻일까?'와 관련하여 생성한 내용은 중간 1에 배치하였군.

③ '어떻게 실천하지?'라는 생각을 중심으로 중간 2의 내용을 구성하였군.

④ 내용을 생성한 순서보다는 글의 흐름을 고려하여 처음과 끝의 순서를 바꾸었군.

⑤ 중간 2의 '다'는 '어떻게 실천하지?'에서 생성한 내용이지만 분량을 고려하여 삭제하였군.

[19~20] 다음 글을 읽고, 물음에 답하시오.

가 **내용 생성하기**

여러 매체에서 자료를 모아 봐야지.

예상 독자는 공정 여행을 잘 모르는 사람들이니까, '공정 여행'이 왜 필요한지에 관한 내용도 추가해야겠어.

일반적인 여행
– 여행지 주민 수익↓
– 여행지의 환경 오염↑

왜 필요하지?

무슨 뜻일까?
공정 무역과 유사한 뜻일까?
⋮
– 여행지 주민 존중
– 여행지 환경 보호
– 여행지 지역 경제 활성화
이런 걸 중시하는 여행
→ 착한 여행! 녹색 관광!

어떻게 실천하지?

공정 여행

여행지의 지역 경제에 도움이 되는 소비
→자고, 먹고, 물건을 살 때 이것을 고려하기

환경 오염을 줄일 수 있는 관광
→탄소 배출이나 쓰레기 줄이기

나 **< 개요표 >**

I. 처음　공정 여행의 의의

II. 중간　1. 공정 여행의 개념

2. 공정 여행의 실천 방법

가. 지역 경제를 살리는 소비

나. 탄소 배출량이 적은 교통수단 이용

다. 쾌적한 숙박 시설과 오락 시설의 확충 등

III. 끝　공정 여행이 주목받게 된 배경

20 (가)의 글쓴이가 〈보기〉의 경수에게 할 수 있는 조언으로 적절하지 <u>않은</u> 것은?

> ───● 보기
>
> 경수는 미술 전시 관람을 권유하는 글을 쓰기 위해 인터넷에서 정보를 검색했다. 그리고 수집한 정보를 바탕으로 하여 바로 글을 쓰기 시작했다. 하지만 쓰고 보니 글의 대부분이 인상파와 관련한 내용이어서 원래 쓰려던 글의 방향과는 많이 어긋나 속상했다.

① 쓴 글이 글의 목적과 맞지 않으니 쓰기 맥락을 고려하는 게 좋겠어.

② 인터넷뿐만 아니라 다른 매체에서도 정보를 더 찾아보는 게 좋겠어.

③ 미술 전시 관람을 권유하는 내용이 빠졌으니 관련된 내용을 추가하는 게 좋겠어.

④ 수집한 정보로 내용을 조직하는 과정을 거쳐 글의 구조를 미리 짜 두는 게 좋겠어.

⑤ 글이 원래 쓰려던 방향과 많이 달라졌으니 고쳐쓰기 단계에서 글의 표현을 다듬는 게 좋겠어.

7일 끝!

정답과 해설

 정답과 해설 활용 안내

- 정답 박스로 **빠르게 정답 확인하기**!

- 정답과 오답의 이유, 확실히 짚고 넘어가기!

- **서술형** 답안의 **평가 요소**를 직접 **체크**해 보며,
  주관식 문제 꼼꼼히 대비하기!

래꽃〉의 1연에서도 이별의 상황을 가정한 화자가 임의 뜻을 따르겠다며 이별의 상황에 체념하는 모습을 보이고 있다.

(4) 〈가시리〉와 〈진달래꽃〉에는 모두 이별의 슬픔을 웃음으로 극복하려는 태도가 드러나지 않는다.

1일 기초 확인 문제　　　　9쪽

• 6단원 (1) 가시리/진달래꽃

1 ㉠ 이별의 정한 ㉡ 3음보　**2** 서운하면, 서러운　**3** ⑤
4 (1) O, X (2) X, O (3) O, O (4) X, X

1 고대 가요부터 현대 시에 이르기까지 한국 문학에는 이별을 소재로 하여 한과 슬픔의 정서를 표현한 작품이 많다. 또한 시가 문학이 노래로 불렸기 때문에 세 번 혹은 네 번 끊어 읽는 3음보와 4음보의 율격을 지닌 작품이 많다. 따라서 〈가시리〉와 〈진달래꽃〉 모두 이별의 정한을 주제로 하고, 전통적인 3음보의 율격을 지녔다는 점에서 한국 문학의 특성을 잘 보여 준다고 할 수 있다.

2 3연의 '선ᄒ면'은 '서운하면'이라는 뜻으로, 떠나는 임을 붙잡으면 임이 서운하게 느껴 돌아오지 않을까 봐 걱정하는 마음을 드러낸 것이다. 4연의 '셜온'은 '서러운'이라는 뜻으로, 임과 이별하는 시적 화자가 서러운 마음으로 임을 보내고 있음을 밝히고 있다.

3 〈진달래꽃〉의 화자는 이별에 순응하고 있으며, 이별이 화자의 잘못 때문이라는 내용은 나타나지 않으므로, 진달래꽃에 이별을 후회하거나 자책하는 마음이 담겨 있다고 보기 어렵다.

　　　오답 풀이
① 산화공덕(불교에서 부처님이 지나가는 길에 꽃을 뿌려 그 길을 영화롭게 하는 일과 관련하여 임이 지나갈 길에 꽃을 뿌려 임의 앞날을 축복하는 마음이 드러난다.
②, ③ 화자는 임이 가실 길에 꽃을 뿌릴 테니 밟고 가라고 하고 있으므로, '진달래꽃'은 임이 떠나는 상황에도 임을 배려하는 화자의 강렬한 사랑을 의미한다.
④ 임에게 꽃을 밟고 가라는 부분을 통해 임에 대한 헌신과 희생, 순종의 태도가 드러난다.

4 (1) 〈가시리〉는 '위 증즐가 大平盛代(대평셩ᄃᆡ)'라는 후렴구로 연이 구분되는 분연체 형식의 고려 가요이며, '나ᄂᆞᆫ'이라는 여음이 있다.
(2) 〈진달래꽃〉은 1연과 4연이 서로 반복·대응하는 수미상관의 구조를 보이고 있다.
(3) 〈가시리〉의 3연에서는 화자가 떠나는 임을 붙잡지 못하고 이별의 상황을 받아들이며 체념하는 모습이 나타난다. 〈진달

1일 교과서 기출 베스트　　　10~13쪽

• 6단원 (1) 가시리/진달래꽃

1 ②　**2** ②　**3** (가)~(다)를 통해 알 수 있는 한국 문학의 고유한 특성은 임과 이별하는 상황에서 느끼는 정한이 나타난다는 것이다.　**4** ③　**5** ③　**6** ⑤　**7** 3연을 보면, 시적 화자는 임이 서운함을 느끼면 다시 자신에게 돌아오지 않을지 모른다는 염려 때문에 임을 떠나보내고 있다.　**8** ③　**9** ②　**10** ③　**11** 진달래꽃　**12** ④　**13** ④

1 각 연의 끝에 동일한 시행이 반복되어 통일감을 주는 것은 (가)의 후렴구 '위 증즐가 大平盛代(대평셩ᄃᆡ)'에만 해당하는 설명이다.

　　　오답 풀이
① (가)~(다) 모두 3음보의 율격을 지니고 있다.
③ '가시리잇고'는 '가시렵니까'라는 의미의 의문형 문장으로 임의 말이 믿기지 않아 거듭 확인하는 화자의 정서를 부각하고 있다.
④ (나)는 1연의 내용을 4연에서 점층적으로 반복하는 수미상관의 형식을 취하고 있다. 이와 같은 구성은 주제를 강조하고 형태적으로 안정감을 주는 효과가 있다.
⑤ (다)에서는 '아리랑'을 반복하여 운율을 형성하고 있다.

2 (가)의 3연 '잡ᄉᆞ와 두어리마ᄂᆞᄂᆞᆫ'은 '잡아 두고 싶지만'이라는 뜻으로 이를 통해 (가)의 화자가 임이 떠나지 않기를 바라고 있음을 알 수 있다.

　　　오답 풀이
③ 떠난 임이 돌아오기를 바라는 마음을 드러낸 것은 (가)의 화자이다.
④ (나)의 화자는 이별에서 오는 슬픔을 직접적으로 드러내지 않고 감정을 절제하며 이별을 받아들이려 하고 있다.
⑤ (다)의 화자는 임이 발병이 날 것이라는 위협의 말을 하며 임이 떠나지 않기를 바라는 마음을 드러내고 있을 뿐, 자신의 신세를 한탄하고 있지는 않다.

3 고려 가요인 (가), 현대 시인 (나), 민요인 (다)에는 공통적으로 이별의 상황이 나타나 있으며, 화자의 대응 방식은 다르지만 모두 이별의 상황에 순응하면서 느끼는 슬픔과 한의 정서가 드러난다는 점에서 공통점이 있다. 이를 통해 한국 문학의 고유한 특성이 이별의 정한을 다루는 것임을 알 수 있다.

평가 요소	확인 ☑
(가)~(다)의 공통적인 주제인 '이별의 정한'을 서술하였다.	
제시된 문장 형식에 맞게 서술하였다.	

평가 요소	확인 ☑
근거가 되는 부분으로 3연을 제시하였다.	
제시된 문장 형식에 맞게 서술하였다.	

4 '뿌리우리다'는 '뿌리겠습니다'로 해석될 수 있으므로 '-우리다'는 단호한 명령의 태도가 아닌, 공손함과 순종의 태도를 드러내는 어미라고 볼 수 있다.

> 오답 풀이
① '-ㄹ셰라'는 걱정이나 두려움의 뜻을 더하는 어미로, '아니 올셰라'는 '아니 올까 두렵다, 염려스럽다'라는 뜻이다. 이를 통해 임이 돌아오지 않을 것을 염려하는 화자의 심정을 드러낸다.
② 화자는 임을 붙잡으며 매달리지 않고 그저 임이 돌아오기만을 소망할 뿐이므로 소극적인 태도가 드러난다고 볼 수 있다.
④ '즈려밟고'는 '사뿐히'와 의미상 모순되는 시어로, 화자는 자신의 분신이자 사랑의 표상인 진달래꽃을 뿌려 임에게 밟고 가라고 하지만 사실은 임이 떠나지 않기를 바라는 역설적 의미가 나타나 있다.
⑤ 자신을 버리고 가면 얼마 못 가서 발병이 날 것이라는 말은 상대에게 가하는 위협의 표현으로 볼 수 있다. 이는 임이 떠나지 않기를 바라는 화자의 간절한 마음이 투영된 것이다.

5 (가)의 후렴구는 노래의 내용과 무관하게 나라의 태평성대를 기원하는 내용으로 이뤄져 흥을 돋우는 기능을 하고 있으므로, 화자가 느끼는 슬픔의 정서를 극대화한다고 이해하는 것은 적절하지 않다.

> 오답 풀이
①, ⑤ 각 연의 끝에서 반복되는 후렴구는 시각적으로 연을 구분하여 구조적 통일감을 부여하며, 여음과 함께 특별한 의미를 지니지 않은 채 노래의 흥을 돋우는 기능을 한다.
②, ④ 〈보기〉의 내용에 따라 시의 내용과 어울리지 않게 '태평성대'를 노래하는 후렴구는 궁중악으로 쓰이면서 추후에 덧붙여진 것으로 이해할 수 있다.

6 ⑤는 어미 '-고'를 반복하면서 행위를 나열하고 있으므로, 유사한 시어의 반복과 변형이 일어나는 'a-a-b-a 구조'라고 보기 어렵다.

> 오답 풀이
① 살어리(a) 살어리랏다(a) 청산애(b) 살어리랏다(a)
② 형님 온다(a) 형님 온다(a) 분고개로(b) 형님 온다(a)
③ 꽃 피네(a) 꽃이 피네(a) 갈 봄 여름 없이(b) 꽃이 피네(a)
④ 해야 솟아라(a) 해야 솟아라(a) 말갛게 씻은 얼굴(b) 고운 해야 솟아라(a)

7 시적 화자가 임을 떠나보내는 이유가 나타난 부분은 3연이다. 화자는 임을 붙잡고 싶지만 그런 행동 때문에 임이 서운함을 느끼면 다시 자신에게 돌아오지 않을지 모른다고 생각하여 임을 보내 주려 하고 있다.

8 (나)의 시적 화자는 떠나는 임을 붙잡지 않고 이별에 순응하는 태도를 보이고 있다. 임이 떠나는 길을 축복하며 약산의 진달래꽃을 따다 뿌리는 것에서 이러한 태도가 드러난다.

9 (나)의 1연, 4연은 이별의 상황을 가정하고 그러한 상황에 순응하여 임을 떠나보내겠다는 내용으로, 수미상관의 구조를 이루고 있다. 그러나 의문문의 형식으로 내용을 전달하는 부분은 나타나지 않는다.

> 오답 풀이
① 1, 4연은 모두 '-우리다'라는 종결 어미를 사용하여 각운(구나 행의 끝에 규칙적으로 같은 운의 글자를 다는 일)을 형성하고 있다.
③ 첫 연을 끝 연에 다시 반복하는 수미상관의 구조를 통해 구조적으로 안정감을 형성하고 있다.
④, ⑤ 1, 4연에서 '나 보기가 역겨워 / 가실 때에는'은 이별의 상황을 가정하는 표현이다. 화자는 이러한 상황에서 이별을 받아들이고 임을 떠나보내겠다고 말하고 있다.

10 〈보기〉에서 선생님은 (나)의 화자가 실제 속마음과 반대로 표현하는 방식인 '반어'를 통해 자신의 마음을 드러내고 있다고 하였다. 이에 따르면 화자가 자신을 버리고 가는 임에게 '진달래꽃'을 밟고 가라고 말하는 것에는 사실 임이 떠나지 않기를 바라는 마음이 담긴 것이므로 ③은 적절하지 않은 이해이다.

> 오답 풀이
①, ⑤ 임이 자신을 보기 '역겨워' 떠나게 된다면 '고이 보내 드리'겠다는 가정의 말은, 이런 상황이 결코 오지 않기를 바라는 속마음이 담겨 있다고 볼 수 있다.
② '죽어도 아니 눈물 흘리우리다'라는 말은 임이 떠날 때 자신은 매우 슬퍼할 것이라는 의미를 내포한 반어적 표현이다.
④ 진달래꽃은 화자의 분신과 같은 대상이기 때문에 임이 가는 길에 꽃을 뿌린 후 밟고 가라고 말하는 것은 순수한 축복의 의미에 더해, 꽃을 밟으면서 자신을 생각해 달라는 만류의 의미가 담겨 있다.

11 (나)에서 화자는 자신을 버리고 떠나는 임이 가실 길에 꽃을 뿌려 임에게 밟고 가라고 말하고 있다. 따라서 화자가 뿌리는 진달래꽃은 단순한 자연물이 아니라 임에 대한 화자의 사랑과 정성, 임에 대한 헌신과 희생, 순종을 상징한다고 할 수 있다.

12 (다)의 화자는 자신을 버린 임이 얼마 가지 않아 발병이 날 것이라 말하고 있다. 따라서 감정을 절제하고 체념적 태도를 보이는 (나)와 달리 (다)의 화자는 떠나는 임에 대한 야속함, 원망의 감정을 보다 솔직하게 드러낸다고 할 수 있다.

① (나)와 (다) 모두 이별의 상황에서 느끼는 정한을 표현하고 있다.

② (나)와 (다) 모두 임의 모습을 빗댄 자연물은 나타나지 않는다.

③ (나)와 (다) 모두 3음보의 율격을 보이고 있다.

⑤ (나)는 사랑하는 사람을 떠나보내면서 슬프지만 겉으로 그 슬픔을 직접적으로 드러내지 않고 꽃을 뿌리는 자기희생적인 태도가 드러나 있어 이별의 정한을 승화시켰다고 해석할 수 있다. 그러나 (나)에서 이별을 사랑을 완성하는 데 필요한 과정으로 생각하는 것은 아니며, 특히 (다)에서는 이러한 승화된 감정이 드러나지 않으므로 적절하지 않다.

13 (가)~(다) 중 어떤 시도 선경후정의 구조로 시상을 전개하고 있지는 않으므로 ④는 적절하지 않은 내용이다.

2^일 기초 확인 문제　　　　　17쪽

• 6단원 (2) 상춘곡/울타리 밖

1 ㉠ 자연　㉡ 조화　　**2** ④　　**3** 봄 경치를 구경하며 즐기는 노래
4 ④

1 두 작품 모두 자연과 인간이 함께 어울리며 조화를 이루어 살아가는 삶의 태도가 담겨 있다. 이는 한국 문학의 특성 중 하나이다.

2 〈상춘곡〉은 자연의 아름다움, 자연과 동화된 한가로운 삶을 노래하는 작품이다. '부귀공명'은 속세의 가치와 관련된 한자 성어이므로 〈상춘곡〉의 주제를 함축한다고 보기 어렵다.

① 풍월주인: 아름다운 자연을 즐기는 사람을 나타내는 한자 성어로 〈상춘곡〉의 화자가 지향하는 삶과 일치한다.

② 물아일체: 화자는 마치 자신이 자연의 일부가 된 같은 기분을 느끼고 있으므로, 작품의 주제를 함축하는 한자 성어로 적절하다.

③ 한중진미: 한가로운 생활을 하면서 느끼는 삶의 참된 맛(기분)을 나타내므로 화자의 생각과 일치한다.

⑤ 단표누항: 소박하고 청빈한 삶의 태도가 나타나는 한자 성어로 화자가 현재 처한 자연 속의 삶을 보여 준다.

3 〈상춘곡〉은 '즐기다, 즐겨 구경하다'라는 뜻의 상(賞), '봄'이라는 뜻의 춘(春), '노래'라는 뜻의 곡(曲)으로 이루어진 제목이다.

4 인간과 자연과 관련된 시어들을 통해 이 작품이 고향의 모습을 감각적으로 그리고 있으며, 향토적, 낭만적인 성격을 지니고 있음을 알 수 있다. 하지만 슬픔과 관련된 시어는 제시되어 있지 않으므로, 고향을 떠난 시적 화자의 슬픔을 그리는 애상적인 작품으로 보기는 어렵다.

2^일 교과서 기출 베스트　　　　18~21쪽

• 6단원 (2) 상춘곡/울타리 밖

1 ②　**2** ④　**3** ⑤　**4** ①　**5** ⑤　**6** 화자는 자연을 벗하며 자연 속에서 소박하고 청빈하게 살아가고자 한다.　**7** ③　**8** ③
9 ①　**10** ⑤　**11** ⑤　**12** 울타리의 밖에도 화초를 심는 마을처럼 인간과 자연이 조화를 이루며 살기를 소망한다.

1 '겨울 → 새봄'이라는 계절(시간)의 변화가 나타나지만, 일관적으로 자연에 묻혀 사는 즐거움에 대해 이야기하고 있으므로 화자의 인식 변화가 나타나고 있다는 설명은 적절하지 않다.

① 인간 세상에 사는 사람들(홍진에 뭇친 분네)과 자연 속에 사는 자신을 구분 짓는 것으로 보아 인간 세상과 자연을 대조적으로 바라보고 있음을 알 수 있다.

③ 가사 문학은 4음보의 율격을 보이는 것이 특징이다. (홍진에∨뭇친 분네∨이내 생애∨엇더흔고)

④ 소박한 '수간모옥'에 살며 봄을 맞은 아름다운 자연을 모두 누리는 화자의 모습이 구체적으로 드러나 있다.

⑤ 1행에서 속세에 사는 이들에게 자신의 삶이 어떠하냐고 질문을 던지며 자신의 삶이 더 낫다는 자부심을 드러내고 있다.

2 '풍월주인'은 표면적으로 '자연의 주인'이라는 뜻이지만, 화자는 자연과 조화를 이루어 살면서 아름다운 자연을 즐기고 있으므로 ④는 적절하지 않은 이해이다.

③ '수간모옥'은 작은 초가집을 뜻하므로 소박하고 청빈한 삶을 사는 화자의 모습을 알 수 있다.

⑤ '우는 새'는 봄의 기운을 이기지 못해 야단스럽게 우는 모습으로, 화자가 자신의 흥이 이 새와 다르지 않다고 말하는 것으로 보아 감정이 이입된 대상으로 볼 수 있다.

3 [A]에서는 '복숭아꽃, 석양, 푸른' 등에서 시각적 이미지, '향긋한'에서 후각적 이미지가 나타날 뿐, 귀로 듣는 감각과 관련된 청각적 이미지는 나타나지 않는다.

① [A]에는 비슷하거나 동일한 문장 구조를 짝을 맞추어 늘어놓는 표현 기법인 대구법이 드러난다.

② 푸른 버드나무를 통해 색채감이 느껴진다.

③, ④ 꽃을 통해 봄이라는 계절을, 석양을 통해 저녁이라는 시간을 알 수 있다.

4 답청(풀 밟기), 욕기(목욕), 채산(나물 캐기), 조수(낚시)는 모두 화자가 산수 구경을 가서 하고 싶은 일에 해당한다.

② 화자는 막 익은 술을 받아 놓고, 꽃나무 가지를 꺾어 수를 세며 먹겠다

고 말하고 있는데, 이는 단순히 술을 마시는 것이 아니라 풍류를 즐기
는 모습이라고 할 수 있다.
③ 술을 마시며 흥이 난 화자는 복숭아꽃을 보며 '무릉도원'을 떠올리고,
눈앞에 보이는 들이 무릉도원일 것이라고 말하며 봄의 절경을 찬미하
고 있다.
④ '봉두'는 산봉우리를 뜻하므로 화자가 공간을 이동했음이 드러난다.
⑤ 세상이 추구하는 공명과 부귀보다 자연 속의 소박한 삶이 더 낫다고
말함으로써 화자의 가치관이 드러난다.

5 ㉠과 ㉡에서는 시각적 이미지(녹수, 금수, 봄빛 등)를 활용하
여 자연의 아름다운 풍경을 감각적으로 묘사하고 있다.

① ㉠, ㉡에서 화자는 자연의 풍경을 묘사할 뿐 자연물에게 말을 걸고 있
지는 않다.
②, ③ ㉠에는 술잔을 기울이는 화자(인간)의 모습이 나타나지만 ㉡에는
인간의 모습이 제시되지 않았다. 또한 인간과 자연의 상반된 속성은
제시되지 않았다.
④ ㉠, ㉡에서는 색채 대비를 통해 자연에 대한 화자의 태도 변화를 드러
내고 있지는 않다.

6 (마)에서 윗글의 화자는 맑은 바람과 밝은 달을 벗으로 삼으며
소박하고 청빈한 생활에 대한 만족감을 드러내고 있다.

평가 요소	확인 ✓
'청풍명월'과 '단표누항'의 의미를 고려하여 서술하였다.	
제시된 문장 형식에 맞게 서술하였다.	

7 (마)의 '훗튼 혜음(헛된 생각)'은 부귀나 공명과 같은 속세(현
실)의 가치에 미련을 갖거나 그것을 지향하려는 생각을 가리
킨다.

8 [B]에서 화자는 이상향을 뜻하는 말인 '무릉'을 떠올리는데, 이
는 화자가 있는 공간이 무릉이라고 여길 만큼 아름답기 때문이
다. 또한 화자는 봄의 절경을 찬미하며 풍류를 즐기고 있으
므로 현실에서 벗어나고 싶어 한다고 보기 어렵다.

① '수간모옥'은 화자가 살고 있는 곳으로 '몇 칸 되지 않는 작은 초가'를
뜻한다. 화자는 이곳에서 자연의 임자라는 뜻인 풍월주인이 되었다고
하며 자연 속에서 풍류를 즐기는 삶에 자부심을 드러내고 있다.
④ 높은 곳에서 들을 바라보는 화자는 새봄의 경치를 감상하고 있다.
⑤ '봉두'는 산봉우리로 위치상 가장 높기도 하지만 화자가 느끼는 봄의
감흥이 최고조에 달한 공간이기도 하다.

9 '소녀, 소년'은 인간이고 '들길'은 자연이지만 이들은 모두 본래
의 자연스러움과 소박함을 간직한 대상이라는 점에서 사랑스
럽고 천연하다. 화자는 이들이 함께 있을 때의 조화를 강조하
고 있으므로 이들 사이에 대립이 드러나지는 않는다.

② 1연에서 '같이'는 중의적 의미를 갖는다. '같이'가 '함께'의 뜻일 경우 1
연은 '소녀, 소년, 들길이 함께 있다'의 의미로 해석할 수 있고, '같이'가
'처럼'의 의미일 경우 1연은, '소녀, 소년처럼 사랑스러운 들길이 있다'
의 의미로 해석될 수 있다. 그러나 어느 쪽으로 해석하든 주제에 큰 영
향을 미치는 것은 아니다.

10 '잔광', '별' 등은 순수한 자연물로, 이를 통해 마을과 자연의 조
화로운 모습을 형상화하고 있을 뿐 이들 소재가 이미 사라지
고 없다는 내용은 윗글에서 확인할 수 없으며, 이에 대한 안타
까움 또한 나타나지 않는다.

① '머리가 마늘쪽같이 생긴'은 꾸미지 않은 자연스러운 모습 그대로를
보여 준다.
② 여름에 옷을 입지 않고 지내는 천진난만한 시골 아이들의 모습을 그린
것이므로 토속적 정취를 불러일으키고 있다.
③ 2연에 제시된 여러 가지 소재는 자연의 아름다움을 나타내고 있다.
④ 4연에서 화자는 자연과 인간의 조화를 '울타리 밖에 화초를 심는' 모
습으로 형상화하고 있다.

11 〈보기〉의 '늙기도 절로 하리라'에는 자연이 그러하듯 늙는 것도
자연스러운 순리로 받아들이겠다는 화자의 인식이 담겨 있다.

① '천연히'는 '생긴 그대로 조금도 꾸밈이 없이'의 뜻이고, '절로'는 '저절
로'의 준말로 '스스로, 자연스럽게'라는 뜻이므로 두 단어의 의미가 비
슷하다.
②, ③ '절로'와 '천연히' 모두 시에서 언급한 자연물들의 속성을 나타내는
시어이다.
④ 자연을 닮은 속성인 '절로'와 '천연히'라는 시어를 통해 두 시의 화자
모두 자연과 같이 순리에 따르는 삶을 지향하고 있음을 알 수 있다.

12 시적 화자는 1~2연에서 묘사한 인간과 자연이 모두 '천연'한
특징이 있음을 3연에서 확인하였다. 이를 바탕으로 4연에서
화자가 울타리 안(인간의 세계)과 밖(자연)을 구분하지 않는
조화로운 삶을 추구한다는 것을 추측할 수 있다.

평가 요소	확인 ✓
'울타리 밖에 화초를 심는' 행위의 의미와 관련지어 서술하 였다.	
화자의 소망을 한 문장으로 서술하였다.	

• 6단원 (3) 춘향전

1 ㉠ 웃음   ㉡ 풍자   ㉢ 해학   **2** (1) ○ (2) X (3) X (4) ○   **3** ⑤
4 ②   **5** 언어유희

1 풍자와 해학은 모두 웃음을 유발하지만 풍자는 공격적인 웃음, 해학은 연민과 애정의 웃음이라는 차이가 있다.

2 (1) 〈춘향전〉은 신분을 초월한 남녀 간의 사랑을 주제로 하고 있다.
(2) 시간의 흐름을 따르고 있지만 인물의 일대기를 서술하고 있지는 않다.
(3) 춘향과 이몽룡 모두 비범한 능력을 가진 영웅적인 인물이라고 보기는 어렵다.
(4) 선한 인물인 춘향, 이몽룡과 악한 인물인 변 사또가 대립하는 구조가 나타난다.

3 변 사또의 요구를 거절하고 부모가 아닌 스스로의 의지에 따라 사랑하는 사람을 선택한 점 등으로 볼 때, 춘향을 운명에 순응하는 전통적 여인이라고 보기는 어렵다.

오답 풀이
① 춘향은 신분에 따른 차별로 고통받는 인물이다.
②, ④ 춘향은 이몽룡과 맺은 혼인 약속을 지키기 위해 권력자에게 맞서며 끝까지 자신의 신념을 지키는 인물이다.
③ 춘향은 부모가 아니라 스스로의 의지로 이몽룡과의 사랑을 선택하였다.

4 판소리계 소설은 노래였던 판소리를 소설로 쓴 것이기 때문에 소설, 즉 산문임에도 운문체의 문장이 자주 나타난다.

오답 풀이
① 판소리계 소설에는 고사나 한문 투 표현, 평민의 언어가 함께 나타나 양반에서 평민에 이르기까지 향유 계층의 폭이 넓었음을 알 수 있다. 그러나 이 점을 노래였던 판소리를 소설화했기 때문에 나타나는 특징으로 보기는 어렵다.
③, ④, ⑤ 판소리계 소설을 포함한 고전 소설에서 두루 나타나는 특징이며, 노래였던 판소리를 소설화했다는 것과 관련한 특징으로 보기는 어렵다.

5 비슷하거나 같은 소리의 글자나 말을 활용해 웃음을 유발하는 것을 언어유희(말장난)라고 한다.

• 6단원 (3) 춘향전

1 ⑤   **2** ③   **3** ④   **4** ㉠은 반어적 표현을 활용해 본관 사또가 나쁜 관료임을 강조하여, 독자의 동의를 구하는 효과가 있다.
5 ⑤   **6** ④   **7** ②   **8** 확장적 문제   **9** ③   **10** ③
11 ③   **12** ⑤   **13** ③   **14** ④   **15** ⑤   **16** 왕과
본관 사또는 모두 권력을 가진 악인으로, 권력을 이용해 여인의 정절을 짓밟으려 했다는 점에서 공통적이다.

1 '어사의 마음이 심란하구나.', '어찌 아니 명관(名官)인가.'에서와 같이 윗글에는 작품 밖 서술자가 작품에 개입하여 인물이나 사건에 대해 주관적인 평가를 덧붙이는 편집자적 논평이 많이 나타난다.

2 (나)의 마지막 부분의 '입맛이 사납겠다.'는 '기분이 개운치 못하다.'라는 뜻으로, 본관 사또가 어사또에게 자리를 내어 주는 것을 못마땅하게 여기고 있음을 서술자가 직접 개입하여 서술한 부분이다.

3 (라)에 삽입된 시는 어사또가 본관 사또와 수령들의 잘못을 꾸짖고 그들을 향한 백성들의 원망이 높아지고 있음을 일깨우기 위해 지은 것으로, 시의 삽입으로 극적 긴장감이 고조되고 있다.

4 '명관'은 '정치를 잘하여 이름이 난 관리'를 뜻하는 말로 본관 사또와 상반되는 말이다. 즉, ㉠은 본관 사또가 명관이 아님을 반어적으로 표현한 것으로, 이를 통해 본관 사또가 나쁜 관리임을 강조하고, 독자의 동의를 구하는 효과가 있다.

평가 요소	확인 ✓
㉠에 활용된 표현 방법으로 '반어적 표현'을 제시하였다.	
반어적 표현을 활용하여 얻은 효과를 서술하였다.	
제시된 문장 형식에 맞게 서술하였다.	

5 어사또가 지은 이 시는 본관 사또와 수령들의 불의와 부정, 그로 인한 백성들의 고통과 원망을 비유적으로 나타내고 있다. 여기에 백성들을 구제하기 위한 구체적 방안은 제시되어 있지 않다.

오답 풀이
① 어사또가 수령들의 횡포로 백성들의 원망이 높음을 꼬집는 시를 지음으로써 긴장감이 고조되고 있으며 심상치 않은 사건이 발생할 것이라고 예측하게 하고 있다.
② 술, 안주, 촛불 눈물, 노랫소리를 각각 백성의 피, 백성의 기름, 백성 눈물, (백성의) 원망 소리로 비유하고 있다.
③ 현실을 날카롭게 꼬집는 시를 지은 것을 통해 걸인 행색의 남루한 선비가 평범한 인물이 아님을 보여 주고 있다.

④ 백성들의 고통으로 권력자들이 유흥을 즐기고 있다는 사실을 지적하고 있다.

6 어사또가 ⓓ와 같이 말한 것은 예의를 차리려는 것이 아니라, 수령들에게 일침을 가할 시를 짓기 위해 명분(이유)을 내세운 것이다.

① 편집자적 논평을 통해 궁핍한 백성들의 삶과 괴리감이 느껴지는 화려한 잔치에 심란해하는 어사또의 심리를 드러내고 있다.
② 어사또는 걸인처럼 남루한 차림으로 왔지만 당당한 태도를 보이고 있다.
③ 앞뒤의 내용을 통해, 모든 수령이 잘 차려진 다담상을 앞에 놓는데 자신의 상만 너무 초라한 것에 어사또가 울분을 느끼고 있음을 알 수 있다.
⑤ 좌중 사람들이 다 짓지도 않았는데 순식간에 글 두 귀를 지은 것에서 어사또의 통찰력과 출중한 글 솜씨를 알 수 있다.

7 춘향이 변 사또의 수청을 거절하고 고난을 겪은 것을 통해 신분에 따른 차별이 있었음을(ㄱ), 죄 없이 옥에 갇힌 사람들이 있다는 것을 통해 탐관오리의 횡포가 심했음을(ㄴ), 이몽룡이 암행어사가 되어 출도하는 것을 통해 관리들의 부정을 감시하는 직책이 있었음을(ㄹ) 알 수 있다.

ㄷ. 여성의 사회 진출과 관련된 내용은 제시된 글에서 확인할 수 없다.
ㅁ. 백성들이 옥에 갇힌 것은 도덕관념이 무너져서가 아니라 탐관오리의 횡포로 억울하게 잡혀 들어갔기 때문이다.

8 확장적 문체는 판소리의 특징 중 하나로, 특정한 대상이나 상황 등에 대해 관련된 여러 가지를 나열하거나, 덧붙여 반복하고 부연하는 식의 문체를 말한다. 이야기 중 흥미로운 대목의 내용이나 표현을 확장적 문체로 표현하면 장면의 극대화와 같은 효과를 얻을 수 있다.

9 ㉢에서는 편집자적 논평을 통해 출도하는 암행어사의 위세를 과장되게 표현하고 있을 뿐 어사또의 비범한 능력을 드러내고 있지는 않다.

① 탐관오리를 비판하는 시를 보고 불길함을 느낀 운봉이 아전들을 단속하느라 바쁜 심각한 상황임에도 본관 사또는 이와 관련이 없는 질문을 하고 운봉은 소피를 보고 왔다며 둘러대는 모습에서 해학이 느껴진다.
② '마패'를 달과 해에 비유함으로써 그 위용을 드러내고 있다.
④ 수령들이 도망을 가면서 '인궤', '병부' 등 중요한 물건 대신 '강정', '송편' 등의 음식을 들었다는 것에서 그들이 당황하고 허둥지둥하고 있음이 드러난다.
⑤ 본관 사또가 너무 놀라 똥을 싸고 멍석에 숨은 생쥐처럼 눈을 뜨고 떨고 있다고 묘사함으로써 웃음을 유발한다.

10 '결자해지(結者解之)'는 맺은 사람이 풀어야 한다는 뜻으로, 자기가 저지른 일은 자기가 해결하여야 함을 이르는 말이다. 어사또는 본관 사또가 악행을 저지른 것과 관련이 없으므로 결자해지의 상황으로 보기 어렵다.

① 가렴주구(苛斂誅求): 세금을 가혹하게 거두어들이고, 무리하게 재물을 빼앗음.
② 혼비백산(魂飛魄散): 혼백이 어지러이 흩어진다는 뜻으로, 몹시 놀라 넋을 잃음.
④ 사필귀정(事必歸正): 모든 일은 반드시 바른길로 돌아감.
⑤ 일촉즉발(一觸卽發): 한 번 건드리기만 해도 폭발할 것같이 몹시 위급한 상태.

11 ⓐ에는 '문'과 '바람', '물'과 '목'의 위치를 바꾸는 도치를 활용한 언어유희가 나타나 있으며, ①에는 동음이의어, ②, ⑤에는 유사한 음운의 반복, ④에는 도치를 활용한 언어유희가 나타나 있다. ③에는 '꿈'을 사람처럼 표현한 의인법이 사용되었을 뿐 언어유희는 나타나지 않는다.

① 운동의 '갈비(뼈)'와 먹는 음식인 '갈비'라는 동음이의어를 통한 언어유희가 나타나 있다.
② 가족들을 '새'로 비유하고 있으며 이 음운을 반복함으로써 언어유희가 나타난다.
④ '말'과 '이'의 위치를 바꾸는 도치를 활용한 언어유희가 나타난다.
⑤ '반'이라는 음운의 반복을 통한 언어유희가 나타난다.

12 마지막 문단에서 어사또와 춘향 사이의 자식들을 두고 '그 부친보다 낫더라.'라고 말한 것은 인물에 대한 후대인의 평가가 아니라 서술자의 평가이며, 이것이 작품의 주제를 드러낸다고 보기 어렵다.

① 춘향과 이몽룡의 사랑이라는 표면적 주제 이면에 불의한 지배 계층에 대한 항거라는 주제 의식 등을 전달하고 있다.
②, ③ 고전 소설은 대체로 행복한 결말로 마무리된다는 특징이 있는데, 탐관오리인 변 사또가 벌을 받고, 춘향과 이몽룡의 사랑이 사회적으로 인정을 받아 대대로 부귀영화를 누리는 것으로 이야기를 끝맺은 데서 이와 같은 고전 소설의 특징이 드러난다.
④ 마지막 문단에서 어사 출도라는 사건을 통해 부정한 변 사또를 벌하고 춘향을 구해 낸 뒤 이들이 어떻게 살아가게 되었는지 요약적으로 설명하고 있다.

13 어사또가 민정을 살피는 모습에서 ㄴ을, 춘향이 신분 제도 때문에 시련을 겪다가 이를 이겨 내는 모습에서 ㄹ과 같은 의식이 반영되었다고 볼 수 있다. 그러나 경제적 형편에 따른 차별(ㄱ)이나, 여성의 정절에 대한 요구(ㄷ)가 없어지면 좋겠다는 바람이 작품에 반영되었다고 보기는 어렵다.

ㄱ. 〈춘향전〉에는 신분에 따른 차별이 나타나 있으나 경제적 형편에 따른 차별은 나타나지 않으므로 적절하지 않은 내용이다.

ㄷ. 춘향이 끝까지 정절을 지키는 행위를 높이 평가하고 있으므로 정절의 덕목이 없어지면 좋겠다는 바람이 반영되었다고 보기 어렵다.

14 '영귀(榮貴)하게'는 '지위나 신분이 높고 귀하게.'를 뜻한다.

15 삽입된 시는 고향을 떠나는 춘향의 아쉬운 심정을 보여 주고 있다. 그러나 '신분을 초월한 사랑', '탐관오리에 대한 저항'과 같은 이 작품의 주제를 드러내지는 않는다.

①, ③ '광한루 오작교', '영주각' 등은 춘향의 고향 남원에 있는 실제 장소로 춘향은 이곳에 작별 인사를 하며 아쉬운 심정을 드러내고 있다.

② 인용한 시에서 돌아오지 않는 '떠난 객'은 고향을 떠나 한양으로 가는 춘향을 가리키는 말이다.

④ '봄풀은 해마다 푸르건만 / 떠난 객은 돌아오지 않는다고 이른 시(詩)'는 시인 왕유의 〈산중 송별〉이라는 한시를 인용한 것이다.

16 〈보기〉의 왕과 윗글의 본관 사또는 권력자이자 악인으로, 각각 자신의 지위와 권력을 내세워 횡포를 부리며 도미의 아내와 춘향의 정절을 짓밟으려 했다는 점에서 공통점이 있다.

평가 요소	확인 ☑
인물의 구체적인 행동 또는 태도를 바탕으로 하여 왕과 본관 사또의 공통점을 서술하였다.	

2 〈로봇 시대와 인간의 일〉에서는 인공 지능을 갖춘 로봇이 인간의 일을 대신하는 여러 사례를 제시하고 있다. (1) 운전사의 일은 운전자 없이 장거리를 운행하는 자율 주행 차가, (2) 택배 기사의 일은 무인 항공기인 드론이, (3) 소방대원이나 구조대원의 일은 재난 구조 로봇이 대신할 수 있다.

3 (가)에서 글쓴이는 로봇에게 일자리를 내준 노동자들이 새로운 일자리를 얻기 어려울 것이라며 ⓐ'일자리 구조'에 대해 비관적인 관점을 드러내고 있다. (나)에서는 ⓑ'일'이 삶의 필수적 요소라는 관점이 나타난다.

4 (1) 새로운 일자리를 만들어 내는 것은 경제학자나 정책 기획자가 할 만한 사회적 차원의 해결 방안이다.

(2) 덕성을 지닌 사람이 되는 것은 로봇 시대에서도 일자리를 잃지 않기 위해 개인이 노력해야 할 일이다.

4일 교과서 기출 베스트   36~39쪽

• 7단원 (1) 창의적 읽기

1 ② **2** ② **3** ④ **4** ⑤ **5** ⑤ **6** 거대한 변화의 물결 **7** ② **8** ④ **9** ④ **10** ② **11** 유연성, 덕성

1 (가)의 두 번째 문단에 퀴즈 대결에서 인간을 이긴 로봇, 자율 주행 차, 재난 구조 로봇 등의 구체적 사례를 통해 인공 지능 로봇이 인간과 경쟁하는 사회 현상을 살피고 있다.

2 (가)에서 제1의 기계 시대에 동력을 이용하는 기계가 저임금 육체노동을 대체하게 되었다고 밝히고 있을 뿐, 이 때문에 노동자의 임금이 상승했다는 내용은 확인할 수 없다.

① (가)의 첫 번째 문단에서 증기 기관의 발명으로 18세기 산업 혁명이 제1의 기계 시대를 열었다고 말하고 있다.

③ (가)의 첫 번째 문단에서 디지털과 컴퓨터 기술이 제2의 기계 시대를 만들고 있다고 밝히고 있다.

④ (가)의 두 번째 문단에서 기계 학습 기능을 갖춘 인공 지능 로봇이 시행착오를 거치며 스스로 학습하여 뛰어난 과업 수행 능력을 보여 준다고 밝히고 있다.

⑤ (나)에서 제2의 기계 시대에 인간만이 할 수 있던 지식 기반 업무도 상당 부분 로봇에 의해 대체됨을 밝히고 있다.

4일 기초 확민 문제   35쪽

• 7단원 (1) 창의적 읽기

1 (1) X (2) O (3) O (4) X   **2** (1) ⓒ (2) ㉠ (3) ⓒ   **3** ②
4 (1) ⓑ (2) ⓐ

1 (1) '창의적 읽기'는 새로운 의미와 대안을 찾으려는 목적의식을 가지고 읽는 방법이다.

(2) '창의적 읽기'는 글쓴이의 생각과 관점을 파악하고 비판하는 것을 넘어서서 스스로 새로운 대안을 찾는 읽기 방법이다.

(3) '창의적 읽기'는 읽은 내용을 새로운 상황에 적용하기 위해 의미를 재구성하는 읽기 방법이다.

(4) 내용을 있는 그대로 객관적으로 파악하며 읽는 것은 사실적 읽기에 해당한다.

3 ⓓ에서 경쟁 상황과 시장 조건이 달라졌다는 것은 인간만이 할 수 있던 지식 기반 업무, 고도의 지적이고 정신적인 업무까지도 로봇이 대체하기 시작하면서 예전의 방법으로는 인간이 충분한 경쟁력을 유지하기 어렵게 되었음을 의미한다.

① 로봇이 복잡한 계산 업무를 대신해서가 아니라, 사람만의 영역이었던 업무를 대체하기 시작했기 때문에 경쟁 상황과 시장 조건이 달라진 것이다.
② (나)의 뒷부분의 내용을 바탕으로 할 때 재교육을 받기가 어려워진 것이 아니라, 재교육을 받는 방법으로 경쟁력을 유지하기 어려워졌음을 알 수 있다.
③ 서비스업 가운데 부가 가치와 전문성이 높은 영역도 로봇과의 경쟁에 직면했다는 것이 ⓓ와 관련한 상황이며, 서비스업의 부가 가치가 떨어지고 있다는 내용은 확인할 수 없다.
⑤ 새로운 기술을 전수하지 않는다는 내용은 글에서 확인할 수 없다.

4 글쓴이는 전문적 분야의 일마저 로봇이 대체하게 된 현실을 말하면서, 이처럼 많은 분야의 일자리들을 로봇에게 내준 인간 노동자들이 앞으로 일자리를 얻기 힘들 것이라는 전망을 내놓고 있다.

5 ⓑ를 통해 투약 정보를 인터넷에서 실시간으로 공유함으로써 부작용을 일으킬 수 있는 약이나 함께 복용하면 안 되는 약을 알려 줄 뿐이지 ⓑ가 환자에게 맞는 약을 실시간으로 처방해 주는 것은 아니다.

① ⓐ는 기자의 업무를, ⓑ는 의사와 약사의 업무를 대신한다.
② ⓐ가 대신하는 기자와 ⓑ가 대신하는 의사, 약사의 업무는 전문 지식이 필요한 분야의 업무이다.
③ 첫 번째 문단에서 ⓐ가 사건 발생 5분 만에 기사를 보도한 사례를 통해 ⓐ가 매우 빠른 시간 안에 기사를 작성할 수 있음을 알 수 있다.
④ 두 번째 문단에서 ⓑ는 인터넷을 통해 정보를 공유하여 서비스를 제공하고 있음을 밝히고 있다.

6 윗글을 통해 새롭게 변화하는 시대에는 제조업뿐만 아니라 서비스업, 의료 분야까지 로봇에게 일자리를 내줄 수 있음을 알 수 있다. 마지막 문단에서는 이러한 변화의 모습을 '거대한 변화의 물결'에 빗대어 표현하고 있다.

7 윗글의 첫 번째 문단에서 기술 변화에 따라 일자리가 감소하는 문제는 사회적 차원과 개인적 차원에서 생각해 볼 수 있다고 하였다.

① 두 번째 문단에서는 로봇이 일자리를 없애더라도 생산성이 높아진다고 하였으므로, 사람보다 로봇의 생산성이 높다는 것을 알 수 있다.
③ 첫 번째 문단에서 일자리 감소 문제를 사회적 차원에서 바라볼 때 사

라지는 일자리보다 새로운 일자리를 더 많이 만들어 내면 된다고 말하고 있다.
④ 두 번째 문단에서 로봇이 일자리를 없애더라도 생산성이 높아지고 사회 전체적으로 부가 가치가 늘어나면 재분배 방법을 통해 사람들이 더 적게 일하고 많은 여가를 누릴 수 있다고 말하고 있다.
⑤ 글쓴이는 사회 복지 확대와 같은 재분배 방법을 통해 사람들이 일을 덜 하고 소비와 여가를 더 많이 누릴 수 있다는 로봇 문명을 낙관하는 사람들의 생각을 반박하며 적절한 일자리를 제공하는 것이 중요한 사회적 과제라고 말하고 있다.

8 윗글의 세 번째 문단에 따르면 ⓒ '버트런드 러셀'은 일을 통해 행복에 이르게 된다고 주장하였을 뿐, 고된 노동 후의 성취감이 필요하다고 한 것은 아니다.

9 윗글의 글쓴이는 영국 철학자의 말을 인용하여 인간에게 일자리가 반드시 필요하다는 관점을 드러내고 있으므로 ⓐ에는 로봇과 자동화의 시대에도 일자리가 필요하다는 것이 분명하다는 내용이 들어가야 한다. 따라서 불을 보듯 분명하고 뻔하다는 의미의 '명약관화(明若觀火)'가 들어가는 것이 적절하다.

① 설상가상(雪上加霜): 눈 위에 서리가 덮인다는 뜻으로, 난처한 일이나 불행한 일이 잇따라 일어남을 이르는 말이다.
② 어불성설(語不成說): 말이 조금도 사리에 맞지 아니함을 의미하는 말이다.
③ 유명무실(有名無實): 이름만 그럴듯하고 실속은 없음을 의미하는 말이다.
⑤ 일석이조(一石二鳥): 돌 한 개를 던져 새 두 마리를 잡는다는 뜻으로, 동시에 두 가지 이득을 봄을 이르는 말이다.

10 윗글의 글쓴이는 로봇 시대를 맞아 스스로의 길을 찾아야 함을 강조하며 개인적 차원에서의 노력이 필요함을 말하고 있다. ①은 마지막 문단, ③, ⑤는 세 번째 문단, ④는 네 번째 문단에서 확인할 수 있다. ② '로봇을 신뢰하려는 태도'는 글쓴이가 제안한 일자리 문제 해결 방안과는 관련이 없다.

11 윗글의 내용을 바탕으로 할 때, 로봇 시대에는 계속해서 최신 기술과 새로운 과업이 요구되므로 이를 고려해 '유연성'을 발휘하여 대처하라고 조언할 수 있다. 아울러 로봇 시대에도 여전히 사람의 역할이 중요하므로 '덕성'을 지녀 함께 일하고 싶은 사람이 되어야 한다고 조언할 수 있다.

• 7단원 (2) 자발적으로 책 읽기

1 이해, 독서 경험   **2** ㉠, ㉡   **3** ③   **4** ⓓ → ⓑ → ⓐ → ⓔ → ⓒ
5 (1) O (2) X (3) X (4) O

1 자발적 독서는 능동적인 태도로 자신에게 맞는 책을 선택하고 읽기 때문에 독서에 더 몰입하게 되고 내용도 잘 이해할 수 있다. 또한 자신이 원하는 독서 목적을 이루는 성공적 독서 경험을 할 수 있다.

2 자발적 독서는 자신의 흥미와 가치관 등을 고려하여 스스로 책을 골라 읽는 것이다. ㉠과 ㉡은 최근 이슈가 되는 사회 현상이나 자신의 관심사에 따라 스스로 책을 선택하고 찾아 읽고 있으므로 자발적 독서에 해당한다.

오답 풀이
㉢과 같이 숙제를 하기 위해 유명 대학의 추천 도서를 읽는 것이나 ㉣처럼 선생님의 권유에 따라 흥미는 없지만 전문 지식을 전달하는 책을 읽는 것은 자발적 독서라고 보기 어렵다.

3 많은 사람들이 읽은 유명한 책이라서 읽는 것보다 자신의 흥미나 가치관, 수준 등을 고려하여 직접 책을 골라 읽는 것이 자발적 독서 태도에 해당된다.

4 책을 읽고 발표를 하려면 먼저 흥미나 진로, 가치관 등을 고려하여 다양한 책 목록을 작성한 후 글의 종류나 난이도 등을 고려하여 책을 선정해야 한다. 독서 일지를 작성하며 책을 읽은 후에는 책의 서지 정보 등을 포함하여 발표 자료를 만든다. 책을 소개하는 발표를 한 뒤에는 질의응답을 한다.

5 (1) 백석의 시집 《사슴》의 친필 필사본을 비롯한 많은 문학 관계 유품을 통해 문학에 대한 윤동주의 열정을 알 수 있다.
(2) 윤동주가 문학에 심취해 있었다는 것을 알 수 있지만, 건강 관리를 했다는 내용은 글을 통해 확인할 수 없다.
(3) 용정에서 서울로 오면서 좋아하는 책들을 가지고 온 것을 통해 책에 대한 윤동주의 애정이 드러난다.
(4) 광명중학에 다니던 윤동주는 자신의 관심 분야인 문학 수업과 상급 학교 진학 문제로 갈등하고 있었다.

• 7단원 (2) 자발적으로 책 읽기

1 ③   **2** ③   **3** ㉠을 통해 윤동주가 문학에 대한 열정이 컸다는 점을 알 수 있다.   **4** ②   **5** ④

1 윗글에서는 윤동주의 동생 윤일주의 증언을 인용하고, 백석의 시집이 출간된 날짜, 윤동주가 정지용의 시집을 구입한 날짜나 책의 제목 등을 제시하여 사실성을 높이고 있다.

오답 풀이
ⓑ 윗글에서 글쓴이는 윤동주의 학창 시절 일화를 통해 그의 성실함이나 문학에 대한 애착 등을 소개하고 있는데, 객관적이라기보다는 윤동주에 대한 긍정적인 평가가 드러나 있다고 볼 수 있다.
ⓒ 윗글에서는 동생의 증언이나 자료 등을 통해 내용의 사실성과 신뢰도를 높이고 있으며, 허구의 이야기를 덧붙이지는 않았다.

2 윗글을 통해 당시 윤동주가 앞에 두고 있었던 두 가지 큰 목표가 문학 수업과 상급 학교 진학이라는 것을 알 수 있으나, 상급 학교 진학을 위해 많은 책을 읽은 것은 아니다.

3 200부 한정판이었던 시집을 사지 못해 직접 필사했다는 것을 통해 문학에 대한 열정, 독서에 임하는 성실한 태도 등을 엿볼 수 있다.

평가 요소	확인 ☑
㉠을 통해 알 수 있는 것으로 문학에 대한 열정이나 성실성 등 윤동주의 독서 태도와 관련 있는 내용을 서술하였다.	
제시된 문장 형식에 맞게 서술하였다.	

4 교복 안감을 맬 돈으로 책을 사고, 새벽 2~3시까지 잠도 자지 않고 책을 읽으며, 소설과 시를 탐독하거나 문학 책을 사서 모으는 행동 등을 통해 윤동주의 자발적 독서 태도가 드러난다. 그러나 자기 공부방을 따로 가지고 있었다는 것은 자발적 독서 태도와는 관련이 없는 내용이다.

5 '윤동주의 연보'의 내용을 바탕으로 할 때, 윤동주가 일본판 세계 문학 전집과 한국인 작가의 소설과 시를 탐독했다는 점에서 문학에 대한 윤동주의 열정이 드러난다. 하지만 윤동주가 일본판 세계 문학 전집보다 한국 문학 작품을 주로 탐독했다는 내용은 확인할 수 없다.

5일 기초 확인 문제

• 7단원 (3) 쓰기 과정 성찰하기

1 ⓒ → ⓜ → ⓔ → ⓖ → ⓛ **2** (1) ⓓ (2) ⓒ (3) ⓔ (4) ⓑ (5) ⓐ
3 ③ **4** 주제, 매체, 독자

1 글을 쓰기 위해서는 먼저 쓰기 맥락을 고려하여 전체 글쓰기에 대한 계획을 세우고, 자료를 수집하여 내용을 생성한 후 글의 흐름과 통일성을 고려하여 내용을 조직한다. 그리고 독자의 흥미와 관심을 끌 수 있게 표현한 후, 쓰기 맥락의 요소를 고려하여 고쳐 써야 한다.

2 (1) 고쳐쓰기 과정에서는 글쓰기의 전 과정을 점검하며 수정하고 보완해야 한다.
(2) 표현하기 과정에서는 글쓴이의 의도를 살려 독자가 잘 이해할 수 있도록 글로 표현해야 한다.
(3) 계획하기 과정에서는 쓰기 맥락의 요소를 고려하여 글의 내용과 형식, 글쓰기 방법 등을 결정해야 한다.
(4) 내용 생성하기 과정에서는 다양한 경로로 글에 필요한 내용을 마련해야 한다.
(5) 내용 조직하기 단계에서는 주제와 글의 구조 등을 고려하여 생성한 자료를 배열해야 한다.

3 여학생이 글의 첫 문장을 쓰지 못하고 있는 것에서 쓰기 과정 중 표현하기 과정에서 어려움을 겪는 것임을 알 수 있다. 따라서 독자의 흥미와 관심을 끌 수 있는 문장을 생각해 보라고 조언해 줄 수 있다.

4 글쓴이는 '공정 여행'에 관한 글을 쓰기로 했으므로 주제, 신문에 실릴 것을 고려하고 있으므로 매체, 독자의 흥미를 끄는 제목을 고민하고 있으므로 독자를 고려하고 있음을 알 수 있다.

5일 교과서 기출 베스트

48~49쪽

• 7단원 (3) 쓰기 과정 성찰하기

1 ③ **2** ㉠ 독자 ㉡ 필요성 ㉢ 주제 **3** ③ **4** 생각만으로도 우리를 설레게 하는 여행! **5** ④

1 (가)에서 독자가 공정 여행을 잘 모르는 사람들이며 글을 실을 매체가 신문이라고 밝히고 있으므로, 예상 독자는 공정 여행을 잘 모르는 불특정 다수라고 할 수 있다.

④ (나)에서 글쓴이는 신문을 통해 일반적인 여행의 문제점, 책에서 공정 여행의 실천 방법, 인터넷에서 공정 여행의 개념에 대한 자료를 수집하였다.
⑤ (가)에서 글쓴이가 주제, 목적, 매체, 독자 등의 쓰기 맥락을 고려하고 있음을 알 수 있다.

2 글쓴이는 (가)에서 독자의 흥미를 유발하기 위해 제목을 수정하고, (나)에서 주제에 대해 잘 모르는 독자를 고려하여 공정 여행의 필요성에 관한 내용을 추가하였다. (다)에서는 주제를 고려하여 개요표에 들어간 내용의 순서를 조정하고 주제와 관련이 없는 내용을 삭제하였다.

3 '쾌적한 숙박 시설과 오락 시설의 확충' 관련 내용은 공정 여행을 준비하는 방법과 관련이 적으므로 삭제하는 것이 적절하다.
① 주제는 달라졌지만 예상 독자는 여전히 공정 여행을 잘 모르는 사람들이므로 공정 여행을 준비하는 방법을 소개하기에 앞서 처음 부분에서 공정 여행의 개념을 먼저 소개하는 것이 적절하다.
② 공정 여행에서 준비할 점은, 공정 여행을 할 때 불편한 점을 해소하기 위한 내용일 수 있으므로 이와 같은 내용이 들어갈 수 있다.
④ 주제가 바뀌었으므로 글에서 핵심적인 내용을 전달하는 중간 부분에서 '공정 여행을 준비할 때 고려할 점'을 넣는 것이 적절하다.
⑤ 공정 여행을 준비하는 방법을 알려 주는 글이므로, 공정 여행의 의의 대신 이러한 준비를 통해 공정 여행이 더 즐거워진다는 내용으로 글을 마무리하는 것이 적절하다.

4 글쓴이는 독자의 흥미를 유발하기 위해 문장의 어순을 바꾸어 표현하려고 한다. 따라서 주어인 '여행은'과 서술어인 '설레게 한다'의 순서를 바꾸고, 명사구와 느낌표를 사용하여 '~여행!'으로 문장을 마무리하면 '생각만으로도 우리를 설레게 하는 여행!'으로 고쳐 쓸 수 있다.

평가 요소	확인 ✓
주어와 서술어의 순서를 바꾸어 표현하였다.	
명사구와 느낌표로 문장을 마무리하여 적절하게 서술하였다.	

5 ⓓ는 글의 주제(공정 여행의 개념과 실천 방법)와 관련이 없는 내용이므로 통일성을 고려하여 삭제하는 것이 적절하다.
①, ② 글을 실을 매체가 신문이므로 격식을 갖추어 그림말을 삭제하고, 일관성 있는 종결 표현을 사용하는 것이 적절하다.
③ ⓒ 뒷부분의 내용이 ⓒ 앞부분의 결과 혹은 효과이므로, '그러면'을 넣어 문장을 자연스럽게 연결할 수 있다.
⑤ 글쓴이는 사람들에게 공정 여행을 하도록 권유할 목적으로 글을 쓰는 것이므로 고쳐 쓰는 방안으로 적절하다.

정답과 해설 **87**

* 범위 6단원

1 ⑤   **2** ④   **3** ①   **4** 임과 이별하는 상황에서 화자가 느끼는 슬픔과 정한(情恨), 안타까움 등의 정서를 표현하고 있다.   **5** ④
6 ②   **7** ④   **8** (가)와 (나)의 시적 화자는 인간과 자연이 조화를 이루는 삶을 지향하고 있다.   **9** ③   **10** ⑤   **11** ①
12 ⓐ는 동음이의어를, ⓑ는 언어 도치를 활용한 언어유희이다.

1 (나)의 시적 화자가 ⑩과 같이 말하는 것은 슬픔을 참아 내겠다는 '애이불비(슬프지만 겉으로는 슬픔을 나타내지 아니함.)'의 태도로, 매우 슬퍼할 것이라는 의미를 반어적으로 나타낸 표현이다.

<u>오답 풀이</u>
① ㉠은 '버리고 가시렵니까'라는 의미로 정말 자신을 떠날 것인지 화자가 임에게 확인하는 물음이다.
② ㉡은 '서운하면'이라는 의미로 뒤에 오는 '아니 올셰라(아니 올까 두렵습니다)'라는 말로 보아 ㉡의 주체가 임이라는 것을 알 수 있다.
③ ㉢은 '서러운 마음으로 임을 보내 드리나니'라는 의미로 임을 보내는 화자의 심정이 서럽고 슬프다는 것을 알 수 있다.
④ ㉣ '진달래꽃'은 임을 축복하는 한편 그것을 밟으면서 자신을 기억해 달라는 화자의 마음이 투영된 대상이므로 시적 화자의 분신과 같다고 해석할 수 있다.

2 (가)에서 '위 증즐가 大平盛代(대평셩디)'라는 시행은 이별의 상황을 말하는 전체 시의 내용과 어울리지 않는다. 이것은 이 시가 궁중악으로 편입되면서 추가된 후렴구로, 화자의 의지나 기대와 관련된 내용이 아니다.

3 (나)에는 인간사와 대비되는 자연 현상이 나타나 있지 않다. 시에 등장하는 자연물 '진달래꽃'은 시적 화자가 자신의 사랑과 한(恨)을 표현하기 위한 대상이다.

<u>오답 풀이</u>
② (나)는 3음보의 전통적 율격을 바탕으로 하고 있다.
③ '드리우리다', '뿌리우리다', '흘리우리다'에서 '-우리다'라는 종결 어미를 반복적으로 사용하여 음악적 효과를 내고 있다.
④ 임을 보내고 싶지 않은 마음이 간절하지만 '말없이 고이 보내 드리'겠다고 하는 것이나, 매우 슬프지만 '죽어도 아니 눈물 흘리우리다.'라고 말하는 것은 모두 속마음과는 다른 반어적 표현이다.
⑤ 1연과 4연이 반복되며 대응을 이루는 수미상관의 구조를 통해 주제를 강조하고 구조적으로 안정감을 형성하고 있다.

4 (가)는 이별의 정한을 노래한 고려 가요이고, (나)는 이별의 상황을 가정하여 그 상황에서 느끼는 정한을 노래한 현대 시이다. 두 작품에는 모두 임과의 이별 상황에서 화자가 느끼는 슬프고도 애절한 정서가 잘 드러나 있다.

평가 요소	확인 ☑
(가)와 (나)의 공통점으로 이별의 상황에서 화자가 느끼는 슬픔의 정서를 제시하였다.	
제시된 문장 형식에 맞게 서술하였다.	

5 (가)는 인간 세상보다 자연에서의 삶이 훨씬 만족스럽다는 표현을 통해 인간 세상과 자연에 대한 대조적 인식을 보여 주고 있다. 이와 다르게 (나)에서는 자연과 인간 세상(마을)이 조화된 삶을 그리고 있다.

<u>오답 풀이</u>
① (가)는 자연 속에서 사는 현재의 삶에 만족감을 드러내고 있고, (나)는 인간과 자연이 조화된 삶을 소망하고 있다. 두 시 모두 과거에 대한 반성과 후회는 드러나지 않는다.
② (가)는 '홍진에∨뭇친 분네∨이내 생애∨엇더ᄒᆞᆫ고'와 같이 규칙적인 4음보의 운율을 보이고 있지만 (나)에는 음보율이나 음수율이 뚜렷하게 나타나지 않는다.
③ (가)에는 첫 행에서 화자 자신의 삶이 어떠하냐는 물음을 던지는 설의적 표현이 나타나지만 (나)에는 그러한 표현이 나타나지 않는다.
⑤ (가)와 (나)에는 모두 역설적 표현(겉으로는 모순되지만 그 속에 중요한 진리가 함축되어 있는 표현)이 사용되지 않았다.

6 '욕기'가 기수에서 목욕한다는 뜻인 것은 맞지만 화자는 자연에서의 삶에 만족하며 이를 즐기고 있으므로, '욕기'를 다시 조정으로 돌아가기 위한 준비로 보기 어렵다.

7 (나)의 3연인 '천연히'는 시어 하나로 독립된 연을 구성함으로써 시상을 집약하고 있으며, 꾸밈없이 자연스러운 대상의 속성을 드러내는 시어이므로 주제를 함축한다고 볼 수 있다. 그러나 이를 통해 역동적인 분위기가 조성되는 것은 아니다.

8 (가)는 벼슬에서 물러난 화자가 낙향하여 자연의 아름다운 경치와 그 속에서 사는 즐거움을 노래한 시이다. (나)는 천연한 자연과 인간이 조화된 아름다운 세계에 대한 소망을 그린 시로, 두 작품 모두 자연과 더불어 사는 삶을 지향하는 시적 화자의 태도를 보여 준다.

평가 요소	확인 ☑
인간과 자연의 '조화'에 초점을 맞춰 서술하였다.	
제시된 문장 형식에 맞게 서술하였다.	

9 (다)는 어사또가 부하들에게 암행어사 출도를 명하는 장면이다. 열거와 대구를 통해 암행어사 출도 상황을 생생하게 묘사하고 있다.

10 (라)에서는 너무 놀라 정신없이 도망치는 수령과 관리들의 모습이 나타나 있다. 이러한 상황에는 '혼백이 어지러이 흩어진

다는 뜻으로, 몹시 놀라 넋을 잃음을 이르는 말'인 '혼비백산'이
라는 한자 성어가 어울린다.

오답 풀이

① 상전벽해(桑田碧海): 뽕나무밭이 변하여 푸른 바다가 된다는 뜻으로,
　세상일의 변천이 심함을 비유적으로 이르는 말.

② 일장춘몽(一場春夢): 한바탕의 봄꿈이라는 뜻으로, 헛된 영화나 덧없
　는 일을 비유적으로 이르는 말.

③ 오월동주(吳越同舟): 서로 적의를 품은 사람들이 한자리에 있게 된
　경우나 서로 협력하여야 하는 상황을 비유적으로 이르는 말.

④ 호사다마(好事多魔): 좋은 일에는 흔히 방해되는 일이 많음.

11 편집자적 논평이란 진행 중인 사건이나 인물의 언행 등에 대
해 의견을 밝히거나 평가하는 것으로, ㉠이 이에 해당한다. 서
술자는 이야기를 재미있게 이끌거나 독자의 동의나 이해, 관
심을 끌기 위하여 사건이나 인물에 대해 이와 같이 논평을 하
기도 한다.

오답 풀이

②, ③, ④, ⑤ ㉡~㉣은 편집자가 자신의 의견을 드러낸 논평이라기보다
는 벌어지는 사건을 그대로 전달하는 내용이다.

12 ⓐ는 사람의 갈비뼈와 고기의 갈비라는 동음이의어를 활용한
언어유희이다. ⓑ에서는 '문'과 '바람', '물'과 '목'을 서로 바꾸
어 말하고 있다. 이는 언어 도치를 활용한 언어유희에 해당한다.

평가 요소	확인 ☑
ⓐ는 동음이의어를, ⓑ는 언어 도치를 활용한 언어유희임을 서술하였다.	
제시된 문장 형식에 맞게 서술하였다.	

1 ⑤　**2** ③　**3** ③　**4** ②　**5** 창의적 독서　**6** ④　**7** 백
석의 시집을 손수 베껴 필사본을 만들고, 새벽 2~3시까지 책을 읽었
다. / 교복 안감을 대라고 준 돈으로 책을 사고, 문학 작품들을 스크랩
하였다.　**8** ⑤　**9** ⑤　**10** ④

1 윗글은 21세기에 디지털과 컴퓨터 기술의 발달로 열린 '제2의
기계 시대'를 맞아 인간의 일자리가 로봇으로 대체되는 현상을
구체적 사례를 통해 설명하고 있다. 그러나 인공 지능 로봇의
개발자나 개발 과정을 설명하는 내용은 글에 제시되어 있지
않다.

오답 풀이

① (가)의 두 번째 문단에서 퀴즈 대결에서 인간을 이긴 로봇이나 기계 학
　습 기능을 갖춘 인공 지능 로봇의 사례를 통해 로봇이 인간과 여러 방
　면에서 경쟁하고 있음을 보여 주고 있다. 또 (나)에서 5분 만에 정확한
　기사를 쓴 기사 작성 로봇의 사례를 통해 인간과 로봇이 전문 분야에
　서도 경쟁하고 있음을 알 수 있다.

② (가)의 앞부분에서 21세기 들어 디지털과 컴퓨터 기술이 만든 제2의
　기계 시대에 로봇이 인간 고유의 지적이고 정신적인 업무마저 담당하
　게 되면서, 인간이 로봇에게 일자리를 빼앗길지도 모른다는 일자리 구
　조의 변화에 대해 제시하고 있다.

③ (나)에 제시된 기사 작성 로봇의 사례를 통해 전문 직종의 일자리도 로
　봇으로 대체될 수 있음을 알 수 있다.

④ (가)의 앞부분에서 증기 기관의 발명으로 시작된 제1의 기계 시대에는
　동력을 이용하는 기계가 저임금 육체노동을 대신했지만, 디지털과 컴
　퓨터 기술이 만든 제2의 기계 시대는 로봇이 인간 고유의 지적인 업무
　까지 대체한다는 것을 알 수 있다.

2 ㉠은 인공 지능을 갖춘 로봇이 인간 고유의 지적이고 정신적
인 업무를 대신한다는 내용이다. 하지만 상품을 빠른 시간 내
에 전달하는 택배 서비스는 인공 지능과 관련이 없으므로 ㉠
에 해당하는 사례로 보기 어렵다.

3 윗글에서는 기술 변화에 따라 인간의 일자리가 감소하는 문제
를 제기하고, 이에 대한 해결 방안을 제시하고 있다.

4 윗글의 글쓴이는 로봇 시대를 살아가기 위한 개인적 차원의
해결 방안으로 최신 기술의 수용과 유연한 태도, 지속적인 학
습과 더불어 덕성을 지닌 사람이 되는 것이 중요하다고 말하
고 있다. 따라서 인성적인 부분보다 기술적인 역량을 더 중요
하게 생각하고 있다고 보기는 어렵다.

오답 풀이

① (가)에서 글쓴이는 로봇 문명을 낙관하는 사람들의 생각과 달리 인간

은 노동을 통해 자존감을 높이고 정체성을 지킬 수 있다고 말하며 인간에게 일이 필요하다는 생각을 드러내고 있다.

③ (나)에서 글쓴이가 제시한 해결 방안 중 두 번째 해결 방안은 직업을 유지하기 위해 지속적으로 학습하고 배우는 자세로, 새로운 환경이 언제든지 닥쳐올 수 있으므로 유연성을 발휘해야 한다고 말하고 있다.

④ (나)의 첫 번째 문장에서 글쓴이는 달라진 현실에서 성공적인 직업 생활을 하려면 스스로 길을 찾아야 한다고 말하고 있다.

⑤ (가)에서 글쓴이는 로봇 문명을 낙관하는 사람들의 생각에 대해 그러한 삶이 행복할지 의문이라고 말하며 동의하지 않는 태도를 보이고 있다. 또한 이어지는 내용에서 노동이 인간에게 큰 의미가 있다고 한 것으로 보아, 일자리 문제의 해결이 우선되어야 한다는 생각을 가지고 있다고 추측할 수 있다.

5 글에 나타난 정보와 독자가 가지고 있는 생각을 종합하여 새로운 의미를 만들어 내는 읽기를 '창의적 독서'라고 한다. 문제를 다룬 글을 읽으며 글쓴이의 해결 방안을 보완하거나 대체할 방안을 찾는 것은 창의적 독서의 한 과정이다.

6 윗글에서는 윤동주의 여동생인 윤혜원 씨의 증언을 직접 인용하여 학창 시절 윤동주의 문학에 대한 열정적인 태도를 생생하게 전달하고 있다.

① 윗글의 앞부분에서 학창 시절 윤동주의 큰 목표 두 가지를 제시하며 윤동주가 처한 고민 상황을 드러내고 있지만, 갈등의 양상이 상세하게 묘사되어 있지는 않다.

② 윗글에는 윤동주가 문학에 심취했다는 것을 보여 주는 여러 일화가 제시되어 있지만, 윤동주가 문학에 심취하게 된 계기를 보여 주고 있지는 않다.

③ 윗글은 윤동주 가족의 증언과 여러 일화로 윤동주의 문학에 대한 태도를 드러내고 있을 뿐, 윤동주의 일생이 시간 순서대로 제시되어 있지는 않다.

⑤ 윗글은 윤동주의 학창 시절에 관한 이야기로 그동안 알려지지 않은 이야기일 수는 있지만 글쓴이가 이러한 면모를 비판적으로 평가한 것은 아니다.

7 윗글에서는 학창 시절 윤동주가 백석의 시집을 직접 베껴 필사본을 만들고, 교복 안감을 댈 돈으로 책을 살 정도로 많은 책을 사 모으고, 새벽 2~3시까지 책을 읽고, 신문과 잡지에서 작품들을 스크랩했다는 일화 등을 통해 윤동주의 자발적 독서 태도를 드러내고 있다.

평가 요소	확인 ✔
글에 나타난 윤동주의 자발적 독서 태도를 서술하였다.	
윤동주의 자발적 독서 태도를 두 가지 이상 서술하였다.	

8 (가)에 제시된 ⑩(여행지의 문화를 이해할 수 있는 다양한 체험 활동 참여)의 내용은 (나)에서 찾을 수 없다.

① (나)의 첫 번째 문단에서 일반 여행의 문제점을 제시하며 ㉠(공정 여행이 주목받게 된 배경)을 설명하고 있다.

② (나)의 두 번째 문단에 ㉡(공정 여행의 개념)이 제시되어 있다.

③ (나)의 세 번째 문단에서 ㉢(지역 경제를 살리는 소비)을 해야 한다고 말하고 있다.

④ (나)의 네 번째 문단에서 ㉣(탄소 배출량이 적은 교통수단을 이용)을 해야 한다고 말하고 있다.

9 (나)에 **빨간색**으로 표시된 부분을 통해 학생이 그림말과 문장의 종결 표현을 수정하고 있음을 알 수 있다. 이는 글이 신문에 실릴 것을 고려하여 격식 있는 표현으로 수정하려는 것으로 볼 수 있으나, 글에 사진 자료는 제시되어 있지 않다.

① (나)의 두 번째 문단에서 공정 여행의 개념을 설명하는 것으로 보아 공정 여행을 잘 모르는 사람들을 예상 독자로 설정했을 것이라고 추측할 수 있다.

②, ③ (나)의 첫 번째 문단에서 제시한 일반 여행의 문제점 때문에 공정 여행이 나왔다는 배경에 대한 내용으로 보아 공정 여행의 필요성에 대한 자료를 활용했을 것이라고 추측할 수 있다.

④ (나)의 첫 번째 문장에서 문장의 어순을 바꾸어 표현하거나, 의문문 형식으로 표현한 문장 등을 통해 독자의 흥미를 끌기 위해 다양한 표현 기법을 사용했음을 알 수 있다.

10 공정 여행을 함께 떠나자는 내용을 담고, 목적어와 서술어의 순서를 바꾸는 도치법을 사용하고, 청유형 문장을 만드는 '–자'로 문장을 마무리하여 모든 조건을 충족하는 문장은 ④이다. 청유형 어미에는 '–자, –세, –ㅂ시다, –십시다' 등이 있다.

① 명령형 문장을 사용하였다.

② 도치법은 사용되었으나, 의문형 문장을 사용하였다.

③ 청유형 문장이지만 도치법이 사용되지 않았다.

⑤ 공정 여행에 동참할 것을 권유하는 내용이 담겨 있지 않으며, 청유형 문장을 사용하지 않았다.

1 (가)의 화자는 이별하는 상황이 괴롭지만, 상대방이 서운해할 것을 염려하여 이별을 받아들이고 있다. 이런 화자에게 더 적극적으로 이별을 거부하거나 자신의 감정에 충실하라는 조언을 해 줄 수 있다. 또는 화자를 격려하고 이해하는 조언을 하는 것도 가능하다.

평가 요소	확인 ☑
(가)의 화자의 태도에 해당하는 항목에 알맞게 표시하였다.	
분석을 통해 알 수 있는 화자의 심리를 고려하여 적절한 조언을 서술하였다.	

✎ 예시 답안

① No ② Yes ③ No ④ Yes

〈조언〉 • 이별하는 것이 그렇게 괴롭다면 상대방의 감정을 생각하기보다 자신의 감정에 솔직하게 임을 붙잡는 것은 어떨까요?

• 이별할 때 얼마나 슬플지 공감이 되면서 본인보다 떠나는 임이 서운할까 봐 배려하는 마음이 아름답게 느껴집니다.

2 (가)~(다)에는 모두 세 마디씩 끊어 읽는 3음보의 율격이 나타난다. 음보를 규칙적으로 반복하여 율격을 형성하는 것은 한국 시가 문학의 전통적인 특징이다.

평가 요소	확인 ☑
(가)~(다)가 모두 3음보의 율격을 지녔음을 서술하였다.	
(가)~(다)에서 구체적인 구절을 예로 들어 설명하였다.	
(가)~(다)와 관련이 있는 한국 시가 문학의 특성으로 음보율을 서술하였다.	

✎ 예시 답안

(가)의 '가시리∨가시리∨잇고'에서 드러나듯이 (가)~(다)에는 모두 3음보의 율격이 나타나는데, 이를 통해 음보율이 나타나는 한국 시가 문학의 특성을 알 수 있다.

3 '훗튼 혜음'은 헛된 생각이라는 뜻으로, 제시된 시의 화자는 자연에 묻혀 살며 '공명'이나 '부귀'를 헛된 생각으로 여기고 안빈낙도하는 삶에 만족감을 드러내고 있다.

평가 요소	확인 ☑
'훗튼 혜음'과 의미가 통하는 시어로 '공명'과 '부귀'를 찾아 썼다.	
'훗튼 혜음'을 꺼리는 화자의 태도를 중심으로 하여 주제를 적절하게 서술하였다.	

✎ 예시 답안

제시된 시의 화자는 '공명'이나 '부귀'와 같은 '훗튼 혜음'을 꺼리며 자연과 함께하는 소박한 삶에 대한 만족감을 드러내고 있다.

4 〈보기〉에서 폭포수는 자연이 만든 물줄기지만, 분수는 인공적

인 힘으로 만든 물줄기이다. 제시된 시는 천연히 있는 들길과 마을의 모습을 그리며 인간과 자연의 조화로운 모습을 아름답게 표현하고 있다. 따라서 제시된 시의 화자는 자연이 만든 물줄기인 폭포수를 더 좋아할 것으로 추측할 수 있다.

평가 요소	확인 ☑
제시된 시의 화자가 '폭포수'를 더 좋아할 것임을 서술하였다.	
'폭포수'를 더 좋아하는 이유를 인간과 자연의 조화와 관련하여 적절하게 서술하였다.	

✎ 예시 답안

제시된 시에서는 울타리 안과 밖을 구별하지 않고 화초를 심는 천연한 마을을 통해 인간과 자연이 조화된 세계의 아름다움을 그리고 있다. 따라서 제시된 시의 화자는 자연을 거스르고 인공적으로 만든 분수보다 자연의 물인 폭포수를 더 좋아할 것이다.

5 풍자와 해학은 대상을 과장하여 웃음을 유발한다는 점에서 공통점이 있다. 하지만 풍자가 대상에 대한 부정적 인식을 바탕으로 하는 반면, 해학은 대상에 대한 연민과 애정을 바탕으로 한다는 점에서 차이가 있다.

평가 요소	확인 ☑
(가)와 〈보기〉에서 사용한 표현 방법의 공통점을 적절하게 서술하였다.	
대상에 대한 태도를 중심으로 (가)는 풍자, 〈보기〉는 해학의 표현 방법이 사용되었음을 서술하였다.	

✎ 예시 답안

(가)와 〈보기〉는 각각 도망가는 수령들과 장인에게 얻어맞다가 반격하는 '나'를 희화화하여 웃음을 유발한다는 점에서 공통점이 있다. 하지만 (가)에서는 도망가는 수령들에 대한 부정적이고 비판적인 태도가 드러나므로 풍자, (나)에서는 '나'에 대한 우호적이고 동정적인 태도가 드러나므로 해학의 표현 방법이 사용되었다.

6 윗글에서 춘향은 수청을 요구하는 어사또의 말을 듣고, '층암 절벽 높은 바위'와 '청송녹죽 푸른 나무'에 빗대어 자신의 정절을 지키겠다는 단호한 태도를 드러내고 있다.

평가 요소	확인 ☑
⊙, ⓒ을 통해 춘향이 강조하고자 한 바로 '정절(지조와 절개)'을 언급하였다.	
지조와 절개를 지키려는 춘향의 의지가 드러나도록 연기를 요청하였다.	

✎ 예시 답안

⊙, ⓒ을 통해 춘향이 자신의 정절을 강조하고 있으니, [A]에서는 끝까지 지조와 절개를 지키려는 춘향의 태도가 잘 드러나도록 단호한 표정과 어조로 연기해 주세요.

7 제시된 글에 따르면, 로봇 시대에는 인간이 하는 전문적인 일을 로봇이 대체함으로써 일자리가 부족해지는 등의 문제가 생

길 수 있으므로 이에 대한 해결 방안을 제시해야 한다.

평가 요소	확인 ☑
로봇 시대에 나타나는 일자리 문제를 제시하였다.	
문제에 대한 해결 방안을 제시된 글의 관점에서 적절하게 서술하였다.	

✏️ 예시 답안
• 로봇이 인간이 하는 여러 가지 일을 대체한다면, 인간만이 할 수 있는 창의적인 일들을 계속해서 찾아야 한다.
• 로봇이 인간의 일자리를 빼앗는 문제가 발생하더라도 로봇을 관리하는 업무는 사람이 담당해야 할 것이다. 따라서 로봇 시대에는 로봇을 관리하는 일이 중요해질 것이므로 로봇이 인간과 협력적으로 살아가도록 통제하고 관리하는 일자리를 만들어야 한다.

8 자발적으로 책을 읽는 과정은 '책 목록 작성하기 – 책 선정하기 – 책 읽기'의 순서로 이루어지며, 목록을 작성하거나 책을 선정할 때 자신의 흥미와 수준 등을 고려해야 함을 알려 주어야 한다.

평가 요소	확인 ☑
자발적 책 읽기의 과정을 순서에 따라 적절하게 서술하였다.	

✏️ 예시 답안
자발적으로 책 읽기 활동을 하려면 먼저 자신의 진로나 가치관, 흥미 등을 고려하여 읽고 싶은 다양한 책들의 목록을 만든 후, 독서 분야나 난이도 등을 고려하여 한 권의 책을 선택하고, 독서 일지를 작성하며 책을 읽어야 한다.

9 쓰기 맥락을 구성하는 요소에는 예상 독자, 글의 목적, 주제, 매체, 종류 등이 있다. 이러한 쓰기 맥락을 고려해야 글의 내용과 형식이 정해지고 자신이 원하는 방향으로 글을 쓸 수 있다.

평가 요소	확인 ☑
쓰기 맥락의 요소로 '예상 독자', '글의 목적', '매체', '주제' 중에서 두 가지 이상 언급하였다.	
쓰기 맥락을 고려해야 하는 이유를 구어체로 서술하였다.	

✏️ 예시 답안
예상 독자, 글의 목적, 매체, 주제 등의 쓰기 맥락을 고려해야 자신이 쓰려는 글의 내용과 형식을 결정할 수 있기 때문이야.

7일 중간고사 기본 테스트 1회   62~69쪽

• 범위 6단원~7단원

1 ④   **2** ①   **3** ④   **4** (가)와 (나)에는 3음보의 율격이 나타나는 반면, 〈보기〉에는 4음보의 율격이 나타난다.   **5** ②   **6** ②   **7** ③   **8** 마을은 자연과 인간의 경계를 나누지 않고 자연과 합일되는 속성을 지니고 있다.   **9** ①   **10** ②   **11** 본관 사또의 생일잔치는 백성들의 고통으로 차려진 것으로, 어사또는 [A]를 통해 백성을 수탈하는 탐관오리의 가렴주구를 비판하고 있다.   **12** ④   **13** ②   **14** ①   **15** ②   **16** ②   **17** 안감을 대라고 준 돈으로 책을 산 일/늘 새벽 2~3시까지 책을 읽은 일/일본판 세계 문학 전집과 한국인 작가의 소설과 시를 탐독한 일/신문과 잡지에서 문학 작품을 스크랩한 일   **18** ㉠ 주민 ㉡ 훼손 ㉢ 보호   **19** ④   **20** ②

1 (가)에는 (나)와 다르게 '나는'이라는 여음이 삽입되어 있으나 이는 시의 내용과는 상관없는 말이므로 주제를 강조한다고 볼 수 없다.

오답 풀이
① (가), (나)의 화자는 모두 이별의 상황에서 느끼는 슬픔과 한의 정서를 드러내고 있다.
② (가)의 화자는 '가시렵니까'라는 의미의 '가시리잇고'를 반복하며 떠나는 임에게 말을 건네는 어투를 사용하고 있다.
③ (나)에서는 '가시옵소서'와 같은 경어체 표현을 통해 공손하고 순종적인 태도를 보이고 있다.
⑤ (나)에서는 '진달래꽃'이라는 시각적 이미지의 시어를 통해 임에 대한 화자의 사랑, 임의 앞길을 축복하는 마음을 드러내고 있다.

2 (가)는 3음보의 율격을 바탕으로 사랑과 이별, 삶의 비애 등 평민들의 진솔한 감정을 표현한 고려 가요이다. 고려 가요는 고려 시대에 민간에서 구전되다가 궁중악으로 편입되어 전해졌으며, 한글 창제 이후 음악서에 실리면서 문자로 정착된 노래들이다. 궁중악으로 편입되는 과정에서 시의 내용과 관련이 없는 후렴구가 삽입되기도 하였다.

오답 풀이
ⓒ 고려 가요는 주로 평민들 사이에서 널리 불리던 노래이다. 이후에 궁중악으로 편입되어 지금까지 전해진 것이나, 처음부터 궁중악으로 쓸 목적으로 창작된 것은 아니다.
ⓔ 고려 가요는 주로 남녀 간의 애정, 이별과 그리움 등 평민들의 소박하고 진솔한 감정을 표현한 갈래이다.

3 '사뿐히 즈려밟고'라는 역설적 표현을 통해 임이 떠나면 자신이 무참하게 망가질 것이라는 화자의 속마음이 드러난다고 볼 수 있다. 전달하는 의미를 고려할 때 '사뿐히'보다는 힘주어 밟는다는 의미의 '즈려밟고'에 화자의 의도가 더 많이 담겨 있다고 보는 것이 적절하다.

4 〈보기〉에는 한 행을 네 마디로 끊어 읽는 4음보의 율격이 나타난다. 이와 달리 (가)와 (나)에는 모두 3음보의 율격이 나타난다.

5 (가)의 화자는 자연 속의 삶을 만족스러워하고 있으나, 이것이 속세에서 상처를 받았기 때문이라는 내용은 찾아볼 수 없다.

① (가)의 화자는 봄 경치를 즐기며 자연의 아름다움을 감상하고 있다.
③ (나)의 '머리가 마늘쪽같이 생긴 고향의 소녀'와 '한여름을 알몸으로 사는 고향의 소년'은 자연처럼 꾸밈없이 자연스럽고 순수한 속성을 지니고 있다.
④, ⑤ (가)의 화자는 속세를 떠나 자연에 묻혀 살며 안빈낙도하는 삶에 만족감을 느끼고 있으며, (나)의 인간은 '오래오래 잔광이 부'시고 '밤이면 더 많이 별이 뜨는 마을'에서 '울타리 밖에도 화초를 심'으며 자연과 조화를 이루고 있다.

6 '녯사롬'은 풍류를 누렸던 옛 선인들을 가리키는 말로, ⓒ은 옛 선인들과 비교해도 손색이 없는 자신의 풍류 생활에 대한 자부심을 드러내는 표현이라고 볼 수 있다.

7 (나)에서는 '-듯'이라는 연결 어미를 반복적으로 사용하여 '아지랑이', '태양', '제비', '물' 등 자연물의 동질적인 속성을 드러내고 있다. 이를 통해 공간의 대립적인 속성이 나타나지는 않는다.

① 1연의 '고향의 소녀와', '고향의 소년과', 2연의 '피듯', '타듯', '날듯', '흐르듯', 4연의 '마을이 있다' 등에서 유사한 구절을 반복하여 운율을 형성하고 있다.
② '마늘쪽', '아지랑이', '태양', '제비' 등 시각적인 이미지를 통해 고향의 풍경을 묘사하여 회화성을 살리고 있다.
④ 1연의 '같이'는 '처럼' 혹은 '함께'로 해석되는데 이 해석에 따라 '낯이 설어도 사랑스러운'이 수식하는 대상이 달라진다. 이로 인해 시의 의미가 풍부해진다.
⑤ 3연은 '천연(天然)히'라는 하나의 시어로 구성되어 꾸밈이 없고 자연스러운 천연한 속성을 드러내며 주제를 강조하고 있다.

8 ⓐ에서 마을 사람들은 울타리 안과 밖을 구분하지 않고 화초를 심고 있다. 따라서 마을은 안과 밖의 경계를 나누지 않고 자연과 합일되는 속성을 지니고 있음을 알 수 있다.

평가 요소	확인 ✓
마을의 속성을 인간과 자연의 조화와 관련지어 서술하였다.	
제시된 어휘를 포함하여 서술하였다.	
제시된 문장 형식에 맞게 서술하였다.	

9 (가)에서는 인물의 행동에 대한 과장된 묘사가 아니라 사람의 '갈비(뼈)'와 고기의 '갈비'라는 동음이의어를 활용한 언어유희를 통해 웃음을 유발하고 있다.

② (가)에서는 본관 사또의 생일잔치가 사치스럽게 이루어지는 상황을 구체적으로 묘사하고 있으며 어사또와 주변 인물들의 대화를 통해 사건이 진행되고 있다.
③ (나)에서는 '좋은 잔치 당하여서 술과 안주를 포식하고'에서 변 사또의 생일잔치를 '좋은 잔치'로, 보잘것없는 상차림을 받은 것을 '술과 안주를 포식하고'라고 반대로 표현하여 백성을 수탈하는 본관 사또와 관리들에 대한 부정적인 인식을 드러내고 있다.
④ (다)에서는 암행어사 출도에 혼비백산한 관리들의 모습을 호흡이 짧은 어구와 문장으로 묘사하여 긴박한 상황임을 드러내고 있다.
⑤ (다)에서는 특정 장면과 관련하여 여러 가지를 나열하거나 덧붙여 부연하는 확장적 문체를 사용하여 암행어사 출도에 관리들이 도망가는 장면을 전달하고 있다.

10 어사또는 백성의 고통은 외면한 채 벌어진 화려한 잔치의 모습(㉠)을 보며 심란함, 분노를 느끼고 있다.

11 '천인혈', '만성고'는 일만 백성들의 피와 기름을 의미하므로, 백성들의 고통(희생)을 나타낸다. 본관 사또의 사치스러운 잔치를 본 어사또는 이러한 사치가 백성들의 고통을 바탕으로 한 것임을 알고 분노하며, 본관 사또와 관리들을 비판하고자 한 것이다.

평가 요소	확인 ✓
본관 사또의 생일 잔치가 백성들의 고통으로 차려진 것임을 서술하였다.	
어사또가 탐관오리의 횡포를 비판하기 위해 [A]를 지었음을 서술하였다.	

12 ⓓ는 운봉 영장이 자신이 제안한 차운에 어사또가 참여하는 것에 기쁜 마음으로 붓과 벼루를 주는 모습을 서술한 것으로, 사건이나 인물에 대한 서술자의 의견이나 평가가 반영되지는 않았다.

13 윗글과 〈보기〉는 대상에 대한 부정적 인식을 바탕으로 대상을 조롱하고 깎아내려 웃음을 유발할 뿐 대상에 대한 동정심을 유발하지는 않는다.

14 (가)는 기사를 쓰는 로봇의 사례를 통해 로봇이 인간의 지식 기반 산업의 일까지 대체하기 시작한 상황을, (나)는 동생의 증언에 나타난 여러 사례를 통해 독서에 대한 윤동주의 열정을 보여 주고 있다.

15 (가)에서는 전문성이 높은 영역의 업무도 로봇으로 대체되고 있다고 말하며 그 예로 '기사 작성 로봇'을 들고 있다. 로봇이 기자의 업무를 가장 빨리 대체했는지는 확인할 수 없다.

16 글쓴이는 (가)에서 로봇이 인간의 일자리를 대체하게 되었다는 문제를 제기하고 있다. 이에 대해 창의적 읽기를 하는 독자라면 이 상황과 관련하여 해결 방법을 묻거나 자신이 생각한 새로운 대안을 질문으로 던질 수 있다. 그러나 ②의 내용은 이미 (가)의 내용에서 확인할 수 있는 것으로, 사실적 읽기에 가깝다.

17 윤혜원 씨가 들려준 일화와, 윤동주 연보에 나타난 내용을 근거로 하여 독서에 대한 윤동주의 열정을 확인할 수 있다.

평가 요소	확인 ☑
윤혜원 씨의 증언과 윤동주의 연보에 나타난 내용을 바탕으로 서술하였다.	
일화를 두 가지 이상 서술하였다.	

18 일반적인 여행을 하면 수익이 여행 관련 업체에만 돌아가 여행지 주민의 수익이 적고 여행 과정에서 쓰레기 등이 많이 생겨 환경을 훼손한다고 하였다. 반면, 공정 여행은 지역 경제에 도움이 되는 소비를 통해 지역 경제가 활성화되고, 탄소 배출량이 적은 교통수단을 이용하여 환경 보호에도 도움이 된다고 하였다.

19 글쓴이는 글을 실을 매체가 신문이기 때문에 일관된 종결 표현과 격식을 갖춘 표현을 사용하고 있다. 공정 여행을 할 때 고려할 점은 글을 실을 매체와 상관없이 내용상 필요하여 들어간 것이다.

20 글쓴이는 [A]에서 흐름이 자연스럽지 않은 문장 사이에 '그러면', '또한'이라는 말을 넣고(ⓓ), 주제와 관련이 없는 마지막 문장을 삭제하여(ⓐ) 제시된 글과 같이 고쳐 썼다.

7일 중간고사 기본 테스트 2회 — 70~76쪽

• 범위 6단원~7단원

1 ⑤ **2** ⑤ **3** 세 작품 모두 형식적으로 3음보의 전통적 율격이 나타나며, 내용적으로는 이별의 정한을 주제로 하고 있기 때문이다.
4 ② **5** ⑤ **6** ④ **7** ④ **8** ④ **9** ⑤ **10** ④ **11** ⑤
12 ③ **13** ⓐ를 바탕으로 할 때 주제는 신분을 초월한 사랑이고, ⓑ를 바탕으로 할 때 주제는 불의의 지배 계층에 대한 항거이다.
14 ⑤ **15** ② **16** 기술이 발전하고 사회가 변화하는 속도가 매우 빠른 상황에서 개인의 노력만으로 로봇 시대에 발생할 수 있는 일자리 감소 문제를 근본적으로 해결하기 어렵다. **17** ③ **18** ③
19 ⑤ **20** ⑤

1 (나)는 '나 보기가∨역겨워∨가실 때에는', '말없이∨고이 보내∨드리우리다'와 같이 3음보가 연속되고 있으며, (다)도 '아리랑∨아리랑∨아라리요', '나를∨버리고∨가시는 님은'과 같이 호흡은 3음보로 일정하게 유지되고 있다.

오답 풀이
①, ② (가)~(다)는 모두 시의 표면에 직접 드러난 시적 화자가 이별의 상황에서 느끼는 슬픔을 노래한 작품이다.
③ (가)는 '-잇고', (나)는 '-우리다'라는 종결 어미를 반복함으로써 운율을 형성하고 있다.
④ (가)에는 '나는'이라는 여음을, (다)에는 '아리랑'이라는 소리를 삽입하였는데 이는 특별한 의미가 없이 흥을 돋우기 위한 것이다.

2 (다)의 화자는 임이 자신을 버리고 떠나면 발병이 날 것이라며 일종의 협박을 하고 있다. 이는 임에 대한 원망의 감정을 노골적으로 표현하는 동시에, 자신을 떠나면 발병이 날 테니 곁에 있어 달라는 소망을 드러낸 것으로 볼 수 있다.

3 음보를 통해 운율을 형성하는 것은 한국 시 문학에 나타나는 전통적인 특징이다. 또한 내용이나 주제 면에서 이별의 슬픔과 한을 담은 작품이 계속 창작·향유되면서 문학적 전통이 계승되고 있다.

평가 요소	확인 ☑
형식적 측면의 근거를 음보율과 관련하여 서술하였다.	
내용적 측면의 근거를 이별의 정한과 관련하여 서술하였다.	
제시된 문장 형식에 맞게 서술하였다.	

4 후렴구이자 조흥구인 ㉠ '위 증즐가 태평성디'는 각 연의 끝에 배치되어 연을 구분 짓는 역할을 하고 시에 구조적 안정감과 통일성을 부여한다. 하지만 이별의 분위기와 어울리지 않는 내용이므로 화자의 정서를 집약하고 있다고 보기 어렵다. 특히 '대평성디'라는 표현은 고려 가요인 (가)가 궁중악으로 편입되는 과정에

서 삽입된 것으로 추정된다.

5 [A]와 [B]는 수미상관의 구조를 통해 시적 의미를 강조하고 형태상으로 안정감을 주고 있다. [A]보다 [B]에서 화자의 의도가 더 강하게 느껴질 수 있지만, [B]에서 '죽어도'는 임이 떠나면 자신이 죽을 수도 있다는 의미가 아니라 울지 않겠다는 의지를 강조하기 위해 사용된 것이다.

6 (가)에서는 '연하일휘(안개와 노을과 빛나는 햇살)'를 '금수(수 놓은 비단)'에, (나)에서는 소녀의 '머리'를 '마늘쪽', 자연의 천연한 모습을 '아지랑이', '태양' 등에 빗대어 표현하는 등 두 시 모두 직유법을 활용하여 대상의 속성을 드러내고 있다.

[오답 풀이]

① (가)에서는 '벽계수(푸른 시내)', '송죽', '도화 행화(복숭아꽃, 살구꽃)' 등의 시각적 이미지를 통해 봄을 맞은 자연의 모습을, (나)에서는 '아지랑이', '태양' 등의 시각적 이미지를 통해 천연한 자연의 모습을 묘사하고 있다.
② (가)는 (나)와 달리 4음보의 율격을 통해 운율을 형성하고 있다.
③ (가)에서는 '엇더흔고'와 같이 의문형 종결 어미를 활용하여 자연을 만끽하는 화자의 자부심과 만족감 등을 드러내고 있다.
⑤ (나)는 '천연(天然)히'라는 시어를 독립적인 연으로 구성하여 1, 2연과 4연의 중간에서 호흡의 완급을 조절하고 있다.

7 '홍진', '공명', '훗튼 혜움'은 속세와 관련된 시어들이고, '풍월주인', '무릉', '단표누항'은 자연 친화적인 삶과 관련된 시어들이다.

8 (가)의 화자는 속세에 대한 미련을 보이지 않으며, 이를 극복하는 모습 또한 나타나지 않는다.

9 ⓓ은 표현상 '공명'과 '부귀'가 주체이고 '나'가 객체이지만, 실제로는 화자가 부귀와 공명을 꺼린다는 의미이다. 이와 같은 주객전도의 표현을 통해 세속적 가치에 욕심 부리지 않고 자연을 벗하며 안빈낙도하는 화자의 태도를 보여 준다.

10 안과 밖을 구분하지 않고 '울타리 밖에도 화초를 심는' 행위에서 따뜻하고 넉넉한 마음을 확인할 수 있으며, 천연한 성질을 잃어버렸다는 내용을 확인할 수 없으므로 이 행위가 천연한 성질을 되찾으려는 노력이라고 보기 어렵다.

[오답 풀이]

① '마늘쪽', '고향의 소녀'와 같은 향토적 시어를 통해 정감을 느낄 수 있다.
② '같이'를 '함께'의 의미로 해석하면 '낯이 설어도 사랑스러운' 대상은 '들길'만 해당하며, '처럼'의 의미로 해석하면 '소녀', '소년', '들길'이 모두 해당한다.
③ '아지랑이', '태양', '제비', '물'은 모두 천연한 속성을 지니고 있다.

⑤ '마을'은 인간과 자연이 조화를 이룬 천연한 곳으로, 화자가 지향하는 아름다운 세계를 의미한다.

11 어사또가 춘향의 죄를 물은 것은 춘향의 절개를 확인하고 보다 극적인 재회를 위한 것으로, 원칙을 중시하여 잘못을 따지려 한 것은 아니다.

12 '수절', '정절'은 모두 절개를 지킨다는 의미로, ⓒ은 음의 유사성을 이용한 언어유희를 통해 춘향의 지조와 절개를 나타내고 있다.

13 양반인 이몽룡과 기생의 딸인 춘향이 사랑을 이뤘다는 점에서는 신분을 초월한 사랑이, 춘향이 탐관오리인 변학도의 횡포에 저항한다는 점에서는 불의한 지배 계층에 대한 항거가 윗글의 주제이다.

평가 요소	확인 ✔
ⓐ를 중심으로 '사랑'과 관련하여 주제를 알맞게 서술하였다.	
ⓑ를 중심으로 '항거'와 관련하여 주제를 알맞게 서술하였다.	

14 암행어사 설화는 암행어사가 탐관오리를 벌하거나 약자의 억울함을 풀어 주는 내용의 설화이다. 따라서 윗글은 이몽룡이 암행어사가 되어 폭정을 일삼던 본관 사또를 벌했다는 점에서 암행어사 설화와 관련이 있다. 그러나 춘향이 어사가 된 이몽룡과 결혼하여 신분 상승을 한 것과 암행어사 설화는 관련이 없으므로 ⑤는 적절하지 않은 설명이다.

[오답 풀이]

① 열녀 설화: 여자가 고난과 시련 속에서도 정절을 지키는 내용의 설화
② 신원 설화: 억울한 일을 당한 사람의 원한을 풀어 주는 내용의 설화
③ 관탈 민녀 설화: 임금이나 관리가 평민의 여자를 빼앗는 내용의 설화
④ 염정 설화: 남녀 사이의 애정을 다룬 설화

15 (나)에서 글쓴이는 변화에 직면했을 때 유연성을 발휘하라고 하였으므로, 흐르는 물처럼 유연하게 상황에 대처해야 한다는 ②가 글쓴이의 생각과 가장 유사하다.

16 (나)에는 (가)에 제시된 로봇 시대 일자리 문제 상황과 관련하여 개인적 차원의 해결 방안만이 나타나 있다. (가)에 나타난 로봇이 일자리를 대체하는 거대한 사회 변화를 사회적 차원의 노력 없이 개인의 노력만으로는 근본적으로 해결할 수 없으므로, 제시된 기준으로 판단했을 때 (나)의 해결 방안이 문제를 해결하기에 충분하지 않다고 서술할 수 있다.

평가 요소	확인 ☑
(나)에 제시된 해결 방안이 (가)의 문제 상황을 해결하기 어려움을 비판적으로 서술하였다.	

17 윤동주가 갖고 싶어 한 백석의 시집 《사슴》이 200부 한정판이었다는 사실 자체가 윤동주의 열정을 보여 주는 것은 아니다. 윤동주가 이 시집을 가질 수 없자 손수 필사본을 만드는 노력을 보인 것에서 그의 열정이 드러난다.

18 윤동주는 상급 학교 진학과는 별개로, 자발적인 태도로 문학 수업에 열중하였다. 이러한 태도를 상급 학교에서 높이 평가했는지는 윗글을 통해 알 수 없다.

19 (나)에서 중간 2의 '다'는 '어떻게 실천하지?'에서 생성한 내용이 아닐뿐더러, 글의 분량이 아닌 통일성을 고려하여 삭제한 것이다.

오답 풀이
① (나)의 다른 항목을 고려할 때, 공정 여행의 필요성은 공정 여행이 주목받게 된 배경과 관련하여 언급하는 것이 가장 적절하다.
② 글쓴이는 '무슨 뜻일까?'에서 생성한 공정 여행의 개념과 관련된 내용을 중간 1에 배치하였다.
③ (나)의 중간 2에서 공정 여행의 실천 방법을 다루고 있으므로, (가)의 '어떻게 실천하지?'와 관련하여 생성한 내용을 바탕으로 구성했음을 알 수 있다.
④ (나)에서 처음과 끝의 내용을 바꾸는 것은 자연스러운 글의 흐름을 고려한 것이다.

20 〈보기〉의 글쓴이는 인터넷에서만 자료를 수집하여 글과 관련한 정보가 충분하지 않고, 정보를 수집한 후 바로 글을 쓰기 시작하여 글이 원래 계획한 방향과 많이 달라진 상황이다. 따라서 계획하기 단계부터 내용 생성하기, 내용 조직하기 단계에 걸쳐 글을 점검하고 조정해야 한다. 고쳐쓰기 단계에서 글의 표현을 다듬는 것만으로는 문제를 해결하기 어렵다.

7일 끝!

필수 어휘
모아 보기

 필수 어휘 모아 보기 활용 안내

◈ 쉽고 재미있는 문제로 **단원별 필수 어휘** 익히기!

◈ **교과서에서 뽑은 예시 문장으로 교과 내용**과 **개념**, 한 번 더 확인하기!

(1) 가시리/진달래꽃

1 빈칸에 들어갈 알맞은 어휘를 <보기>에서 찾아 쓰시오.

1 위 증즐가 ⬚⬚⬚⬚⬚
나라가 태평하고 융성한 시대.

2 잡ᄉᆞ와 두어리마ᄂᆞ는 / ⬚⬚⬚⬚⬚ 아니 올셰라
서운하면, 마음이 상하면.

3 ⬚⬚⬚⬚⬚ 님 보내옵노니 ᄂᆞᄂᆞᆫ / 가시ᄂᆞᆫ 듯 도셔 오쇼셔 나ᄂᆞᆫ
서러운.

4 ⬚⬚⬚⬚⬚ / 진달래꽃 / 아름 따다 가실 길에 뿌리우리다
평안북도 영변 서쪽에 있는 산.

5 가시는 걸음걸음 / 놓인 그 꽃을 / 사뿐히 ⬚⬚⬚⬚⬚ 가시옵소서
발밑에 있는 것을 힘을 주어 밟고.

╺● 보기 ●╸
| 셜온 | 선ᄒᆞ면 | 즈려밟고 | 대평성ᄃᆡ | 영변에 약산 |

2 다음 글의 빈칸에 들어갈 알맞은 어휘를 <보기>에서 찾아 쓰시오.

한국 문학에서는 **1** ⬚⬚⬚⬚⬚ 상황에서 임에 대한 사랑이나 그리움과 함께 '한(恨)'의 정서가 나타나는 것이 특
서로 갈리어 떨어짐.

징이다. 또한 우리 시가 문학의 전통적인 운율은 **2** ⬚⬚⬚⬚⬚ 를 바탕으로 하는 음보율로, 3음보율과 4음보율이 대
시에 있어서 운율을 이루는 기본 단위. 우리나라 시의 경우 대체로 휴지의 주기라고 할 수 있는 3음절이나 4음절이 한 음보를 이룸.

표적이다. 고려 가요부터 민요, 현대 시에 이르기까지 이별의 **3** ⬚⬚⬚⬚⬚ 과 음보율은 한국 문학의 고유한 특성으
정과 한을 아울러 이르는 말.

로 오랫동안 계승되어 왔다.

╺● 보기 ●╸
| 음보 | 정한 | 이별 |

정답 **1** 1 대평성ᄃᆡ 2 선ᄒᆞ면 3 셜온 4 영변에 약산 5 즈려밟고 **2** 1 이별 2 음보 3 정한

(2) 삼춘곡/울타리 밖

① 빈칸에 들어갈 알맞은 어휘를 찾아 바르게 연결하시오.

1 수풀에 우는 새는 춘기를 몾내 계워 / 소리마다 교태로다 /　　　　　　　　어니 •　　• ㉠ 청풍명월
홍이이 다룰소냐
　　　　　　　　　나(자아)와 외부 세계가 어울려 하나가 됨.

2　　　　　　　후야 시냇가의 호자 안자 / 명사 조흔 믈에 잔 시어 부어 들고 •　　• ㉡ 물아일체
작은 소리로 읊으며 천천히 거닒.

3　　　　　　　눈 금수룰 재펏논 듯 / 엇그제 검은 들이 봄빗도 유여홀샤 •　　• ㉢ 미음완보
안개와 노을과 빛나는 햇살이라는 뜻으로, 아름다운 자연 경치를 비유적으로 이르는 말.

4 공명도 날 끠우고, 부귀도 날 끠우니 /　　　　　　　　외예 엇던 벗이 잇스올고 •　　• ㉣ 연하일휘
　　　　　　　　　맑은 바람과 밝은 달.

② 빈칸에 들어갈 알맞은 어휘를 <보기>에서 찾아 쓰시오.

1 한여름을 알몸으로 사는 고향의 소년과 / 같이 낮이　　　　　　　사랑스러운 들길이 있다
　　　　　　　　　익숙하지 못해도.

2 제비가 날듯 길을 따라 물이 흐르듯 그렇게 / 그렇게 //　　　　　　　
　　　　　　　　　생긴 그대로 조금도 꾸밈이 없이.

3 울타리 밖에도 화초를 심는 마을이 있다 / 오래오래　　　　　　　이 부신 마을이 있다
　　　　　　　　　해가 질 무렵의 약한 햇빛.

> ● 보기 ●
> 잔광　　　　설어도　　　　천연히

③ 다음 글의 빈칸에 들어갈 알맞은 어휘를 <보기>에서 찾아 쓰시오.

> 우리 선인들은 자연을 지배와 **1**　　　　　의 대상이 아니라 교감과 **2**　　　　　의 대상으로 여겼다. 이러한
> 　　　　　거친 땅을 일구어 논이나 밭과 같이 쓸모 있는 땅으로 만듦.　　　사이좋게 잘 어울림.
> 태도는 자연 속에서 사는 즐거움이나 자연과의 **3**　　　　　을 노래한 시가 문학에 잘 나타난다.
> 　　　　　남과 어우러져 하나로 되는 감정.

> ● 보기 ●
> 개척　　　　친화　　　　일체감

3 (3) 춘향전

---

1 빈칸에 들어갈 알맞은 어휘를 찾아 바르게 연결하시오.

1 어사또 속으로, / '오냐. 도적질은 내가 하마. [   ]는 네가 받아라.'
도둑이나 죄인을 묶을 때에 쓰던. 붉고 굵은 줄.
• • ㉠ 관장

2 전라도 남원에 사는 [   ] 월매는 성 참판과의 사이에서 춘향을 낳아 정성껏 기른다. 지금은 기생이 아니지만. 전에 기생 노릇을 하던 여자를 이르는 말.
• • ㉡ 오라

3 "이러한 잔치에 풍류로만 놀아서는 맛이 적사오니 [   ] 한 수씩 하여 보면 어떠하오?"
남이 지은 시의 운자(韻字)를 따서 시를 지음. 또는 그런 방법.
• • ㉢ 위의

4 춘향 모녀와 향단이를 서울로 데려갈새, [   ]가 찬란하니 세상 사람들이 누가 아니 칭찬하랴.
위엄이 있고 엄숙한 태도나 차림새.
• • ㉣ 차운

5 "너 같은 년이 수절한다고 [   ]에게 포악하였으니 살기를 바랄쏘냐. 죽어 마땅하되 내 수청도 거역할까?" 관가의 장(長)이란 뜻으로. 시골 백성이 고을의 원을 높여 이르던 말.
• • ㉤ 퇴기

---

2 빈칸에 들어갈 알맞은 어휘를 골라 색칠하시오.

1 본관 사또는 주인이 되어 한가운데 있어 하인 불러 [   ],
윗사람이 아랫사람에게 명령이나 지시를 내리되.
[분노하되] [분부하되]

2 서울로 올라가 임금께 절을 하니 판서, 참판, 참의들이 [   ] 보고서를 살핀다. 대궐에 들어가서 임금을 뵈어.
[입문하시어] [입시하시어]

3 한참 이리 즐길 적에 춘향 어미 들어와서 가없이 즐겨 하는 말을 어찌 다 [   ]. 자세히 이야기하랴.
[미화하랴] [설화하랴]

4 "저 걸인의 의관은 [   ] 양반의 후예인 듯하니 말석에 앉히고 술잔이나 먹여 보냄이 어떠하뇨?" 옷 따위가 낡아 해지고 차림새가 너저분하나.
[나른하나] [남루하나]

5 어사또의 상을 보니 어찌 아니 [   ]. 모서리 떨어진 개상판에 닥나무 젓가락, 막걸리 한 사발 놓았구나. 원통하고 분하랴.
[통분하랴] [통쾌하랴]

정답 **1** 1 ㉡ 2 ㉤ 3 ㉣ 4 ㉢ 5 ㉠ **2** 1 분부하되 2 입시하시어 3 설화하랴 4 남루하나 5 통분하랴

3 빈칸에 들어갈 알맞은 어휘를 <보기>에서 찾아 쓰시오.

1 자리에 앉은 후에, / "본관 사또는   하라." / 분부하니,

　　　　어사나 감사가 못된 짓을 많이 한 고을의 원을 파면하고 관가의 창고를 봉하여 잠금.

2 이렇듯 요란할 제 온갖 깃발이며   풍류 소리 공중에 떠 있고,

　　　　피리가 둘, 대금, 해금, 장구, 북이 각각 하나씩 편성되는 풍류.

3 "   높은 바위가 바람 분들 무너지며, 청송녹죽 푸른 나무가 눈이 온들 변하리까."

　　옵시 험한 바위가 겹겹으로 쌓인 낭떠러지.

4 임금께서 크게 칭찬하시며 즉시 이조 참의 대사성을 봉하시고 춘향으로   을 봉하신다.

　　　　　　　조선 시대에, 정조와 지조를 굳게 지킨 부인에게 내리던 칭호.

5 이때 춘향이 남원을 하직할새, 영귀(榮貴)하게 되었건만 고향을 이별하니   가 아니 되랴.

　　　　　한편으로는 기뻐하고 한편으로는 슬퍼함. 또는 기쁨과 슬픔이 번갈아 일어남.

6 "암행어사 출도야." / 외치는 소리에 강산이 무너지고 천지가 뒤집히는 듯   인들 아니 떨랴.

　　　　　풀과 나무와 날짐승과 길짐승을 아울러 이르는 말. 온갖 생물을 이른다.

● 보기 ●

| 봉고파직 | 삼현육각 | 일희일비 | 정렬부인 | 초목금수 | 층암절벽 |

4 다음 글의 빈칸에 들어갈 알맞은 어휘를 <보기>에서 찾아 쓰시오.

> 풍자와 해학은 조선 후기의 민요나 탈춤, 판소리나 사설시조 등에 잘 나타나는 한국 문학의 고유한 특성 중 하나이다.
>
> 풍자와 해학은 공통적으로 대상을 과장하거나 **1**   하여 웃음을 유발한다. 하지만 풍자는 대상에 대한
> 　　　　사실과 다르게 해석하거나 그릇되게 함.
>
> **2**   인식을 바탕으로 하여 대상을 공격하는 방식이고, 해학은 연민과 애정을 바탕으로 하여 대상을 감싸
> 그렇지 않다고 단정하거나 옳지 않다고 반대하는.
>
> 안으면서 **3**   을 유발하는 방식이다.
> 　남의 어려운 처지를 안타깝게 여기는 마음.

● 보기 ●

| 왜곡 | 동정심 | 부정적 |

[정답] **3** 1 봉고파직 2 삼현육각 3 층암절벽 4 정렬부인 5 일희일비 6 초목금수 **4** 1 왜곡 2 부정적 3 동정심

(1) 창의적 읽기

① 풀이된 뜻에 해당하는 어휘를 찾아 바르게 연결하시오.

1 어떤 작업이나 조작을 자동적으로 하는 기계 장치.   •   • ㉠ 드론

2 운전자가 차량을 조작하지 않아도 스스로 주행하는 자동차.   •   • ㉡ 로봇

3 무선 전파의 유도로 비행과 조종을 할 수 있는 무인 항공기. 순화어는 '무인기'. •   • ㉢ 퀘이크봇

4 인간의 지능이 가지는 학습, 추리, 적응, 논증 따위의 기능을 갖춘 컴퓨터 시스템. •   • ㉣ 인공 지능

5 기사 작성 로봇. 지진을 감지하는 기능과 로봇의 특징을 지닌 소프트웨어의 이름. •   • ㉤ 자율 주행 차

② 빈칸에 들어갈 알맞은 어휘를 골라 색칠하시오.

1 로봇이   적 판단이나 고도의 지적이고 정신적인 업무마저 넘보기 시작했다.   자극을 받아들이고, 저장하고, 인출하는 일련의 정신 과정. | 인지 | 인공 |

2 아무리 로봇이   하더라도 여전히 마지막 결정과 관리는 사람이 담당하게 된다.   세력을 얻음. 형세가 좋게 됨. | 득세 | 실각 |

3 기사 작성 로봇은 이미 에이피(AP)통신 등   의 언론 기관에서 수 많은 기사를 작성하고 있다.   손꼽을 만큼 두드러지거나 훌륭함. | 무명 | 유수 |

4 20세기 영국의 철학자 버트런드 러셀은 인간은   , 죄의식, 피해 망상증 때문에 불행해진다고 주장했다.   어떤 일이나 상태에 시들해져서 생기는 게으름이나 싫증. | 권태 | 근면 |

상품이나 주식 따위가 시장에서 매매되거나 거래되는 상황.
5 지진, 스포츠 경기 결과, 증권   에 대한 보도처럼 데이터를 활용 해야 하는 보도는 점점 로봇의 일이 되고 있다. | 경황 | 시황 |

정답 ❶ 1 ㉡ 2 ㉤ 3 ㉠ 4 ㉣ 5 ㉢ ❷ 1 인지 2 득세 3 유수 4 권태 5 시황

(3) 쓰기 과정 성찰하기

1 풀이된 뜻에 해당하는 어휘를 골라 색칠하시오.

1 헐거나 깨뜨려 못 쓰게 만듦.

| 훼방 | 훼손 |

2 현장에 가서 직접 보고 조사함.

| 답사 | 답보 |

3 어떤 일의 근본이 되는 목적이나 긴요한 뜻.

| 취지 | 의지 |

4 옛날부터 그 사회에 전해 오는 생활 전반에 걸친 습관 따위를 이르는 말.

| 예절 | 풍속 |

5 예전부터 있어 오던 시장을 백화점 따위의 물건 판매 장소에 상대하여 이르는 말.

| 대형 마트 | 재래시장 |

6 여행지의 주민을 존중하고 환경을 보호하며 지역 경제를 활성화하자는 취지의 여행.

| 공정 무역 | 공정 여행 |

2 빈칸에 들어갈 알맞은 어휘를 찾아 바르게 연결하시오.

1 문장의 종결 표현도 ◻◻◻◻ 이 있어야 해.
방법이나 태도 따위가 한결같은 성질.

• ⓐ 격식

2 이 글은 신문에 실릴 글이니까 ◻◻◻ 을 갖추어야 해.
격에 맞는 일정한 방식.

• ⓒ 독자

3 유명인의 말을 ◻◻◻ 하여 내용을 인상 깊게 전달하면 좋겠군.
남의 말이나 글을 자신의 말이나 글 속에 끌어 씀.

• ⓒ 인용

4 주제, 목적, ◻◻◻ , 매체 등과 관련한 쓰기 맥락을 생각해 봐야겠어.
책, 신문, 잡지 따위의 글을 읽는 사람.

• ⓔ 일관성

5 공정 여행의 실천 방법 가운데 '다'는 글의 ◻◻◻ 을 해치니까 삭제하는 게 낫겠다.
글의 주제와 그것을 뒷받침하는 모든 글감들이 내용상 긴밀하게 연관되고 관련성을 가져야 한다는 것.

• ⓜ 통일성

정답 ① 1 훼손 2 답사 3 취지 4 풍속 5 재래시장 6 공정 여행 ② 1 ⓔ 2 ⓐ 3 ⓒ 4 ⓒ 5 ⓜ

핵심정리 01 한국 문학의 흐름

[관련 단원] 6. 한국 문학의 이해

◎ 시가 문학의 흐름

▲ 고조선·건국	고대 가요	삼국 시대 이전 원시 종합 예술에서 분화된 개인적이고 서정적인 내용의 시가. ⑩ 〈공무도하가〉, 〈구지가〉, 〈황조가〉, 〈정읍사〉
삼국 시대· 애국 신라	향가	신라에서 고려 초기까지 창작·향유되었던 서정시. ❶ ㅎㅊ 로 표기됨. ⑩ 〈서동요〉, 〈처용가〉, 〈제망매가〉, 〈찬기파랑가〉
고려	고려 가요	고려 시대에 평민들이 부르던 민요적 시가. ⑩ 〈청산별곡〉, 〈가시리〉, 〈정석가〉, 〈서경별곡〉
조선	시조	고려 말부터 발달하여 조선 시대에 융성한 ❷ ㅈㅎㅅ. ⑩ 〈동짓달 기나긴 밤을〉, 〈이화에 월백하고〉, 〈강호사시가〉
근대·현대	가사	조선 초기에 나타난 시가와 산문 중간 형태의 문학. 시조와 더불어 대표적인 국문 시가 문학임. ⑩ 〈관동별곡〉, 〈사미인곡〉, 〈속미인곡〉

답 ❶ 향찰 ❷ 정형시

핵심정리 02 한국 문학의 특성 ①

[관련 단원] 6-(1) 가시리/진달래꽃

◎ 이별의 정한

'이별의 슬픔'은 전 세계 문학에 두루 나타나는 주제이지만, 한국 문학에서는 이별 상황에서 임에 대한 사랑이나 그리움과 함께 '❶ ㅎ (恨)'의 정서가 나타나는 것이 특징임.

◎ 이별의 정한을 계승하고 있는 작품들

상고 시대	고려 시대	조선 시대	현대
〈공무도하가〉, 〈황조가〉	❷ ㄱㅅㄹ, 〈서경별곡〉	황진이·홍랑 등의 시조, 〈규원가〉	〈진달래꽃〉 등

그런데 '정한(情恨)'은 무슨 뜻이지?

'정'과 '한'을 아울러 이르는 말인데, 자신에게 닥친 부당한 상황을 어쩔 수 없이 수용하는 데서 생기는 정서라고 할 수 있지.

답 ❶ 한 ❷ 가시리

핵심정리 03 〈가시리〉

[관련 단원] 6-(1) 가시리/진달래꽃

◎ 주요 특징

1	반복법을 사용하여 이별의 슬픔을 강조함.
2	간결한 형식을 취하고 소박한 시어를 구사함.
3	구비 전승되다가 조선 시대에 한글로 기록됨.
4	민족의 전통적 정서인 이별의 ❶ ㅈㅎ 이 나타남.

〈가시리〉에 나타난 고려 가요의 특징

평민들의 진솔한 감정이 담김.	여러 절 또는 연으로 나뉨 (분연체).	내용과 연관이 없는 후렴구나 ❷ ㅇㅇ 이 있음.	3음보를 기본으로 3·3·2조의 음수율을 지님.

음, 〈가시리〉는 정말 고려 가요인가?

특징을 보니 확실하군!

답 ❶ 정한 ❷ 여음

핵심정리 04 〈진달래꽃〉

[관련 단원] 6-(1) 가시리/진달래꽃

◎ 주요 특징

1	이별의 상황을 ❶ ㄱㅈ 하여 시상을 전개함.
2	수미상관의 구조를 보임.
3	전통적 정서를 민요조의 3음보 율격으로 표현함.
4	화자의 간절한 어조가 느껴짐.

◎ 구조와 율격

수미상관의 구조
- 1연과 4연이 ❷ ㅂㅂ·대응되는 형식임.
- 주제 강조, 운율 형성, 형태의 안정감 형성의 효과가 있음.

운율
- 3음보, 7·5조의 율격
- 종결 어미 '-우리다' 반복
- 행에 따라 호흡의 속도를 다르게 하여 리듬에 변화를 줌.

답 ❶ 가정 ❷ 반복

◎ 음보율

'**①** ㅇ ㅂ '를 규칙적으로 반복함으로써 발생하는 율격인 음보율은 우리 시가 문학의 전통적인 운율 가운데 하나로, 3음보율과 4음보율이 대표적임.

가시리 ∨ 가시리 ∨ 잇고 ∨ 부리고 ∨ 가시리 ∨ 잇고 ∨	3음보
홍진에 ∨ 뭇친 분네 ∨ 이내 생애 ∨ 엇더흔고 ∨ 넷사룸 ∨ 풍류룰 ∨ 미출가 ∨ 못 미출가 ∨	4음보

'음보'는 시를 **②** ㄲ ㅇ 읽는 단위야. 각 행을 대체로 세 마디로 끊어 읽으면 3음보라고 해.

답 ❶ 음보 ❷ 끊어

◎ 서사 문학의 흐름

고조선·건국 / 삼국 시대·통일 신라 / 고려 / 조선 / 근대·현대

가전 문학	사물을 의인화하여 전기(傳記) 형식으로 서술하는 문학 양식. 고려 중기 이후에 성행하였음. 예 〈국순전〉, 〈공방전〉
한문 소설	**❶** ㅎ ㅁ 으로 쓰인 고전 소설로 전기적 요소가 많이 나타남. 예 《금오신화》
고전 국문 소설	조선 후기에 **❷** ㅎ ㄱ 로 창작된 소설. 평민 계층이 창작과 향유에 적극적으로 참여함. 예 〈홍길동전〉, 〈춘향전〉, 〈박씨전〉
근현대 국문 소설	개화기라는 과도기를 거쳐 1917년 이광수의 〈무정〉 이후로 창작된 소설. 예 〈감자〉, 〈만세전〉, 〈운수 좋은 날〉

답 ❶ 한문 ❷ 한글

◎ '진달래꽃'의 의미

진달래꽃

자신의 사랑을 표상하기 위해 선택한 시적 화자의 **①** ㅂ ㅅ	임에 대한 아름답고 강렬한 사랑	떠나는 임에 대한 원망과 슬픔	임에 대한 헌신과 **②** ㅎ ㅅ , 순종

'나의 슬픔, 나의 사랑을 놓아 드리니 그 꽃을 밟고 가면서 그것들을 기억해 달라.'라는 의미가 진달래꽃에 담긴 것 아닐까?

답 ❶ 분신 ❷ 희생

◎ 시적 화자의 상황과 태도

화자의 상황: 임이 자기 곁을 떠나려고 함.

화자의 욕망	화자의 염려
임이 떠나지 못하게 **❶** ㅂ ㅈ ㄱ 싶음.	붙잡으면 임의 마음이 상해 임이 다시 돌아오지 않을까 두려움.

화자의 기원

임이 가시자마자 곧 **②** ㄷ ㅇ ㅇ ㄱ 를 기원함.

후렴구의 '大平盛代(대평성딘)'는 궁중악으로 편입되는 과정에서 추가된 것으로 추정돼.

답 ❶ 붙잡고 ❷ 돌아오기

핵심정리 05 한국 문학의 특성 ②

[관련 단원] 6-(2) 상춘곡/울타리 밖

◎ 자연 친화적 태도

자연을 조화와 공존의 대상으로 여기며 자연과의 **❶ ㅎㅇ** 을 추구하는 태도를 자연 친화적 태도라고 함. 이러한 태도는 예로부터 한국 문학에 반영되어 나타남.

◎ 한국 문학에 나타난 자연 친화적 태도

동양의 자연관	서양의 자연관
자연과 인간이 하나가 되어 **❷ ㅈㅎ** 를 이루어야 한다고 봄.	자연과 인간을 양분하여 대립하는 존재로 봄.

↓

한국 문학에 나타난 자연 친화적 태도

자연 속에서 사는 즐거움이나 자연과의 일체감을 노래한 작품이 많음.
⑩ 시조 〈십 년을 경영하여~〉(송순),
현대 시 〈남으로 창을 내겠소〉(김상용)

답 ❶ 합일 ❷ 조화

핵심정리 06 〈상춘곡〉 ①

[관련 단원] 6-(2) 상춘곡/울타리 밖

◎ 〈상춘곡〉의 특징

1	4음보의 규칙적인 율격을 지님.
2	화자의 **❶ ㄱㄱ ㅇㄷ** 에 따라 시상을 전개함.
3	다양한 표현 방법(직유, 대구, 의인, 설의 등)을 사용함.
4	자연 속 풍류 생활과 **❷ ㅇㅂㄴㄷ** 를 주제로 함.
5	현실 정치에서 물러나 자연 속에 묻혀서 사는 즐거움을 노래한 은일 가사의 첫 작품임.

근데 가사가 뭐야?

가사는 운문 문학과 산문 문학의 중간 형태를 띠고 있는 시가 양식이야.

답 ❶ 공간 이동 ❷ 안빈낙도

핵심정리 07 〈상춘곡〉 ②

[관련 단원] 6-(2) 상춘곡/울타리 밖

◎ 〈상춘곡〉에 나타난 자연관

❶ ㅎㅈ (속세)	산림(자연)
• 관직에 나아가 공명과 부귀를 누릴 수 있는 공간 • 공명, 부귀	• 아름다운 자연의 경치를 감상하며 풍류를 즐기는 공간 • 청풍명월, 단표누항
화자가 '훗튼 혜음(헛된 생각)'으로 여김(부정적 태도).	화자가 '백년행락'으로 여김(**❷ ㄱㅈㅈ** 태도).

↔

답 ❶ 홍진 ❷ 긍정적

핵심정리 08 〈상춘곡〉 ③

[관련 단원] 6-(2) 상춘곡/울타리 밖

◎ 시적 화자의 공간 이동에 따른 시상 전개 (1)

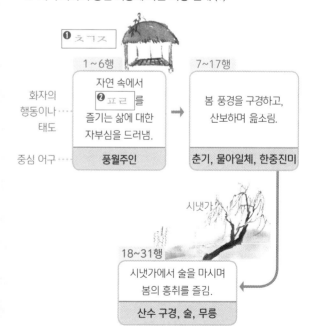

❶ ㅊㄱㅈ

	1~6행	7~17행
화자의 행동이나 태도	자연 속에서 **❷ ㅍㄹ** 를 즐기는 삶에 대한 자부심을 드러냄.	봄 풍경을 구경하고, 산보하며 읊조림.
중심 어구	풍월주인	춘기, 물아일체, 한중진미

시냇가

18~31행	
시냇가에서 술을 마시며 봄의 흥취를 즐김.	
산수 구경, 술, 무릉	

답 ❶ 초가집 ❷ 풍류

◎ 전체 구성

서사	자연에 묻혀 살며 즐거움을 누림.
본사 1	❶ ㅂ 경치를 즐기며 흥을 느낌.
본사 2	산수 구경을 권하며 술 마시고 취하여 즐거움을 노래함.
결사	안빈낙도하는 삶에 대한 ❷ ㅁㅈㄱ 을 드러냄.

답 ❶ 봄 ❷ 만족감

◎ 풍자와 해학

 풍자와 해학은 모두 웃음을 유발하는 표현이야.

 익살스러운 표현을 통해 교훈을 준다는 점도 비슷하지.

풍자	해학
• 대상에 대한 부정적 인식을 바탕으로 하여 대상을 ❶ ㄱㄱ 함. • 작품 속에서 권력과 권위를 가진 인물을 부정적으로 제시하고, 그의 모습을 과장하거나 왜곡함. • 비판적 웃음임.	• 대상에 대한 연민과 애정을 바탕으로 하여 대상의 약점이나 실수를 감싸 줌. • 작품 속에서 평범 이하인 인물의 비합리적이고 비상식적인 행위 등을 통해 희극적인 상황을 만듦. • ❷ ㄷㅈ 적 웃음임.

답 ❶ 공격 ❷ 동정

◎ 시적 화자의 공간 이동에 따른 시상 전개 (2)

❶ ㅂㅇㄹ

32~36행	37~40행
봉우리에 올라 아래를 내려다봄.	자연과 벗하며 안빈낙도함.
천촌만락, 연하일휘, 봄빛도 유여훌샤	청풍명월, 단표누항

초가집 — 시냇가 — 봉우리

좁고 낮은 공간 (속세와 가까운 곳) → 넓고 높은 공간 (탈속의 세계)

점차 봄날의 흥이 더해지며 자연과의 ❷ ㅁㅇㅇㅊ, 안빈낙도, 안분지족의 경지를 보임.

답 ❶ 봉우리 ❷ 물아일체

◎ 계절적 배경과 시적 화자의 심리

계절적 배경	겨울이 지나고 ❶ ㅅㅂ 이 돌아옴.
자연의 모습	• 복숭아꽃과 살구꽃이 핌. • 버들과 풀이 빗속에 푸르름. • 봄을 맞은 기쁨에 새가 욺. • 들에 봄빛이 넘침.
화자의 심리	아름다운 자연에 ❷ ㄱㅌ 하고 흥겨움을 느끼며, 자연과 하나 된 경지에 이름.

 나도 화자처럼 산림에 묻혀 살면서 자연 친화적이고 소박한 삶을 추구하며 살아 볼까?

답 ❶ 새봄 ❷ 감탄

핵심정리 09 〈울타리 밖〉

[관련 단원] 6-(2) 상춘곡/울타리 밖

◎ 주요 특징

1	주로 **❶ ㅅㄱㅈ** 이미지로 대상의 특성을 나타냄.
2	향토적 소재를 통해 정겨움을 느끼게 함.
3	'~듯'을 반복하여 소재의 동질적 속성을 부각함.
4	부사 '천연히'만으로 하나의 독립적인 연을 구성함.

◎ 시적 화자의 태도

〈자연과 관련된 시어〉 들길(1연), 아지랑이, 태양, 제비, 물(2연) 화초, 잔광, 별(4연)	〈인간과 관련된 시어〉 소녀, 소년(1연) 울타리, 마을(4연)

자연이 천연하다. 그렇게 인간의 마을도 **❷ ㅊㅇ**하다.

↓

자연이 그러하듯 꾸밈이나 인위 없이 살겠다는 태도

답 ❶ 시각적 ❷ 천연

핵심정리 10 〈춘향전〉 ①

[관련 단원] 6-(3) 춘향전

◎ 주요 특징

1	**❶ ㅍㅅㄹ** 계 소설로 운문체와 산문체가 섞여 있음.
2	해학적, 풍자적이며 조선 후기 평민 의식을 담고 있음.
3	남녀의 사랑 이면에 인간 평등사상을 고취함.
4	서사 구조의 형성 과정에서 다양한 설화의 영향을 받음.

◎ 갈등 양상

변 사또		춘향		신분제 사회
권력을 앞세운 수청 강요	↔ 인물과의 갈등	이몽룡에 대한 정절을 지키려는 의지	신분에 얽매이지 않는 자유의지 추구 ↔ 세계와의 갈등	신분에 따른 **❷ ㅊㅂ** (기생의 딸이라는 신분)

답 ❶ 판소리 ❷ 차별

핵심정리 11 〈춘향전〉 ②

[관련 단원] 6-(3) 춘향전

◎ 〈춘향전〉에 나타난 해학과 풍자의 요소

언어 유희	"갈비 한 대 먹고지고." (**❶ ㄷㅇㅇㅇㅇ** 활용) "어 추워라. 문 들어온다 바람 닫아라. 물 마르다 목 들여라." (언어 도치)
반어적 표현	"등을 밀쳐 내니 어찌 아니 명관인가." "내려오는 관장마다 모두 명관이로구나." (본래 뜻과 **❷ ㅂㄷ**로 말하는 표현)
행동 묘사	"모든 수령 도망갈 제 ~ 관청색은 상을 잃고 문짝 이고 내달으니" (과장되고 우스꽝스러운 행동 묘사)

답 ❶ 동음이의어 ❷ 반대

핵심정리 12 〈춘향전〉 ③

[관련 단원] 6-(3) 춘향전

◎ 판소리계 소설의 특징

- 오랜 세월에 걸쳐 입에서 입으로 전하여 온 적층 문학으로 이본(異本)이 많음. ┈ 기본 내용은 같지만 부분적 차이가 있는 책.
- 운문과 산문이 섞여 있으며, 세련된 한문 투의 언어와 평민층의 속어 및 재담·육담이 어우러져 있음. ┈ 저속하고 품격이 낮은 말.
- **❶ ㅍㅈ**와 해학 속에 서민들의 삶의 애환과 당대 사회에 대한 비판 의식이 잘 드러남.
- 특정 대상에 대해 나열·반복·부연하는 확장적 문체, 서술자가 이야기에 직접 개입하는 **❷ ㅍㅈㅈㅈ** 논평 등 판소리의 특징이 나타남.

> 흥미로운 대목의 내용이나 표현을 확장적 문체로 표현하면 장면의 극대화 같은 효과를 얻을 수 있어

> 편집자적 논평은 서술자가 진행 중인 사건이나 인물의 언행 등에 대해 의견을 밝히거나 평가하는 것을 말해.

답 ❶ 풍자 ❷ 편집자적

○ 서사 구조와 주제 의식

'춘향'과 '이몽룡'의 관계를 중심으로	'춘향'과 '변 사또'의 관계를 중심으로
기생의 딸과 양반이 사랑에 빠짐.	민중이 지배층의 폭정에 시달림.
↓	↓
두 사람이 이별하며 시련을 겪음.	민중이 지배층에 저항함.
↓	↓
두 사람이 재회함.	민중이 승리함.
↓	↓
주제 신분을 초월한 ❶ ㅅㄹ	주제 불의한 지배 계층에 대한 ❷ ㅎㄱ

답 ❶ 사랑 ❷ 항거

○ 3연 '천연히'의 역할

1, 2연 인간과 자연의 모습
소녀 / 소년 / 들길 / 아지랑이 / 태양 / 제비 / 물

3연 천연히 →
- 앞과 뒤를 ❶ ㅇㄱ 하며 의미의 상관성을 보여 줌.
- 시상을 집약하며 ❷ ㅈㅈ 를 함축함.

4연 인간과 자연의 조화
마을 / 화초 / 잔광 / 별

답 ❶ 연결 ❷ 주제

○ 〈춘향전〉의 근원 설화

	근원 설화의 유형	〈춘향전〉과의 관련성
열녀 설화	여자가 고난과 시련 속에서도 ❶ ㅈㅈ 을 지키는 내용의 설화 ◎ 지리산녀 설화	춘향이 시련을 겪지만 끝까지 정절을 지킴.
관탈 민녀 설화	지배 계층인 남성이 하층민 여성의 정절을 뺏으려 하는 내용의 설화 ◎ 우렁 각시 설화	변 사또가 기생의 딸인 춘향에게 수청을 요구함.
신원 설화	억울한 일을 당한 사람의 원한을 풀어 주는 내용의 설화 ◎ 박색터 설화	이몽룡이 억울하게 옥에 갇힌 춘향을 풀어 주고 백년해로함.
염정 설화	남녀 사이의 애정을 다룬 설화 ◎ 성세창 설화	이몽룡과 춘향이 사랑과 이별을 겪음.
암행 어사 설화	❷ ㅇㅎㅇㅅ 가 탐관오리를 벌하거나 약자의 억울함을 풀어 주는 내용의 설화 ◎ 박문수 설화	암행어사가 된 이몽룡이 남원에 출도하여 변 사또를 징벌함.

답 ❶ 정절 ❷ 암행어사

○ 이몽룡이 지은 한시의 표현상 특징과 기능

은유법
대구법

금동이의 아름다운 술은 일만 백성의 피요
옥소반의 아름다운 안주는 일만 백성의 기름이라.
촛불 눈물 떨어질 때 백성 눈물 떨어지고
노랫소리 높은 곳에 원망 소리 높았더라.

대구법

표현상 특징	• 은유법: 변 사또의 사치스러운 생일잔치에 동원된 소재들을 백성들의 고통에 비유함. • ❶ ㄷㄱㅂ : 첫째와 둘째 구, 셋째와 넷째 구가 대구를 이룸. 비슷한 문장 구조를 짝지어 놓은 것.

↓

기능	• 민중의 분노를 대변하고, 현실을 풍자·비판함으로써 작품의 주제를 형상화함. • 사건의 극적 ❷ ㄱㅈㄱ 을 고조시키며 새로운 사건의 전개를 예고함.

답 ❶ 대구법 ❷ 긴장감

핵심정리 13 〈로봇 시대와 인간의 일〉①

[관련 단원] 7-(1) 창의적 읽기

◎ 사회의 변화 과정과 로봇의 일자리 대체

제1의 기계 시대	• 증기 기관의 발명으로 시작됨. • 동력을 이용하는 기계가 저임금 육체노동을 대체함.

↓

제2의 기계 시대	• 디지털과 컴퓨터 기술로 시작됨. • 인간 고유의 지적이고 정신적인 작업으로 여겼던 업무마저 **❶ ㅇㄱㅈㄴ** 을 갖춘 로봇이 담당함.

⋮

로봇의 일자리 대체 사례	• 기자 → 퀘이크봇 • 인간 퀴즈 우승자 → 퀴즈 로봇 • 운전사 → 자율 주행 차 • 소방대원, 구조대원 → 재난 구조 로봇 • 군인 → 군사 로봇 • 택배 기사 → **❷ ㄷㄹ** • 의사, 약사 → 의약품 안심 서비스

답 ❶ 인공 지능 ❷ 드론

핵심정리 14 〈로봇 시대와 인간의 일〉②

[관련 단원] 7-(1) 창의적 읽기

◎ 일자리 감소 문제에 대한 글쓴이의 해결 방안

사회적 차원	사라지는 일자리보다 새 **❶ ㅇㅈㄹ** 를 더 만들어 고용을 유지하면 됨.

개인적 차원	• 생각의 변화: 모든 일이 자동화될 수 있음을 이해하고, 평생 직업은 없다는 사실을 수용하여 새로운 현실에 적응해야 함. • 구체적 방안 ① 적극적인 최신 기술의 수용을 통해 새로운 과제를 발견해야 함. ② 직업을 유지, 개선, 탐색하기 위해 지속적인 학습과 재교육이 필요함. ③ **❷ ㄷㅅ** 을 지닌 사람이 되어야 함.

답 ❶ 일자리 ❷ 덕성

핵심정리 15 자발적 독서

[관련 단원] 7-(2) 자발적으로 책 읽기

◎ 자발적 독서의 의미와 효과

의미	다른 사람의 지시나 요청 없이 **❶ ㅅㅅㄹ** 책을 찾아 읽는 태도

↓

효과	• 적극적이고 **❷ ㄴㄷㅈ** 으로 책을 읽을 수 있음. • 성공적인 독서 경험을 할 수 있음. • 독서를 생활화하는 습관을 형성할 수 있음.

〈독서 태도를 점검하는 질문〉

• 나는 스스로 책을 찾아 읽는가?
• 나의 수준이나 흥미를 고려하여 책을 고르는가?
• 고른 책을 끝까지 읽는 편인가?
• 읽은 책과 관련된 다른 책을 더 찾아보는가?

답 ❶ 스스로 ❷ 능동적

핵심정리 16 글쓰기 과정의 점검과 조정

[관련 단원] 7-(3) 쓰기 과정 성찰하기

◎ 글쓰기 과정

계획하기	**❶ ㅆㄱㅁㄹ** 을 고려하여 계획 세우기
내용 생성하기	다양한 방식으로 자료를 수집하여 글에 활용할 내용 마련하기
내용 조직하기	글의 흐름과 구조를 고려하여 내용을 짜임새 있게 배열하기
표현하기	의도를 잘 전달할 수 있도록 표현하기
고쳐쓰기	부적절한 부분 고쳐 쓰기

→ 쓰기 맥락을 고려하여 쓰기 과정을 계속 점검·조정해야 함.

◎ 쓰기 맥락을 구성하는 요소

예상 독자 / 목적(정보 전달, 설득, 정서 표현) / 쓰기 맥락 / 종류(설명문, 논설문, 기사문 등) / **❷ ㅈㅈ** / 매체

답 ❶ 쓰기 맥락 ❷ 주제

14 〈로봇 시대와 인간의 일〉 ②

◎ 창의적으로 글 읽기

- 창의적 읽기의 의미: 글에 제시된 글쓴이의 생각을 넘어서서 새로운 **❶ ㅇㅁ** 를 형성하는 것
- 창의적 읽기의 방법

글의 화제, 주제, 관점 등을 파악함.

화제, 주제, 관점 등과 관련하여 자신의 생각 정리하기

자신과 사회의 **❷ ㅁㅈ** 를 해결할 방법 찾기

글쓴이의 생각을 보완하거나 대체할 수 있는 방안 찾기

글쓴이가 제안한 방안 외에 어떤 방안이 있을지 생각해 보자.

글에 제시되지 않은 또 다른 문제 상황을 발견할 수도 있어.

답 ❶ 의미 ❷ 문제

---

13 〈로봇 시대와 인간의 일〉 ①

◎ 글에 드러난 글쓴이의 관점

로봇 시대	많은 사람들이 **❶ ㄹㅂ** 과의 경쟁에서 밀려나 일자리를 잃게 될 것임. (비관적 전망)
일의 필요성	행복하고 보람 있는 삶을 위해 인간에게는 반드시 **❷ ㅇ** 이 필요함.
일자리 감소 문제	개인적, 사회적으로 심각한 문제이므로 해결을 위한 방안을 모색해야 함.

로봇 시대가 오면 일을 안 해도 될 것 같아!

평생 백수로 사는 게 좋냥? 일이 정신 건강에 미치는 영향은 상당히 크다냥~

답 ❶ 로봇 ❷ 일

---

16 글쓰기 과정의 점검과 조정

◎ 쓰기 맥락에 따라 점검할 내용

독자	매체
• 독자가 쉽게 이해할 수 있는가? • 독자의 **❶ ㅎㅁ** 를 끌 수 있는가?	• 글이 실리게 될 매체의 특성은 무엇인가? • 매체를 고려했을 때 적합한 표현인가?

목적	주제
• 글의 목적에 맞는 적절한 내용인가? • 글의 목적을 달성할 수 있는 효과적인 표현인가?	• 주제에서 벗어나 **❷ ㅅㅈ** 할 내용은 없는가? • 주제를 잘 드러내기 위해 보충할 내용은 없는가?

안녕, 난 다원이야.
나도 위에 있는 여러 쓰기 맥락을 고려해서 글을 점검하고 고쳐 썼어.

답 ❶ 흥미 ❷ 삭제

---

15 자발적 독서

◎ 자발적으로 독서하는 독자의 특징

- 독서가 개인의 **❶ ㅅㅈ** 과 가치 있는 삶을 모색하는 데 도움이 됨을 인식함.
- 자신의 관심사, 진로를 책과 연관 짓고 도서 정보를 자주 살핌.
- 스스로 독서 계획을 세우고 책을 구해 읽음.
- 자신의 독서 이력을 성찰하고 이를 넓혀 나감.

◎ 《윤동주 평전》에 나타난 윤동주의 독서 태도

- 교복 안감을 대라고 준 돈으로 책을 사서 읽음.
- 늘 새벽 2~3시까지 책을 읽을 정도로 독서를 열심히 함.
- 많은 **❷ ㅁㅎ** 책을 사 모으고, 필사·스크랩을 하며 탐독함.

↓

자발적·열정적 독서가였던 윤동주

답 ❶ 성장 ❷ 문학

'쉽고 빠르게' 수능 국어의 기초를 쌓다!

시작은 하루 수능 국어

[국어 기초 / 문학 기초 / 독서 기초]

1·6·5·4 프로젝트 완성	하루하루 쌓이는 공부 습관	최적의 수능 입문서
하루 6쪽, 일주일에 5일, 4주 완성의 간결한 구성으로 단기간에 수능 국어 입문!	만화, 그림, 퀴즈 등을 활용한 재미있는 구성과 부담 없는 하루 학습량으로 공부 습관과 함께 자라나는 자신감!	어렵고 복잡한 설명은 NO! 이해하기 쉽고 직관적인 설명으로 국어의 기본기를 탄탄하게!

수능 국어에 다가가는 완벽한 첫걸음! 예비고~고2(국어 기초/문학 기초/독서 기초)

book.chunjae.co.kr

교재 내용 문의 ························· 교재 홈페이지 ▶ 고등 ▶ 교재상담
교재 내용 외 문의 ····················· 교재 홈페이지 ▶ 고객센터 ▶ 1:1문의
발간 후 발견되는 오류 ············· 교재 홈페이지 ▶ 고등 ▶ 학습지원 ▶ 학습자료실

7일 끝
기말고사

7일 끝으로 끝내자!

고등 국어 하

박영목 교과서

BOOK 2

천재교육

언제나 만점이고 싶은 친구들

Welcome!

숨 돌릴 틈 없이 찾아오는 시험과 평가,
성적과 입시 그리고 미래에 대한 걱정.
중·고등학교에서 보내는 6년이란 시간은
때때로 힘들고, 버겁게 느껴지곤 해요.

그런데 여러분, 그거 아세요?
지금 이 시기가 노력의 대가를
가장 잘 확인할 수 있는 시간이라는 걸요.

안 돼, 못하겠어, 해도 안 될 텐데-
어렵게 생각하지 말아요. 천재교육이 있잖아요.
첫 시작의 두려움을 첫 마무리의 뿌듯함으로 바꿔줄게요.

펜을 쥐고 이 책을 펼친 순간
여러분 앞에 무한한 가능성의 길이 열렸어요.

우리와 함께 꽃길을 향해 걸어가 볼까요?

#시험대비
#핵심정복

7일 끝
중간고사
기말고사

Chunjae
Makes
Chunjae

▼

[7일 끝] 고등 국어 하

개발총괄	김덕유
편집개발	고명선, 박소연, 명세진, 최지수
조판	대진문화(구민범, 강성희 외)
제작	황성진, 조규영

발행일	2021년 5월 1일 초판 2021년 5월 1일 1쇄
발행인	(주)천재교육
주소	서울시 금천구 가산로9길 54
신고번호	제2001-000018호
고객센터	1577-0902
교재 내용문의	(02)3282-8527

7일 **끝**으로 끝내자!

7 고등 국어 하

BOOK 2
기 말 고 사 대 비

이 책의 차례

우리 학교 시험 범위 확인

교과서 단원			교재
1. 마음을 담은 언어	(1) 언어 예절과 화법의 다양성	☐	상 BOOK 1 1일, 6일 1회, 7일
	(2) 소통하는 글쓰기	☐	상 BOOK 1 1일, 6일 1회, 7일
2. 능동적 읽기와 주체적 해석	(1) 사회적 대화로서의 글 읽기	☐	상 BOOK 1 2일, 6일 1회, 7일
	(2) 자신의 관점에서 문학 작품 읽기	☐	상 BOOK 1 3일, 6일 2회, 7일
	(3) 독서 과정을 성찰하며 책 읽기	☐	상 BOOK 1 4일, 6일 2회, 7일
3. 우리말 바로 쓰기	(1) 올바른 발음과 표기	☐	상 BOOK 1 5일, 6일 2회, 7일
	(2) 한글 맞춤법의 원리와 내용	☐	상 BOOK 2 1일, 6일 1회, 7일
	(3) 바람직한 의사소통 문화	☐	상 BOOK 2 1일, 6일 1회, 7일
4. 문학의 갈래와 구조	(1) 향수	☐	상 BOOK 2 2일, 6일 1회, 7일
	(2) 종탑 아래에서	☐	상 BOOK 2 3일, 6일 1회, 7일
	(3) 두근두근 내 인생	☐	상 BOOK 2 4일, 6일 2회, 7일
	(4) 수오재기	☐	상 BOOK 2 4일, 6일 2회, 7일
5. 매체와 설득	(1) 매체 자료 바로 읽기	☐	상 BOOK 2 5일, 6일 2회, 7일
	(2) 설득하는 글 쓰기	☐	상 BOOK 2 5일, 6일 2회, 7일
6. 한국 문학의 이해	(1) 가시리/진달래꽃	☐	하 BOOK 1 1일, 6일 1회, 7일
	(2) 상춘곡/울타리 밖	☐	하 BOOK 1 2일, 6일 1회, 7일
	(3) 춘향전	☐	하 BOOK 1 3일, 6일 1회, 7일
7. 생각을 키우는 읽기와 쓰기	(1) 창의적 읽기	☐	하 BOOK 1 4일, 6일 2회, 7일
	(2) 자발적으로 책 읽기	☐	하 BOOK 1 5일, 6일 2회, 7일
	(3) 쓰기 과정 성찰하기	☐	하 BOOK 1 5일, 6일 2회, 7일
8. 국어의 어제와 오늘	(1) 국어의 변화와 발전	☐	하 BOOK 2 1일, 6일 1회, 7일
	(2) 문법 요소의 이해와 활용	☐	하 BOOK 2 2일, 6일 1회, 7일
9. 문제 해결을 위한 의사소통	(1) 토론과 논증	☐	하 BOOK 2 3일, 6일 1회, 7일
	(2) 협상과 갈등 해결	☐	하 BOOK 2 3일, 6일 1회, 7일
10. 문학과 삶	(1) 광야/신의 방	☐	하 BOOK 2 4일, 6일 2회, 7일
	(2) 황만근은 이렇게 말했다	☐	하 BOOK 2 5일, 6일 2회, 7일
	(3) 경험과 성찰을 담은 글 쓰기	☐	하 BOOK 2 5일, 6일 2회, 7일

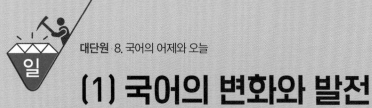

(1) 국어의 변화와 발전

생각
열기 **국어는 어떻게 변화해 왔을까?**

어린 왕자는 전통 요리에 관심이 많은 요리사에게서 과거로의 여행을 부탁받았어요.

어린 왕자야, 날 조선 시대로
데려다줄 수 있니?
우리 조상님이 정말
유명한 요리사셨대.
조상님께 직접 요리 비법을
전수받고 싶어.

음, 조선 시대요?
좋아요.
저랑 함께 떠나요!

조선 시대로 시간 여행을 떠난 어린 왕자와 요리사는
조선 최고의 요리 장인이었던 조상님을 만날 수 있었어요.

안녕하세요, 조상님.
요리 비법을 배우고
싶어서 왔습니다.

뉘신지?

전 어린 왕자예요.

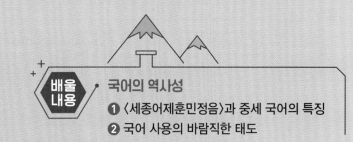
후손을 만난 조상님은 반가워하며 직접 요리법을 알려 주려 했지만
과거와 현재 쓰이는 어휘가 서로 달라 요리사는 조상님의 말을 이해하기 어려웠어요.

내 후손이라고? 반갑네.
그런데 얼굴이며 몸이
왜 이리 셩가셨나.

조상님, 제가 그렇게
성가시게
굴었나요?

그럼 딤채 만드는
방법부터 알려 줄까?

딤채요? 여기도
김치 냉장고가 있나요?

그 모습을 지켜보던 어린 왕자는 요리사에게
과거와 현대의 말을 비교해 보여 주는 사전을 주었어요.

셩가시다   딤치
파리해지다.   '김치'의 옛말.

언어는 시간이 흐르면 소리나 뜻이 변해요.

사전을 통해 과거의 말을 이해한 요리사는
조상님께 귀한 요리 비법을 전수받을 수 있었습니다.

요리사: 제가 셩가신 것처럼 보여도 힘은 장사예요.
그럼 본격적으로 딤채를 만들어 볼까요?
조상님: 하하, 정말 힘이 장사구먼. 그럼 양념부터 만드세.

핵심 1 〈세종어제훈민정음〉에 나타난 창제 정신

자주정신
우리나라 말이 ❶ [　] 과 다름.

창조 정신
새로 ❷ [　] 글자를 만듦.

세종어제
훈민정음

애민 정신
백성들이 말하고자 하는 바를 제대로 전달하지 못하여 이를 가엾게 여김.

실용 정신
모든 사람들이 쉽게 익혀 편하게 쓰게 하고자 함.

❶ 중국

❷ 스물여덟

핵심 2 〈세종어제훈민정음〉에 나타난 중세 국어의 특징

표기	• 가로쓰기를 하지 않고 ❸ [　] 를 함. • 소리 나는 대로 이어적기를 하는 것이 일반적이었음.　예 ·노·미(놈+이) • 띄어쓰기를 하지 않고 붙여 씀. • 한자음의 경우 동국정운식 표기가 나타남.　예 中듕國·귁(중국 원음에 가깝게 표기) 　　　　　　　　　　　　　　　　　　世·솅宗종御·엉製·졩(형식 종성 사용) • 방점 찍기: 글자의 왼편에 찍어 ❹ [　] 를 표시함. 　– 평성(낮은 소리)은 점이 없고, 거성(높은 소리)은 한 점, 상성(낮았다가 높아지는 소리)은 두 점
음운	• 종성에는 원칙적으로 ❺ [　] 글자(ㄱ, ㄴ, ㄷ, ㄹ, ㅁ, ㅂ, ㅅ, ㆁ)만 사용함. • 'ㅸ(순경음 비읍)', 'ㆁ(옛이응)', 'ㆆ(여린히읗)', 'ㆍ(아래아)' 등이 존재함. 　　　　　　　예 :수·비, 中듕國·귁, 便뼌安한·킈, 스ᄆᆞᆺ·디 • 음절의 첫머리에 오는 둘 이상의 자음인 어두 ❻ [　] 이 존재함. 　　　　　　　예 ·ᄠᅳ·들, ·ᄡᅮ·메, ᄮᆞ·ᄅᆞ·미니·라 • 단모음은 'ㆍ, ㅏ, ㅗ, ㅡ, ㅓ, ㅜ, ㅣ'와 같이 7개였고, 모음 조화가 엄격하게 적용됨. 　　　　　　　예 爲·윙·ᄒᆞ·야
문법	• 주격 조사로 '이'(자음 아래), 'ㅣ'('ㅣ' 이외의 모음 아래)가 쓰였으며, 'ㅣ' 모음 아래에서는 생략되기도 함. 주격 조사 '가'는 아직 존재하지 않음. 　　　　　　　예 :말ᄊᆞ·미(말ᄊᆞᆷ+이), ·ᄒᆞᇙ ·배(ᄒᆞᇙ 바+ㅣ) • 목적격 조사는 ❼ [　] 에 따라 '을/를', '올/롤'로 나타남. 　　　　　　　예 ·ᄠᅳ·들(ᄠᅳᆮ+을), ·ᄍᆞᆼ·롤(ᄍᆞᆼ+롤) • 비교를 나타내는 부사격 조사로 '에'가 쓰임.　예 中듕國·귁·에 • 명사형 어미로 주로 '-옴/-움'이 사용됨.　예 ·ᄡᅮ·메(ᄡᅳ-+-움+에)
어휘	• 어리다: '❽ [　] '의 뜻으로 쓰임. (→ 근대 이후 '나이가 적다'의 뜻으로 바뀜.) • 어엿브다: '불쌍하다'의 뜻으로 쓰임. (→ 근대 이후 '아름답다'의 뜻으로 바뀜.)

❸ 세로쓰기

❹ 성조

❺ 여덟

❻ 자음군

❼ 모음 조화

❽ 어리석다

개념 Catch

• **동국정운식 표기**: 〈동국정운〉이라는 책에 따른 한자음 표기법. 한자음을 중국 원음에 가깝게 표기하였고, '초성, 중성, 종성'을 반드시 갖추어 표기하였으며 받침이 없는 경우에는 음가가 없는 형식 종성(ㅇ)을 사용하였음.

1 다음 설명의 ㉠, ㉡에 들어갈 알맞은 말을 각각 쓰시오.

> 한글이 창제되기 전에는 중국의 문자인 (㉠)를 빌려 우리말을 표기하였으나, 한자는 배우기 어렵고 익히는 데 오래 걸려 일반 백성들은 문자 생활을 하기 어려웠다. 세종 대왕은 이러한 사정을 알고 백성들이 글자를 쉽게 익혀 자신의 뜻을 펼 수 있도록 하기 위해 (㉡)을 창제하였다.

• ㉠: (   ) • ㉡: (   )

2 〈세종어제훈민정음〉에 나타난 한글 창제 정신을 바르게 연결하시오.

(1)	우리나라 말이 중국과 다름.	•	• ⓐ	실용 정신
(2)	백성들을 가엾게 여김.	•	• ⓑ	애민 정신
(3)	새로 스물여덟 글자를 만듦.	•	• ⓒ	자주정신
(4)	모든 사람들이 쉽게 익혀 편하게 쓰게 하고자 함.	•	• ⓓ	창조 정신

3 중세 국어에 대한 설명이 맞으면 O, 틀리면 X 표 하시오.
(1) 중세 국어에서는 현대 국어와 달리 주격 조사로 'ㅣ'가 쓰였다. (   )
(2) 중세 국어에서는 초성에 'ㅳ'이나 'ㅼ'과 같은 자음군이 쓰였다. (   )
(3) 중세 국어에서는 종성에 'ㄱ, ㄴ, ㄷ, ㄹ, ㅁ, ㅂ, ㅇ'의 일곱 글자만 사용하였다. (   )

4 다음의 자료에서 알 수 있는 중세 국어의 표기상 특징으로 적절하지 않은 것은?

> 〈훈민정음〉(언해본)은 한문본 《훈민정음》의 예의편(例義篇)만을 한글로 풀어 쓴 것으로, 중세 국어의 특징이 잘 드러나 있는 국어 자료이다.

🔊 〈훈민정음〉(언해본)

① 가로로 글을 쓰지 않고, 세로로 글을 썼다.
② 단어 사이를 띄어 쓰지 않고, 붙여 적었다.
③ 이어적기를 하여 ':말ᄊᆞ·미'와 같이 표기하였다.
④ '·(아래아)'나 'ㅣ' 같이 현대 국어에서 쓰이지 않는 글자를 사용하였다.
⑤ '나·랏 :말'과 같이 글자 왼쪽에 방점을 찍어 소리의 높낮이를 나타내었다.

5 다음은 언어의 특성에 대한 설명이다. 괄호 안에 제시된 단어 중 알맞은 말에 O 표 하시오.

> 중세 국어에서 '어리다'는 (가엾다 , 어리석다)의 의미로 쓰였으나 현대 국어에서는 '나이가 적다'의 의미로 쓰인다. 이처럼 언어는 시간이 흐름에 따라 단어의 소리나 의미가 변하기도 하고 문법 요소에 변화가 생기기도 하는데 이러한 특성을 언어의 (사회성 , 역사성)이라고 한다.

1일

[1~9] 다음 글을 읽고, 물음에 답하시오.

ⓐ 世·솅宗종御·엉製·졩訓·훈民민正·졍音흠

나·랏 ㉠:말쏘·미 中듕國·귁·에 달·아 文문字·쫑·와
·로 서르 ᄉᆞᄆᆞᆺ·디 아·니홀·씨 ·이런 젼·ᄎᆞ·로 어·린 百·빅
姓·셩·이 니르·고·져 ·홇 ⓑ·배 이·셔·도 ㉡ᄆᆞᄎᆞᆷ:내 제
㉢·ᄠᅳ·들 시·러 ㉣펴·디 :몯홇 ·노·미 하·니·라 ⓒ·내 ·이
·ᄅᆞᆯ ⓓ爲·윙·ᄒᆞ·야 :어엿·비 너·겨 ·새·로 ·스·믈여·듧 字
·쫑·ᄅᆞᆯ 밍·ᄀᆞ노·니 :사ᄅᆞᆷ:마·다 :ᄒᆡ·ᅇᅧ ㉤:수·비 니·겨
·날·로 ⓔ·ᄡᅮ·메 便뼌安ᅙᅡ·킈 ᄒᆞ·고·져 ᄒᆞᇙ ᄯᆞᄅᆞ·미니·라

훈민정음의 창제 정신 이해하기

1 윗글을 읽고 보인 반응으로 적절하지 <u>않은</u> 것은?

지수

이 글에는 새롭게 문자를 만든 취지가 나타나 있어. ·······①

우리말이 중국과 다르다고 보고 한자와는 다른 글자를 만든 점에서 자주정신이 드러나 있어. ·······②

찬혁

지수

백성의 어려움을 생각하는 통치자의 자세도 찾아볼 수 있어. ·······③

특정한 계층만이 사용할 문자를 만들었다고 볼 수 있지. ·······④

찬혁

지수

문자 생활의 대중화를 꾀하고자 하는 세종 대왕의 의지가 나타나 있어. ·······⑤

훈민정음 창제 이후 국어 생활 이해하기

2 윗글을 참고할 때, 훈민정음 창제 이후 일반 백성들의 국어 생활의 변화를 짐작한 내용으로 적절하지 <u>않은</u> 것은?

① 한자를 더욱 쉽게 익힐 수 있었을 것이다.
② 스스로 글을 읽어서 지식을 습득할 수 있게 되었을 것이다.
③ 글자를 몰라 억울한 일을 당하는 사람들이 줄어들었을 것이다.
④ 문자를 사용하여 사람들이 서로 정보를 공유할 수 있었을 것이다.
⑤ 자신의 생각을 말뿐만 아니라 글로도 쉽게 표현할 수 있었을 것이다.

중세 국어의 표기상 특징 파악하기

3 윗글을 참고할 때, 〈보기〉의 '탐구 자료'에 들어갈 예로 가장 적절한 것은?

▶ 보기

탐구 목표	중세 국어 시기의 문헌인 〈세종어제 훈민정음〉에 나타난 표기 방식을 탐구한다.
탐구 자료	예
탐구 결과	중세 국어에서는 형태소의 본 모양을 밝혀서 적기보다는 소리 나는 대로 적는 이어적기 방식이 보편적으로 사용되었다.

① 中듕國·귁
② 아·니홀·씨
③ 니르·고·져
④ :사ᄅᆞᆷ:마·다
⑤ ᄯᆞᄅᆞ·미니·라

중세 국어의 음운상 특징 파악하기

4 ⑤~⑩을 통해 알 수 있는 중세 국어의 특징으로 적절하지 <u>않은</u> 것은?

① ⑤: 방점을 사용하여 소리의 길이를 나타내었다.

② ⓒ: 오늘날에는 'ㅏ, ㅣ' 등으로 변한 'ㆍ(아래아)'가 사용되었다.

③ ⓒ: 음절의 첫머리에 오는 둘 이상의 자음 연속체인 어두 자음군이 쓰였다.

④ ⓒ: 'ㅣ' 모음 앞에서 'ㄷ'이 'ㅈ'으로 변하는 현상이 일어나지 않았다.

⑤ ⑩: 현대 국어에서는 사용하지 않는 음운이 있었다.

중세 국어의 문법 특징 파악하기

5 윗글에서 격 조사가 쓰인 단어의 예로 적절한 것은?

	주격 조사	부사격 조사	목적격 조사
①	·내	中듕國·귁·에	·ᄠ·들
②	·이·롤	나·랏	·내
③	·노·미	·ᄠ·들	·이·롤
④	나·랏	젼·ᄎ·로	·ᄶ·롤
⑤	:말ᄊ·미	中듕國·귁·에	나·랏

중세 국어의 문법적 특징 파악하기

6 ⓐ~ⓔ에 대한 설명으로 적절하지 <u>않은</u> 것은?

① ⓐ: 동국정운식 표기로 종성이 없는 경우 음가 없는 'ㅇ'을 받쳐 적었다.

② ⓑ: 'ᄇᆞ+ㅣ'의 구성으로 'ㅣ'는 주격 조사이다.

③ ⓒ: '하-+-ᄂᆞ라'의 구성으로 이때 '하-'는 '행동이나 작용을 이루다.'를 뜻하는 동사 '하다'의 어간이다.

④ ⓓ: 'ㆍ(아래아)'로 끝나는 어간에 어미 '-야'가 붙은 것으로 모음 조화가 엄격하게 지켜졌음을 알 수 있다.

⑤ ⓔ: 'ᄡ-+-움+에'의 구성으로 명사형 어미인 '-움'이 사용되었음을 알 수 있다.

국어의 음운 변화 양상 파악하기

7 다음은 중세 국어와 현대 국어의 음운 변화를 비교하여 정리한 것이다. [A]에 들어갈 내용을 한 문장으로 서술하시오.

중세 국어		현대 국어		음운 변화
·ᄠᅳ·들	→	뜻을	...	
·ᄡᅮ·메		씀에		[A]

중세 국어의 어휘 파악하기

8 윗글에 쓰인 어휘의 현대어 풀이로 적절하지 <u>않은</u> 것은?

	어휘	현대어 풀이
①	·노·미	사람이
②	밍·ᄀᆞ노·니	만드니
③	:ᄒᆞ·여	하여금
④	:수·ᄫᅵ	쉽게
⑤	便뼌安ᅙᅡᆫ·킈	변하게

어휘의 의미 변화 파악하기

9 다음 중 현대 국어에서 그 의미가 변화한 것을 모두 고르시오.

서르	어·린	:어엿·비
무·ᄎᆞᆷ내	니르·고·져	

[10~12] 다음 글을 읽고, 물음에 답하시오.

> 워늬 아바님씌 ㉠샹빅
>
> 자내 ㉡샹해 날ᄃ려 닐오듸 ㉢둘히 머리 ㉣셰도록 사다가 ㉤홈씌 죽쟈 ᄒ시더니 엇디ᄒ야 나를 두고 자내 몬져 가시ᄂᆞᆫ.

중세 국어의 특징 파악하기

10 윗글을 통해 알 수 있는 중세 국어의 특징이 <u>아닌</u> 것은?

① 어두 자음군이 사용되었다.
② 두음 법칙이 적용되지 않았다.
③ '나에게'를 '날ᄃ려'로 표현하였다.
④ 아내가 남편을 '자내(자네)'라고 일컬었다.
⑤ '원이'를 '워늬'로 끊어 적는 표기 방식이 나타난다.

중세 국어에 나타난 음운 현상 파악하기

11 다음 중 〈보기〉의 현상이 나타난 것을 모두 고르시오.
서술
유형

> ─────────── 보기 ───
> 모음 조화란 양성 모음은 양성 모음끼리, 음성 모음은 음성 모음끼리 어울리는 현상이다. 중세 국어에서 양성 모음은 'ㆍ, ㅏ, ㅗ', 음성 모음은 'ㅡ, ㅓ, ㅜ'로, 체언과 조사가 결합할 때나 어간과 어미가 결합할 때 모음 조화가 엄격하게 지켜졌다.

죽쟈	엇디ᄒ야	나를	몬져

중세 국어의 어휘 파악하기

12 ㉠~㉤을 현대어로 풀이할 때 적절하지 <u>않은</u> 것은?

① ㉠: 올림   ② ㉡: 항상   ③ ㉢: 둘이
④ ㉣: 희어지도록   ⑤ ㉤: 함께

[13~16] 다음 글을 읽고, 물음에 답하시오.

가 ㉠"이번 스프링 시즌의 릴렉스한 위크엔드, 블루 톤이 가미된 시크하고 큐트한 원피스는 로맨스를 꿈꾸는 당신의 머스트 해브 아이템." 얼마 전 인터넷에서 화제가 된 패션 잡지체의 한 사례이다. 문화와 예술 분야의 외국어 남용 실태를 잘 보여 준다.
<small>일정한 기준이나 한도를 넘어서 함부로 씀.</small>

㉡일상 업무에서도 외국어와 어려운 한자어가 언어 건강을 해치고 있다. 예를 들어, "㉢오퍼레이션 로스의 파서빌리티가 있으니까 리포트해(운영자의 손실이 생길 수 있으니 점검해서 보고해)."라는 식이다. 또 '은행 외계어'라 불리는 말은 이런 식이다. "㉣익 영업일에 불입한 당 발송금은 기 설정된 계좌에 산입돼 처리됩니다(다음 영업일에 낸 외화 송금은 이미 설정된 계좌에 포함해 처리합니다)."

– 《동아일보》(2013. 10. 9.)

나 국립국어원은 '우리말 다듬기 누리집(https://malteo.korean.go.kr)'을 통해 생소한 외국어를 다듬어 만든 ⓐ　　　를 발표했다. 먼저 '뽁뽁이'가 눈에 띈다. 뽁뽁이는 완충 포장을 하거나 단열 효과를 낼 때 쓰는, 기포가 들어간

폴리에틸렌 필름을 뜻하는 '에어 캡'을 대체할 말이 됐다. 작은 기포를 터뜨리는 재미가 있어 오래전부터 소비자들 사이에서 '뽁뽁이'라고 불려 왔다.

또 ㉤국립국어원은 '백패킹'을 '등짐 들살이'와 '배낭 도보 여행'으로 다듬는 것을 추천했다. '백패킹'은 일박 이상의 야영에 필요한 장비를 넣은 배낭을 짊어지고, 산과 들을 마음 내키는 대로 자유롭게 걸어 다니는 여행을 뜻하는 말이다.

– 《조선일보》(2015. 1. 5.)

국어 사용의 바람직한 태도 이해하기

13 윗글을 읽고 보인 반응으로 적절하지 **않은** 것은?

① '백패킹' 대신 '배낭 도보 여행'을 사용하면 단어의 뜻을 더 쉽게 이해할 수 있겠어.

② 일상생활에서 외국어나 외래어를 얼마나 많이 사용하고 있는지 되돌아봐야겠어.

③ '뿅뿅이'와 같이 외국어를 다듬어 만든 우리말을 많이 사용해야겠다는 생각이 들었어.

④ 패션 잡지체의 사례를 통해 외국어를 사용해야만 의미가 전달되는 분야도 있다는 것을 깨달았어.

⑤ 국립국어원 누리집 '우리말 다듬기' 게시판에 외래어를 대체할 말을 직접 제안해 보는 것도 좋겠어.

글의 세부 내용 파악하기

14 ㉠~㉤을 이해한 내용으로 적절한 것은?
_{빈출}
_{유형}

① ㉠: 적절한 우리말 표현이 없어 외래어를 사용한 예를 보여 주고 있다.

② ㉡: 외국어와 한자어의 남용이 국어의 유지·발전을 저해하는 요소임을 지적하고 있다.

③ ㉢: 외국어는 업무의 전문성을 높여 준다는 점에서 필요하다는 관점을 보여 주고 있다.

④ ㉣: 특정 분야에서 쓰이는 한자어가 일상생활에서도 많이 쓰이는 상황을 보여 주고 있다.

⑤ ㉤: 널리 사용하는 외국어를 우리말로 다듬어 의사소통에 혼란을 가져온 사례를 보여 주고 있다.

생략된 내용 추론하기

15 (나)의 내용과 〈보기〉의 뜻을 참고하여 ⓐ에 들어갈 알맞
_{서술}
_{유형} 은 말을 쓰시오.

> ● 보기 ●
>
> 불순한 요소를 없애고 깨끗하고 바르게 다듬은 말.

국어 사용의 바람직한 태도 이해하기

16 〈보기〉의 세종이 (가)를 읽고 다음과 같이 가상 인터뷰를 한다고 할 때, 그 내용으로 적절하지 **않은** 것은?

> ● 보기 ●
>
>
>
> 우리나라의 말이 중국과 달라 한자와 서로 통하지 아니하여서, 이런 까닭으로 어리석은 백성이 말하고자 하는 바가 있어도 마침내 제 뜻을 능히 펴지 못하는 사람이 많다.
>
> 내가 이것을 가엾게 생각하여 새로 스물여덟 글자를 만드니, 모든 사람으로 하여금 쉽게 익혀서 날마다 쓰는 데 편안하게 하고자 할 따름이다.

> 기자: (가)의 상황에 대해 어떻게 생각하시나요?
>
> 세종: ① 한자어나 외국어는 우리의 생각을 드러내기에 가장 적합한 언어는 아닐 수 있습니다. 그리고 이런 외국어를 많이 쓰면 ② 우리말에 깃들어 있는 민족의 자주정신이 훼손되지는 않을지 우려됩니다. 또, ③ 아무리 한자어나 외국어가 한글보다 실용적이라도 이를 몰라 의사를 제대로 표현하지 못하는 사람들을 위해 애민 정신을 발휘할 필요가 있습니다.
>
> 기자: 이러한 상황이 심화되면 어떤 문제가 생길까요?
>
> 세종: ④ 외국어나 한자를 잘 모르는 사람들은 글의 의미를 제대로 이해하기 어려울 것입니다. 또, ⑤ 고유어가 점차 외국어로 대체되고 사람들이 사용하는 국어의 어휘가 많이 줄어드는 등 국어 발전이 저해될 수 있을 것입니다.

2 일

(2) 문법 요소의 이해와 활용

문법 요소에는 어떤 것들이 있을까?

이번에 어린 왕자는 커다란 사과나무가 있는 별에 도착하였어요.
나무에는 사과가 주렁주렁 맺혀 있었고, 그 아래 다람쥐들이 분주하게 움직이고 있었어요.

우리는 잘못된 표현을 쓰는
사람들에게 이 사과를 배달해 줘.

다람쥐야, 너희 뭐 하니?
사과가 특별해 보이네.

이 사과는 문법 요소가
담긴 마법의 사과야!

높임　시간　피동　인용

사람들이 잘못된 문장 표현을 사용하면 다람쥐들은 문법 요소 사과를 배달해 주었어요.
사과를 먹으면 올바른 문장 표현을 사용하기 쉬워졌어요.

어머니, 밥 먹어.

뭐라고?
엄마한테는 높임말을 써야지.

사과 먹고 정신 차렸습니다. 하하!
어머니, 진지 드세요.

높임 표현을
잘못 사용했을 때,
이 사과를 드셔 보세요.

높임

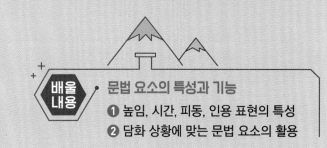
하지만 문법 요소를 고려하지 않고 잘못된 표현을 사용하는 사람들이 점점 늘면서
다람쥐들의 사과 배달 업무가 엄청나게 늘었어요.
어린 왕자도 일손을 보탰지만 배달 업무는 끝이 없었어요.

바쁘다 바빠!

사과 배달하러
총알같이 달려갑니다!

지나치게 많은 배달 업무에
어린 왕자와 다람쥐들은 결국 쓰러졌어요.

너무 힘들어.
지친다. 지쳐.

사태의 심각성을 깨달은 사람들은 반성하며
앞으로는 문장 표현을 바르게 사용하겠다고 약속했어요.

다람쥐들아,
어린 왕자야.
우리가 잘못했어.

앞으로는 올바른
표현을 사용하도록
노력할게.

네! 우리 함께
노력해 봐요!

핵심 1 　 높임 표현

상대 높임법	주체 높임법	객체 높임법
• 대화를 나누는 ❶ [　　]를 높이거나 낮추는 방법 • 종결 표현을 통해 실현됨. 　– 격식체: 하십시오체, 하오체, 하게체, 해라체 　– 비격식체: 해요체, 해체	• 서술의 주체에 해당하는 문장의 ❷ [　　]를 높이는 방법 • 선어말 어미 '–(으)시–', 주격 조사 '께서', 특수 어휘(계시다, 주무시다, 잡수시다)를 통해 실현됨.	• 서술의 객체, 즉 목적어나 ❸ [　　]에 해당하는 대상을 높이는 방법 • 부사격 조사 '께', 특수 어휘(모시다, 드리다, 여쭙다/여쭈다)를 통해 실현됨.

❶ 상대
❷ 주어
❸ 부사어

핵심 2 　 시간 표현

과거 시제	현재 시제	미래 시제
• 사건이 일어나는 시점이 말하는 시점보다 이름. • 선어말 어미 '–았–/–었–', '–았었–/–었었–', '–더–'를 사용하여 나타냄.	• 사건이 일어나는 시점과 말하는 시점이 ❹ [　　]함. • 동사는 선어말 어미 '–는–/–ㄴ–'을 사용하여 나타내고, 형용사와 서술격 조사는 기본형으로 나타냄.	• 사건이 일어나는 시점이 말하는 시점보다 나중임. • 선어말 어미 '❺ [　　]' 또는 '–(으)ㄹ 것이–'를 사용하여 나타냄.

❹ 일치
❺ –겠–

핵심 3 　 피동 표현

개념	문장에서 ❻ [　　]가 다른 힘에 의하여 움직이는 것을 나타낸 표현
피동 표현을 만드는 방법	• 능동사에 피동 접미사 '–이–', '–히–', '–리–', '–기–'를 붙여서 만듦. • '–아/–어지다', '–게 되다'와 같은 표현을 사용하여 만듦. • 일부 명사 뒤에 접사 '❼ [　　]'를 결합하여 만듦.

❻ 주어

❼ –되다

핵심 4 　 인용 표현

❽ 라고

직접 인용	간접 인용
• 다른 사람의 말이나 글을 그대로 옮기는 것 • 인용할 부분을 그대로 큰따옴표로 묶고 그 뒤에 조사 '❽ [　　]'를 붙여서 표현함.	• 다른 사람의 말이나 글을 자신의 언어로 바꾸어 옮기는 것 • 다른 사람의 말이나 글을 적절히 요약하여 정리하고, 그 뒤에 조사 '고'를 붙여서 표현함.

[개념 Catch]
• 능동: 문장에서 주어가 제힘으로 움직이는 것.
• 능동사: 주어가 제힘으로 행하는 동작을 나타내는 동사.

1 다음은 문법의 개념을 설명한 것이다. ㉠, ㉡에 들어갈 알맞은 말을 각각 쓰시오.

> 문법이란 언어 사용에 적용되는 (㉠)을 말한다. 그리고 문법적 의미를 실현하는 데에 사용되는 표현을 '(㉡)'라고 하는데, 높임 표현, 시간 표현, 피동 표현, 인용 표현 등이 여기에 해당한다.

• ㉠: (   ) • ㉡: (   )

2 다음에 제시된 문법 용어와 그 뜻을 바르게 연결하시오.

(1) 높임법 •

(2) 시제 •

(3) 피동 •

(4) 인용 •

• ㉠ 주어가 다른 힘에 의하여 움직이는 것

• ㉡ 다른 사람의 말이나 글을 옮겨 사용하는 것

• ㉢ 사건의 시간적 위치를 구분하여 표현하는 방법

• ㉣ 말하는 이가 듣는 이나 다른 대상을 높이거나 낮추는 정도를 언어적으로 구별하여 표현하는 방식

3 다음 상황과 관련된 문법 요소를 〈보기〉에서 찾아 그 기호를 각각 쓰시오.

(1) 선생님, 안녕하세요? 친구야, 안녕?…(   )

(2) 내가 읽은 책도 있고, 읽을 책도 있네!…(   )

(3) 먹느냐 먹히느냐 그것이 문제로다.…(   )

(4) 햄릿은 "죽느냐 사느냐 그것이 문제로다."라고 했어.…(   )

> ● 보기 ●
> ⓐ 높임 표현 ⓑ 시간 표현 ⓒ 인용 표현 ⓓ 피동 표현

4 다음은 문법 요소를 실현하는 방법에 대한 설명이다. 맞으면 O, 틀리면 X표 하시오.

(1) 형용사의 경우 현재 시제를 나타낼 때에는 선어말 어미 '-는-/-ㄴ-'을 사용한다. (   )

(2) 문장의 주어를 높일 때에는 주격 조사 '께'와 '모시다'와 같은 특수 어휘를 사용한다. (   )

(3) 피동의 뜻을 나타낼 때에는 동사에 접미사 '-이-, -히-, -리-, -기-, -우-, -구-, -추-'를 붙인다. (   )

5 다음 중 높임법의 종류가 <u>다른</u> 하나는?

① 할아버지께서 방에서 주무신다.
② 친구가 아저씨께 안부를 여쭙는다.
③ 예지가 할머니를 모시고 병원에 갔다.
④ 지혜가 할아버지께 책을 선물해 드렸다.
⑤ 방학 때 할머니를 뵈러 시골에 갈 것이다.

높임 표현의 개념 이해하기

1 높임 표현에 대한 설명으로 적절하지 <u>않은</u> 것은?

빈출 유형

① 높임의 대상에 따라 상대 높임, 주체 높임, 객체 높임으로 나뉜다.

② 주체 높임법은 서술의 주체를 높이는 방법이다.

③ 주체 높임법은 선어말 어미 '-(으)시-'와 주격 조사 '께서'를 사용하여 실현된다.

④ 객체 높임법은 목적어나 부사어에 해당하는 대상을 높이는 것이다.

⑤ 상대 높임법은 객체 높임법과 달리 특수한 어휘를 사용하여 실현된다.

주체 높임법 이해하기

3 다음 문장에 나타난 높임 표현을 〈보기〉와 같이 설명한다고 할 때, 빈칸에 알맞은 말을 순서대로 쓰시오.

서술 유형

> 할머니께서 동생과 함께 시장에 가신다.

▶ 보기 ◀

제시된 문장에서는 서술의 주체인 (   )를 높이기 위해 주격 조사 '(   )'와 선어말 어미 '(   )'를 사용하여 주체 높임법을 실현하고 있다.

상대 높임법 이해하기

2 〈보기〉를 참고할 때, 상대 높임법을 적절하게 사용한 것은?

▶ 보기 ◀

민주야, 방학 잘 보냈니?

(가)

선생님, 방학 잘 보내셨어요?

(나)

(가)에서는 민주가 선생님보다 아랫사람이므로 종결 어미 '-니'(해라체)를 사용하여 표현하였고, (나)에서는 선생님이 민주보다 윗사람이므로 종결 어미 '-어요'(해요체)를 사용하여 상대에 대한 높임을 표현하였다. 이처럼 상대 높임법은 대화를 나누는 상대에 따라 문장의 종결 표현을 달리하여 실현된다.

① (직장 상사에게) 어디 가?

② (선생님께) 어제 책을 읽었다.

③ (할머니께) 할머니, 진지 드시오.

④ (친한 친구에게) 지우개 좀 빌려줘.

⑤ (처음 만난 사람에게) 여기에서 내려라.

직접 높임과 간접 높임 이해하기

4 직접 높임과 간접 높임을 탐구하여 다음과 같이 대화를 나누었다고 할 때, 적절하지 <u>않은</u> 것은?

민지

화자가 주어를 직접적으로 높이는 표현을 직접 높임이라고 해. ⟶ ⓐ

수호

화자가 주어와 밀접하게 관련된 대상을 높임으로써 주어를 간접적으로 높이는 표현을 간접 높임이라고 해. ⟶ ⓑ

규진

'할머니는 도서관에 있다.'라는 문장을 '할머니께서는 도서관에 계시다.'로 고치면 직접 높임 표현이 되겠구나. ⟶ ⓒ

하연

'아버지는 고민이 있다.'라는 문장을 '아버지께서는 고민이 있으시다.'로 고치면 간접 높임 표현이 되겠구나. ⟶ ⓓ

재혁

간접 높임을 사용할 때에는 특수 어휘를 사용할 수 없으므로 '할머니는 연세가 많다.'는 '할머니께서는 나이가 많으시다.'로 고쳐야겠구나. ⟶ ⓔ

① ⓐ　　② ⓑ　　③ ⓒ　　④ ⓓ　　⑤ ⓔ

적절한 높임 표현 사용하기

5 다음 문장을 바르게 고쳐 쓰시오.

서술 유형

> 나는 아저씨에게 안부를 묻는다.

→ (   )

상황에 맞는 높임 표현 사용하기

6 상황을 고려하여 ㉠을 높임법에 맞게 고쳐 쓰시오.

서술 유형

> 선생님이 너 교실로 ㉠오시래.

높임법의 사용 양상 이해하기

7 다음 문장에 쓰인 높임법을 바르게 이해한 것은?

> 어머니, 할머니께 떡을 드릴게요.

① 객체 높임법만 실현되었다.
② 서술의 주체는 '어머니'이다.
③ '어머니'를 높이기 위해 특수 어휘를 사용하였다.
④ 선어말 어미를 사용하여 문장의 객체를 높여 표현하였다.
⑤ '할머니'를 높이기 위해 부사격 조사 '께'와 특수 어휘를 사용하였다.

높임법의 사용 양상 이해하기

8 다음 문장의 높임 표현을 바르게 이해한 내용을 〈보기〉에서 모두 고른 것은?

> 아버지께서 할머니를 뵙고 오셨습니다.

─● 보기 ●─

ㄱ. 격식체인 '하십시오체'를 사용하여 듣는 이를 높이고 있다.
ㄴ. 선어말 어미 '-시-'를 사용하여 서술의 객체를 높이고 있다.
ㄷ. '께서'라는 주격 조사를 사용하여 문장의 주어를 높이고 있다.
ㄹ. '뵙다'라는 특수한 어휘를 사용하여 서술의 주체인 '아버지'를 높이고 있다.

① ㄱ, ㄴ   ② ㄱ, ㄷ   ③ ㄴ, ㄷ
④ ㄴ, ㄹ   ⑤ ㄷ, ㄹ

높임의 대상 파악하기

9 높임의 대상을 잘못 표시한 것은?

빈출 유형

① 고모, 식사하고 가세요.
② 선생님의 손은 참 예쁘시다.
③ 아버지, 형이 아직 화가 많이 난 것 같아요.
④ 누나가 아버지께 건강 상태를 여쭈어 보았다.
⑤ 어머니께서 매일 아침 7시에 진지를 잡수신다.

높임법의 적절한 사용 이해하기

10 높임 표현이 바르게 쓰인 문장은?

빈출 유형

① 데려오신 강아지가 참 귀여우시네요.
② 끝으로 사장님 말씀이 있으시겠습니다.
③ 고객님, 주문하신 음식이 나오셨습니다.
④ 민주야, 선생님께서 청소 끝나고 너 남으래.
⑤ 선생님께서 나에게 집 주소를 여쭈어 보셨다.

높임법의 사용 양상 이해하기

11 문장에서 높임의 대상을 파악한 것으로 적절하지 <u>않은</u> 것은?

빈출
유형

	문장	주체	객체	상대
①	할머니, 진지를 잡수세요.	O	X	O
②	이 책을 선생님께 드려라.	X	O	X
③	동생이 손님을 모시러 간다.	X	X	X
④	할아버지께서 우리 집에 오신다.	O	X	X
⑤	아버지, 책을 가방에 넣었습니다.	X	X	O

시간 표현 이해하기

12 다음 중 문장에 나타난 시제가 <u>다른</u> 하나는?

① 지금 가고 있습니다.
② 어젯밤에 잠을 설쳤어요.
③ 재미있는 책을 읽었습니다.
④ 벌써 수업 시작종이 울렸어.
⑤ 나는 운동장을 한 바퀴 돌았다.

> 📢 도움말
> • **시간 부사어** 동작이나 상태의 시간을 나타내는 부사어.
> (1) 과거 시제를 나타내는 시간 부사어: 옛날, 어제
> (2) 현재 시제를 나타내는 시간 부사어: 지금, 곧
> (3) 미래 시제를 나타내는 시간 부사어: 내일, 다음 달에

시간 표현의 실현 요소 파악하기

13 다음 문장에서 시제를 실현하는 요소 세 가지를 찾고, 그 시제를 쓰시오.

서술
유형

> 어제 청소한 사람은 준혁이었다.

미래 시제 이해하기

14 미래 시제를 나타내기 위해 ⓐ에 공통으로 들어갈 말로 적절한 것은?

> • 이것은 내일 먹(ⓐ) 빵입니다.
> • 나중에 그와 이야기를 나누(ⓐ) 것이다.

① -는   ② -던   ③ -었-
④ -(으)ㄴ   ⑤ -(으)ㄹ

과거 시제 이해하기

15 다음 문장에 대한 이해로 적절하지 <u>않은</u> 것은?

빈출
유형

> ㄱ. 나는 초콜릿을 많이 먹었다.
> ㄴ. 나는 초콜릿을 많이 먹었었다.

① ㄱ과 ㄴ은 모두 과거의 사건을 나타낸다.
② ㄴ은 ㄱ보다 더 먼 과거의 사건을 보여 준다.
③ ㄴ에 쓰인 '-었었-'은 현재와는 단절된 과거를 나타낼 때 사용하는 어미이다.
④ ㄱ은 ㄴ과 달리 말하는 이가 더 이상 초콜릿을 많이 먹지 않음을 나타낸다.
⑤ ㄱ과 ㄴ의 차이로 특정한 의미를 드러내는 데 선어말 어미를 사용할 수 있음이 드러난다.

선어말 어미의 쓰임 이해하기

16 밑줄 친 부분의 쓰임에 대한 설명으로 적절한 것은?

빈출
유형

① 어제 동생이 태어<u>났</u>다. – 과거의 사건임을 나타냄.
② 교실 청소는 내가 하<u>겠</u>다. – 추측의 의미를 드러냄.
③ 그 음식 정말 맛있<u>었</u>겠다. – 화자의 의지를 드러냄.
④ 그것은 동생이 보<u>던</u> 책이다. – 현재 시제를 나타냄.
⑤ 바깥이 너무 시끄러워서 오늘 잠은 다 <u>잤</u>다. – 현재 일어나고 있는 명백한 사실을 드러냄.

피동 표현의 개념 이해하기

17 피동 표현에 대한 설명으로 적절하지 <u>않은</u> 것은?

① 주어가 다른 힘에 의하여 움직이는 것을 피동이라 한다.

② 피동문에서는 어떤 행동을 당하는 대상이 주어 자리에 온다.

③ 같은 사건을 표현한 문장이라도 피동문에서는 주어가 동작을 당한 상황이 강조된다.

④ 능동사에 피동 접미사를 붙이거나 '-아/-어지다'를 결합하여 피동 표현을 만들 수 있다.

⑤ 능동사에 '-게 하다'를 결합하거나 일부 명사 뒤에 '-되다'를 결합하여 피동 표현을 만들 수 있다.

피동 표현의 사용 양상 이해하기

18 〈보기〉에서 잘못된 피동 표현을 바르게 고친 것을 모두 고른 것은?

▶ 보기 ◀

여러분, 여기가 바로 덕수궁입니다. 덕수궁은 많은 사람들이 조선의 궁궐 가운데 가장 아름다운 궁이라고 ㉠생각되어지는(→ 생각하는) 곳입니다. 여러분도 그렇게 ㉡믿겨지시나요(→ 믿으시나요)? …… 지금 보시는 것이 덕홍전인데, 가운데 ㉢열려진(→ 열린) 문으로 안을 한번 들여다보세요. 예전에 접견실이었던 이곳에는 많은 사람이 드나들었을 것으로 ㉣보여집니다(→ 보입니다).

① ㉠, ㉡
② ㉠, ㉢
③ ㉠, ㉡, ㉢
④ ㉠, ㉢, ㉣
⑤ ㉠, ㉡, ㉢, ㉣

피동 표현의 올바른 사용 이해하기

19 다음 중 능동문을 피동문으로 <u>잘못</u> 바꾼 것은?

① 파란 선을 잘랐다. → 파란 선이 잘렸다.

② 내가 친구를 업었다. → 친구가 나를 업었다.

③ 퇴적층을 형성하였다. → 퇴적층이 형성되었다.

④ 굳게 닫힌 문을 열었다. → 굳게 닫힌 문이 열렸다.

⑤ 체육 대회를 미루었다. → 체육 대회가 미루어졌다.

인용 표현의 효과 이해하기

20 〈보기〉의 [A]와 [B]를 비교한 내용으로 적절하지 <u>않은</u> 것은?

▶ 보기 ◀

[A] 할아버지는 그녀를 보자 대뜸 싹수가 있겠다고 판단하여 "그래, 너는 몇 살이나 되었더냐?"라고 나이부터 물었다.

　그러자 그녀는 "지 어미가 그러는디, 작년까장은 겨우 여섯 살이었대유. 그런디 시방은 잘 몰르겄유."라고 어렴성 없이 아는 대로 대꾸했다.

－ 이문구, 〈일락서산〉에서

[B] 할아버지는 그녀를 보자 대뜸 싹수가 있겠다고 판단해 그녀에게 몇 살이나 되었냐고 나이부터 물었다.

　그러자 그녀는 자신의 어머니가 그러는데 작년까지는 겨우 여섯 살이었는데, 지금은 잘 모르겠다고 어렴성 없이 아는 대로 대꾸했다.

① [A]에는 직접 인용문이, [B]에는 간접 인용문이 나타난다.

② [A]에서는 높임법, 사투리 등 등장인물이 사용하는 표현상 특징이 그대로 전달된다.

③ [B]에서는 서술자가 등장인물의 말을 자신의 말로 바꾸어 전달하고 있다.

④ [A]는 내용이 객관화되어 보다 격식 있게 느껴진다.

⑤ [B]보다 [A]에서 등장인물의 성격을 더 쉽게 유추할 수 있다.

3 일 (1) 토론과 논증
(2) 협상과 갈등 해결

 생각 열기 문제 상황을 어떻게 해결할까?

어린 왕자는 반쪽은 여름만, 다른 반쪽은 겨울만 있는 어느 별에 도착하였어요.
그런데 이곳에 사는 동물들은 모두 자신들이 살고 있는 땅에 불만을 품고 있는 것 같았어요.

동물들의 표정이 모두 좋지 않네.
왜 그런 거지?

매일매일 눈과 얼음이라니.
따뜻한 곳에서 살고 싶어.

하얀 설원에서
뒹굴고 싶다.
여기 너무 더워.
펭귄 살려!

여름 땅에 사는 동물들은 겨울 땅에, 겨울 땅에 사는 동물들은 여름 땅에서 살고 싶어 했어요.
결국 여름 땅과 겨울 땅에 사는 동물들은 서로의 땅을 빼앗기 위해 싸움을 벌였어요.

저들과 결판을 내어
따뜻한 땅에서 살아야지.

겨울 땅을
꼭 빼앗겠어!
이 땅은
너무 더워.

헉! 심상치 않은 분위기야.

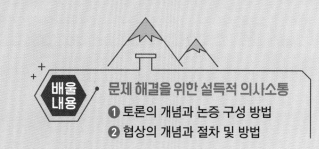
동물들은 상대방의 땅만 원했지, 모두에게 이득이 되는 방법은 모르는 것 같았어요.
상황을 지켜보던 어린 왕자는 싸움보다 효과적인 문제 해결 방법을 동물들에게 알려 주었어요.

한자리에 모인 동물들은 토론하고 협상하며
모두에게 이득이 되는 방법을 찾아보았어요.

그 결과, 동물들이 사는 별에는
갈등이 사라지고 평화가 찾아왔답니다.

핵심 1 토론의 논제와 논증

1 논제: 토론의 주제로 사실 논제·가치 논제·정책 논제가 있음.

사실 논제	어떤 사실이 참인지 거짓인지, 사실의 진위를 따지는 논제
가치 논제	어떤 가치가 옳고 그른지, 가치 판단을 하는 논제
❶	어떤 정책의 실행 여부와 실행 방안에 관한 논제

❶ 정책 논제

2 논증의 구성

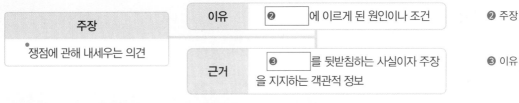

주장	이유	❷ 에 이르게 된 원인이나 조건
쟁점에 관해 내세우는 의견	근거	❸ 를 뒷받침하는 사실이자 주장을 지지하는 객관적 정보

❷ 주장

❸ 이유

➡ 쟁점별로 논증을 구성할 때에는 쟁점에 관한 주장이 명확해야 하고, 주장의 이유와 근거가 ❹ 해야 함.

❹ 타당

핵심 2 〈의약품 개발을 위한 동물 실험을 금지해야 하는가〉의 구성과 내용

찬성 1 입론
① 동물 실험은 ❺ 이라는 점에서 문제가 있다. (필수 쟁점: 문제)
② 동물 실험의 결과를 인간에게 그대로 적용할 수 없다. (필수 쟁점: 문제)
③ 동물 실험을 대체할 방안이 있으며 대체 실험은 동물 실험보다 이익이 크다.
　(필수 쟁점: 해결 방안, 효과와 이익)

❺ 비윤리적

↓

반대 2 ❻
• 모든 동물 실험이 인간만을 위한 것인가?
• 대체 실험이 지금 당장 ❼ 을 대체할 수 있는가? 아직 연구 중인 단계라면 동물 실험은 여전히 필요한 것 아닌가?

❻ 교차 신문

❼ 동물 실험

❽ 대체

↓

반대 1 입론
① 동물 실험은 윤리적으로 문제가 없다. (필수 쟁점: 문제)
② 동물 실험이 인간에게 가져다주는 이익이 크다. (필수 쟁점: 효과와 이익)
③ 동물 실험은 다른 방법으로 ❽ 할 수 없다. (필수 쟁점: 해결 방안)

↓

찬성 1 교차 신문
• 동물에게는 존엄성이 없다고 생각하는가?
• 현 규정이 동물 실험 과정에서 일어나는 동물 학대를 완전히 예방한다고 생각하는가?

개념 Catch
• **논증**: 옳고 그름을 이유와 근거를 들어 밝히는 것.

• **쟁점**: 찬성 측과 반대 측이 다투는 내용.

• **필수 쟁점**: 쟁점 중 반드시 다뤄야 하는 쟁점. 정책 논제를 다루는 토론에서는 문제, 해결 방안, 효과와 이익 등이 주요한 필수 쟁점이 됨.

정답과 해설 85쪽

1 다음은 토론에서 논증을 구성하는 방법에 대한 설명이다. ㉠, ㉡에 들어갈 알맞은 말을 각각 쓰시오.

> 토론에서는 쟁점별로 논증을 구성하여 말해야 한다. 논증을 구성할 때에는 쟁점과 관련해 내세우는 의견인 (㉠)이 명확해야 하며, (㉠)에 이르게 된 이유와 이를 뒷받침하는 (㉡)가 타당해야 한다. 또한 이유와 (㉡) 사이에는 밀접한 연관성이 있어야 한다.

• ㉠: (   ) • ㉡: (   )

2 다음 토론 상황에서 각각의 토론자가 보인 문제점을 〈보기〉에서 골라 그 기호를 쓰시오.

> ─ 보기 ─
> ㄱ. 상대방을 존중하며 말하지 않았다.
> ㄴ. 주어진 시간 내에 발언하지 않았다.
> ㄷ. 이유와 근거를 제시하지 않고 주장만 하고 있다.
> ㄹ. 주장과 이유와 근거가 밀접한 관련을 맺지 못하고 있다.

(1) 찬성 1: (   ) (2) 찬성 2: (   )

3 논제의 종류와 개념을 바르게 연결하시오.

(1) 가치 논제 •
(2) 사실 논제 •
(3) 정책 논제 •

• ⓐ 사실의 진위를 다투는 논제
• ⓑ 가치의 옳고 그름을 판단하는 논제
• ⓒ 정책의 실행 여부와 실행 방안을 주장하는 논제

4 '의약품 개발을 위한 동물 실험을 금지해야 하는가'라는 논제의 토론에서 〈보기〉의 토론자가 했을 발언으로 가장 적절한 것은?

① 동물 실험에는 막대한 비용이 발생합니다.
② 동물 실험은 실험동물에게 큰 고통을 줍니다.
③ 동물 실험의 결과를 인간에게 그대로 적용할 수 없습니다.
④ 현재 동물 실험은 엄격한 법적 규제 아래에서 실행됩니다.
⑤ 우리나라에서 동물 실험으로 희생되는 동물의 수가 해마다 증가하고 있습니다.

3_일 교과서 기출 베스트

[1~2] 다음 글을 읽고, 물음에 답하시오.

가 토론의 발언에는 입론과 반론이 있다. 입론은 자신의 주장을 펼치는 말하기이며, 반론은 상대방의 주장을 반박하는 말하기이다. 토론의 유형에 따라 입론 단계에서 교차 신문을 하기도 한다. 교차 신문은 상대방의 입론 내용을 따져 묻는 말하기이다.

나 토론의 주제를 논제라고 하는데, 논제는 크게 사실 논제, 가치 논제, 정책 논제로 나뉜다. 사실 논제는 사실의 진위를 다투는 논제이고, 가치 논제는 가치관의 차이를 따지는 논제이며, 정책 논제는 어떤 정책의 도입, 폐지, 개선 등 정책의 실행 여부와 실행 방안에 관한 논제이다. 이 가운데 정책 논제를 다루는 토론에서 찬성 측은 정책의 변화를 주장하므로 그 변화가 필요하고 정당하다는 것을 증명해야 한다. 그리고 반대 측은 찬성 측의 주장이 정당하지 않음을 비판하는 역할을 맡는다.

다 반대 신문식 토론은 어떤 논제를 두고 찬성 측과 반대 측이 교차 신문을 통해 상대방의 논지를 반박함으로써 승부를 가르는 토론이다. 이 토론은 입론, 반론, 평결의 순으로 진행된다. 교차 신문은 입론 단계에서 행해지는데, 바로 앞 차례의 상대측 토론자가 입론한 내용에 대해 질문하는 것이다. 평결은 배심원들이 한다.

토론의 개념과 과정 이해하기

1 **윗글을 이해한 내용으로 적절하지 않은 것은?**

빈출유형

① 반론은 상대측 의견을 반박하는 말하기이군.
② 논제는 '무엇에 대해 토론할 것인가?'에서 '무엇'에 해당하는군.
③ 정책 논제를 다루는 토론에서 찬성 측은 정책 변화의 정당성에 대한 입증 책임이 있군.
④ 반대 신문식 토론에서 평결은 배심원들이 하는군.
⑤ 반대 신문식 토론에서 교차 신문은 반론 단계에서 행해지는군.

논제의 종류 파악하기

2 **논제의 종류와 그 예가 바르게 연결된 것은?**

빈출유형

① 사실 논제 – 환경 보존이 개발보다 중요하다.
② 가치 논제 – 공장 건설로 환경이 오염되었다.
③ 가치 논제 – 자동차 요일제를 시행해야 한다.
④ 정책 논제 – 선의의 거짓말은 해도 된다.
⑤ 정책 논제 – 음식물 쓰레기 종량제를 개선해야 한다.

[3~4] 다음 글을 읽고, 물음에 답하시오.

가 **사회자:** 지금부터 "의약품 개발을 위한 동물 실험을 금지해야 한다."라는 논제로 토론을 시작하겠습니다. 이 논제와 관련하여 양측의 의견을 들어 보겠습니다. 토론 규칙을 잘 지키면서 토론해 주시기 바랍니다. 먼저 찬성 측 제1 토론자의 입론으로 시작하겠습니다.

나 **찬성 1:** 현재 전 세계에서 연간 1억 마리 이상의 동물이 인간을 위한 동물 실험으로 죽어 가고 있습니다. 여기에서 동물 실험이란 새로운 약품이나 치료법의 효능과 안전성을 확인하기 위해 동물을 대상으로 실시하는 의학적인 실험을 말합니다. 〈중략〉 저희 찬성 측은 다음과 같은 측면에서 의약품 개발을 위한 동물 실험을 반드시 금지해야 한다고 생각합니다.

　무엇보다도 동물 실험은 비윤리적이라는 심각한 문제가 있습니다. 실험 과정에서 동물에게 큰 고통을 주고, 생명을 빼앗기도 하기 때문입니다. 〈중략〉 미국 농무부의 보고에 따르면, 2010년에 9만 7천여 마리의 동물이 실험 과정에서 마취제나 진통제 투여 없이 실험을 받았습니다. 이 같은 사실은 동물 실험이 동물에게 큰 고통을 주는 현실을 잘 보여 줍니다.

다 이러한 문제들을 해결할 수 있는 대체 방안이 있습니다. 동물 실험을 하지 않고도 의약품의 효능과 안전성을 확인하는 방법에 대한 연구가 진행되고 있습니다. 인간의 세포를 배양해서 실험하는 생체 밖 실험이 있고, 인체를 대상 _{인공적인 환경을 만들어 동식물 세포와 조직의 일부나 미생물 따위를 가꾸어 길러서.}으로 최소 용량만을 투여하여 인체 내의 약물 활동을 측정하는 실험도 있습니다. 〈중략〉 이와 같은 대체 실험을 상용화하는 데에는 새로운 비용이 발생하겠지만, 장기적으로는 실험동물의 막대한 구입비와 유지비를 줄일 수 있고, 동물 실험이 안고 있는 윤리 문제도 피할 수 있어 그 이익이 훨씬 큽니다.

---

3 토론의 내용 파악하기
빈출유형
윗글에 대한 설명으로 적절하지 않은 것은?

① 사회자는 토론의 논제를 소개하고 있다.

② 사회자는 토론의 진행 절차에 맞게 발언 순서를 지정하고 있다.

③ 찬성 측 토론자는 논제의 배경을 제시하고, 주요 용어의 개념을 정의하고 있다.

④ 찬성 측 토론자는 자신이 제시한 문제 해결 방안의 효과와 이익을 논증하고 있다.

⑤ 찬성 측 토론자는 상대측의 반박을 예상하여 통계 자료와 함께 대비책을 제시하고 있다.

---

4 교차 신문 준비하기
빈출유형
찬성 측의 입론을 듣고 반대 측 토론자가 교차 신문을 준비하면서 떠올렸을 만한 생각으로 적절하지 <u>않은</u> 것은?

① 동물 실험이 인간만을 위한 것인지 질문해야겠어.

② 대체 실험이 지금 바로 동물 실험을 대체할 수 있는지 확인해야겠어.

③ 찬성 측이 제시한 것 외에 다른 대체 실험이 더 있는지 질문해야겠어.

④ 대체 실험이 완전하지 않다면 여전히 동물 실험이 필요한 것은 아닌지 확인해야겠어.

⑤ 대체 실험이 동물 실험에 비해 비용 면에서 경제적이라는 객관적 근거가 있는지 질문해야겠어.

[5~6] 다음 글을 읽고, 물음에 답하시오.

반대 1: ㉠동물 실험이 인간에게 가져다주는 이익이 매우 큽니다. ㉡동물 실험은 수많은 사람의 생명을 구하는 치료법을 개발하는 데에 이바지합니다. ㉢캘리포니아의 생명연구협회에서는 지난 백 년간 위대한 의학적 발견에 모두 동물 실험이 결정적인 역할을 했다고 보고한 바 있습니다. ㉣수많은 당뇨병 환자의 생명을 구하는 데 중요한 역할을 한 인슐린은 개를 대상으로 한 실험에서 발견되었습니다. 한 해 35만여 명에 이르던 세계 소아마비 환자 수를 2012년에는 2백여 명으로 크게 떨어뜨린 소아마비 백신 역시 동물 실험을 통해 개발한 것입니다. ㉤침팬지를 대상으로 한 동물 실험이 없었다면 비형 간염 백신은 개발하지 못했을 것입니다. 이 모두는 동물 실험이 우리 인간에게 가져다주는 이익이 매우 크다는 것을 잘 보여 줍니다.

반대 1

---

5 논증의 구성 요소 파악하기
'주장 - 이유 - 근거'로 논증을 구성할 때, ㉠~㉤ 중 '이유'에 해당하는 것은?

① ㉠　　② ㉡　　③ ㉢　　④ ㉣　　⑤ ㉤

---

6 토론의 필수 쟁점 파악하기
서술유형
반대 측 토론자가 다루고 있는 필수 쟁점이 무엇인지 주장과 연관 지어 〈조건〉에 맞게 서술하시오.

> ━━ 조건 ━━
> '동물 실험이 ~고 주장하고 있으므로, 다루고 있는 필수 쟁점은 ~ 이다.'의 문장 형식으로 서술할 것

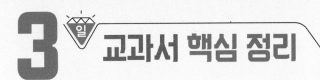

핵심 1 | **협상의 개념과 절차**

1 **개념**: 개인이나 집단 사이에서 [❶ _____]과 주장이 달라 갈등이 생길 때, 문제를 해결하기 위해 서로 타협하고 조정하면서 해결 방법을 찾아가는 의사소통의 방식

2 **절차**

시작 단계	갈등의 [❷ _____]을 분석하고, 문제 해결 가능성을 확인함.
[❸ _____] 단계	• 양측의 문제 확인하기 • 상대의 처지와 관점 이해하기: 상대방이 원하는 것 파악하기, 주장 표명하고 반박하기, 공동의 이익 탐색하기 등 • 문제를 해결할 구체적인 제안이나 [❹ _____]을 상호 검토하여 입장 차이를 좁혀 감.
해결 단계	• 양측에게 이익이 되는 최선의 [❺ _____]을 제시함. • 해결책에 합의하며, 합의한 바를 이행함.

❶ 이익

❷ 원인

❸ 조정

❹ 대안

❺ 해결책

핵심 2 | **행복시와 문화시의 협상 과정 및 내용**

시작 단계

• 갈등의 원인을 확인하고 문제 해결의 가능성을 확인함.

행복시	문화시
문화시가 풀꽃 축제를 중단해야 함.	풀꽃 축제를 중단할 수 없음.

→ 문화시가 문제 해결을 위한 [❻ _____]을 제안함.

❻ 협상

조정 단계

• 양측의 처지와 관점을 제시하며, 제안이나 [❼ _____]을 검토함.

행복시	문화시
– 들꽃 축제의 고유성이 훼손됨. – 관광객 감소로 경제적 손실이 큼.	– 축제의 소재만 비슷할 뿐 세부 내용은 다름. – 관광객의 증감은 접근성 때문임.
⬇	⬇
– 문화시의 축제 내용을 다르게 할 것, 경제적 손실을 보전해 줄 것 – 들꽃 축제를 홍보해 줄 것 – 풀꽃 축제의 이름을 변경할 것	– 공동 사업을 추진하여 발생하는 이익을 나눌 것 – 축제 운영 정보를 제공해 줄 것

❼ 대안

해결 단계

• 서로의 제안을 수용하고 공동 사업을 통해 이익을 분배하기로 [❽ _____]을 도출함.

❽ 합의안

정답과 해설 86쪽

1 다음은 협상의 개념에 대한 설명이다. ㉠, ㉡에 들어갈 알맞은 말을 각각 쓰시오.

> 협상이란 개인이나 집단 사이에서 이익과 주장이 달라 (㉠)이 생길 때, 문제를 해결하기 위해 서로 (㉡)하고 조정하면서 해결 방법을 찾아가는 의사소통의 방식이다.

• ㉠: (   ) • ㉡: (   )

3 협상의 절차와 그 세부 과정을 바르게 연결하시오.

(1) 시작 단계 •
• ⓐ
- 갈등의 원인 분석
- 문제 해결의 가능성 확인

(2) 조정 단계 •
• ⓑ
- 최선의 해결책 제시
- 문제 해결과 합의
- 합의 이행

(3) 해결 단계 •
• ⓒ
- 문제 확인
- 상대의 처지와 관점 이해
- 제안이나 대안 검토

3일

2 다음과 같은 갈등 상황을 해결하기 위한 태도로 적절하지 <u>않은</u> 것은?

① 타협하며 서로의 입장 차이를 줄여 나가야 한다.
② 두 사람 모두에게 이익이 될 수 있는 방안을 찾아야 한다.
③ 원하는 바를 얻기 위해 자기주장을 강하게 밀고 나가야 한다.
④ 각자 양보할 수 있는 부분과 양보할 수 없는 부분을 생각해 보아야 한다.
⑤ 양보가 가능한 부분에서는 서로 하나씩 주고받으며 해결 방안을 찾아봐야 한다.

4 다음과 같이 행복시와 문화시가 협상 중일 때, 이 과정에서 이루어지는 일을 〈보기〉에서 모두 고르시오.

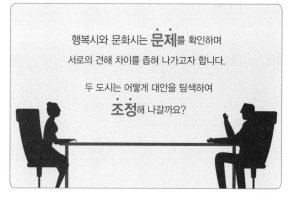

행복시와 문화시는 **문제**를 확인하며 서로의 견해 차이를 좁혀 나가고자 합니다.

두 도시는 어떻게 대안을 탐색하여 **조정**해 나갈까요?

┌─ 보기 ─
㉮ 행복시와 문화시가 갈등하게 된 원인을 파악한다.
㉯ 행복시와 문화시가 각각 자신들의 관점을 제시한다.
㉰ 서로의 입장을 고려하여 새로운 제안이나 대안을 제시한다.
㉱ 두 시 모두 만족할 만한 합의안을 마련하고 이를 수용하며 문제를 해결한다.

3 ^일 교과서 기출 베스트

협상의 개념 이해하기

1 협상에 대한 설명으로 적절하지 **않은** 것은?

빈출
유형

① 협상의 방법은 서로 타협하고 조정하는 것이다.

② 협상의 목적은 상대방보다 많은 이익을 얻는 것이다.

③ 협상을 통해 개인이나 집단 사이의 갈등을 해결할 수 있다.

④ 협상을 할 때에는 상대의 처지와 관점을 이해하는 태도가 필요하다.

⑤ 협상은 둘 이상의 이해관계자들이 함께 문제 해결 방법을 찾아가는 의사소통 방식이다.

협상의 절차 이해하기

2 윗글이 협상의 시작 단계라고 할 때, 이 과정에서 고려할 점으로 적절한 것은?

빈출
유형

① 구체적인 합의 이행 계획을 세운다.

② 상대방의 생각, 감성, 욕구를 파악한다.

③ 양보할 수 있는 것과 없는 것을 정한다.

④ 갈등이 생기게 된 근본 원인을 파악한다.

⑤ 서로에게 이익이 되는 최선의 대안을 선택한다.

[2~4] 다음 글을 읽고, 물음에 답하시오.

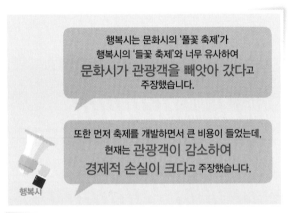

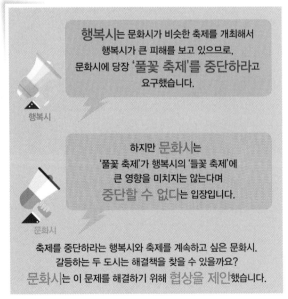

협상의 세부 내용 파악하기

3 행복시와 문화시가 갈등하게 된 원인으로 적절하지 **않은** 것은?

빈출
유형

① 두 도시에서 운영하고 있는 축제의 성격이 유사하기 때문이다.

② 두 도시가 축제 개최에 들이는 비용과 노력이 다르기 때문이다.

③ 행복시가 문화시의 축제 때문에 경제적 손실을 입고 있다고 생각하기 때문이다.

④ 문화시가 행복시의 문제 제기 때문에 축제를 중단해야 할 위기에 처해 있기 때문이다.

⑤ 풀꽃 축제가 들꽃 축제의 흥행에 영향을 미치는가와 관련해 두 도시의 판단에 차이가 있기 때문이다.

협상 참여자의 입장 파악하기

4 윗글에서 행복시와 문화시의 주장을 〈조건〉에 맞게 서술하시오.

서술
유형

> ━━━● 조건 ●━━━
> • '풀꽃 축제'의 지속 여부와 관련하여 서술할 것
> • '행복시는 ~(라)고 주장하고, 문화시는 ~(라)고 주장하고 있다.'의 문장 형식으로 서술할 것

[5~6] 다음 글을 읽고, 물음에 답하시오.

> 문화시가 풀꽃 축제의 내용을 우리 축제의
> 내용과 더욱 다르게 하고, 관광객이
> 감소하여 발생한 우리 시의 경제적 손실을
> 보전해 준다면, 문화시의 풀꽃 축제 운영을
> 반대하지 않겠다.

> 당장은 힘들지만, 내년부터는 새로운 내용을 개발하여
> 우리 축제를 들꽃 축제와 차별화하겠다. 그런데 행복시
> 의 경제적 손실에 대한 보전은 어려운 문제이다.

> 그렇다면 경제적 손실은 일부만 보전하라. 그 대신 유
> 동 인구가 많은 문화시에서 우리 시의 들꽃 축제를 홍보
> 하여 다시 관광객이 늘 수 있도록 도와주면 좋겠다.

> 우리 시에서 행복시의 축제를 홍보하는 것은 가능하다.
> 그러나 경제적 손실을 일부 보전하는 것보다는 공동 사업을
> 추진하여 발생하는 이익을 나누는 방안이 좋겠다.

행복시는 문화시가 내놓은 대안을 받아들였습니다.

> 우리 시는 축제를 시행한 지 얼마 되지 않아
> 미숙한 점이 많다. 비슷한 소재의 축제를
> 먼저 개발한 행복시에서 우리에게
> 축제 운영 정보를 제공해 달라.

> 들꽃 축제 정보를 제공하겠다. 하지만 축제 운영 정보
> 를 그대로 주면 두 축제가 너무 비슷해질 우려가 있다.
> '풀꽃 축제'의 이름을 바꾸어서 우리와 더 차별화하
> 면 좋겠다.

> 유익한 정보를 얻을 수 있다면 우리 축제의 이름을 바
> 꾸겠다. 우리 시는 접근성이 높으므로 일정 수의 관광객
> 은 확보할 수 있을 것이다.

> 좋은 생각이다. 먼저 축제를 개발한 도시로서 우리도
> 문화시의 축제가 성공할 수 있도록 적극 협력하겠다.

> 두 도시는 대안을 탐색하며
> 원만하게 협상을 진행하였습니다.

협상의 과정 파악하기

5 협상을 통해 행복시와 문화시가 얻은 이익으로 적절하지 <u>않은</u> 것은?

① 행복시는 들꽃 축제의 고유성을 확보하였다.

② 행복시는 문화시의 홍보로 관광객 증가를 기대할 수 있게 되었다.

③ 문화시는 축제 운영을 지속할 수 있게 되었다.

④ 문화시는 축제 차별화 방안을 개발하게 되었다.

⑤ 문화시는 행복시의 들꽃 축제 운영 정보를 얻을 수 있게 되었다.

협상의 결과 이해하기

6 행복시와 문화시가 최종 합의안을 끌어냈다고 할 때, 그 내용으로 적절하지 <u>않은</u> 것은?

① 행복시는 축제의 운영 정보를 문화시에 제공한다.

② 행복시는 문화시 축제의 활성화를 위하여 적극 협력한다.

③ 두 도시는 공동 사업을 추진하여 이익을 반으로 나눈다.

④ 두 도시 모두 축제의 이름을 바꾸어 축제의 내용을 차별화한다.

⑤ 문화시는 지하철 안전문이나 전광판에 행복시의 축제를 홍보한다.

4 (1) 광야/신의 방

생각열기 문학 작품에서 무엇을 발견할 수 있을까?

어린 왕자는 여행을 하다가 엄청나게 많은 책을 읽는 로봇을 만났어요.

이 소설은 250쪽인데, 이동 거리를 고려할 때 주인공은 총 38245보 걸었어.
책을 읽고는 있지만 아무 느낌이 없다.
문학 작품이 뭘 말하려는 건지 도무지 모르겠군.

이 시는 5연으로
구성되어 있고, 총 290자야.

로봇 머리에서
열기가 나고 있네.
무슨 일이지?

문학 작품에 담긴 의미를 몰라 난감해하는 로봇에게,
어린 왕자는 작품마다 특별한 사회·문화적 가치가 담겨 있다는 것을 알려 주었어요.

로봇, 네가 생각하는 소중한 가치는 뭐야?
삶에서 중요하다고 여기는 것은?

음, 내가 중요하게
생각하는 건……

평화

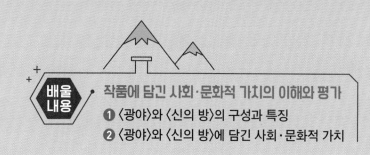

문학 작품에는 그 시대의
사람들이 중요하게 여겼던
가치가 담겨 있어.
예를 들면…….

일제 강점기의
작품에는 민족의
독립이라는
사회·문화적 가치가
담겨 있고,

최근에는
환경 보호,
생태적 가치를
담은 작품들이
많이 나타나고
있지.

어린 왕자의 말을 들은 로봇은, 그 뒤로 문학 작품을 읽을 때 그 속에 담긴 사회·문화적 가치가
무엇인지 발견하며 인간들이 사는 세계를 더욱 잘 이해하게 되었답니다.

로봇: 아! 작품에는 시대, 지역, 문화에 따라 다양한
사회·문화적 가치가 담겨 있구나!

핵심 1 　문학 작품에 담긴 사회·문화적 가치와 평가

사회·문화적 가치	❶　　　　 차원에서 중요하게 여기는 대상이나 관념 → 시대, 지역, 문화 등에 따라 다르게 나타날 수 있음.

❶ 공동체

▼ 문학 작품에 반영

문학 작품에 담긴 사회·문화적 가치	작가가 중시한 사회적 또는 공동체적 목표, 추구해야 할 대상 → 작품의 ❷　　　　 과 연관되어 있음.

❷ 주제 의식

➡ 독자가 작품을 수용할 때에는 작가의 생각을 그대로 받아들이기보다는 자신의 ❸　　　　
　에 따라 작품을 해석하고 평가할 수 있어야 함.

❸ 가치관

핵심 2 　〈광야〉 제재 정리

갈래	자유시, 서정시
주제	조국의 ❹　　　　 과 민족의 이상 실현에 대한 의지와 염원
특징	① 독백적 어조로 내면의 신념을 드러냄. ② 광활한 공간과 유구한 시간을 조화시켜 시상을 전개함. ③ 시어에 ❺　　　　 의미를 부여하여 시인의 현실 극복 의지를 표현함.

❹ 광복(독립)

❺ 상징적

핵심 3 　〈광야〉의 구성

1연	2연	3연	4연	5연
태초의 광야	광야의 광활함	역사와 문명의 시작	암담한 현실 상황	미래에 대한 기대와 확신

❻　　　　 의 형성 과정　　　　현실 극복 의지　　미래에의 희망

❻ 광야

핵심 4 　〈광야〉에 담긴 사회·문화적 가치

시적 상황	❼　　　이 어려움에 처해 있는 상황
시적 화자의 태도	현실을 극복하려는 ❽　　　 · 자기희생적 태도

민족,
민족의 독립

❼ 민족

❽ 의지적

1 사회·문화적 가치에 대한 설명으로 적절하지 <u>않은</u> 것은?

① 시대에 따라 사회·문화적 가치는 달라질 수 있다.

② 공동체 차원에서 중요하게 여기는 대상이나 관념을 의미한다.

③ 문학 작품 안에는 특정한 사회·문화적 가치가 반영 될 수 있다.

④ 작가가 중시하는 사회·문화적 가치는 작품을 매개로 독자에게 영향을 줄 수 있다.

⑤ 사회·문화적 가치는 공동체의 구성원이 달라지더라도 항상 중요한 가치로 인정받는다.

2 〈광야〉의 내용을 〈보기〉와 같이 정리할 때 다음 빈칸에 알맞은 말을 쓰시오.

┌─────────────────── 보기 ─┐

| 1연 | 까마득한 날 | … | 하늘이 처음 열림. |

↓

| 2연 | 산맥들이 휘달릴 때 | … | 광야를 침범하지 못함. |

↓

| 3연 | 끊임없는 광음 | … | 큰 강물이 길을 엶. |

↓

| 4연 | 지금 | … | 눈이 내림. 매화 향기 아득함. |

↓

| 5연 | 천고의 뒤 | … | 초인이 백마를 타고 옴. |

이 시는 과거-현재-미래로 이어지는 시간 속에서 광야의 모습을 제시한 것으로 볼 때, (   )에 따라 시상을 전개하고 있어.

3 〈광야〉의 시어와 그 상징적 의미를 바르게 연결하시오.

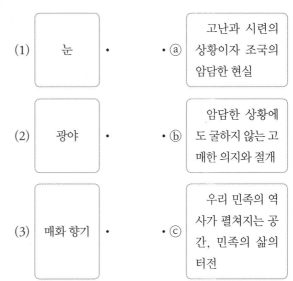

(1) 눈 · · ⓐ 고난과 시련의 상황이자 조국의 암담한 현실

(2) 광야 · · ⓑ 암담한 상황에도 굴하지 않는 고매한 의지와 절개

(3) 매화 향기 · · ⓒ 우리 민족의 역사가 펼쳐지는 공간, 민족의 삶의 터전

4 〈광야〉에 나타난 시적 화자의 대응 방식과 태도를 다음과 같이 정리할 때, 괄호 안의 알맞은 말에 O 표 하시오.

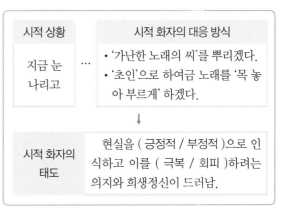

시적 상황	시적 화자의 대응 방식
지금 눈 나리고 …	• '가난한 노래의 씨'를 뿌리겠다. • '초인'으로 하여금 노래를 '목 놓아 부르게' 하겠다.

↓

| 시적 화자의 태도 | 현실을 (긍정적 / 부정적)으로 인식하고 이를 (극복 / 회피)하려는 의지와 희생정신이 드러남. |

핵심 5 〈신의 방〉 제재 정리

갈래	자유시, 서정시, 산문시
주제	생명의 ❶ [　　] 이 일어나는 생명의 공간이라는 의미를 갖는 통시
특징	① 제주도의 전통적 배변 공간을 생명의 관점에서 묘사함. ② 생태적 가치관과 편리성·❷ [　　] 을 추구하는 가치관을 대조함. ③ '-지요, -군요, -데요' 등의 부드러운 종결 표현을 활용한 이야기체로 서술함.

❶ 순환

❷ 효율성

핵심 6 〈신의 방〉에 나타난 시어의 대립적 의미

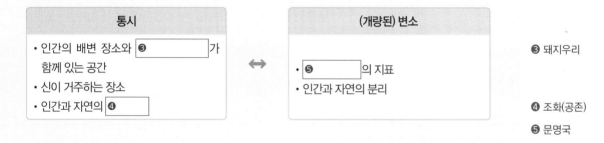

통시
- 인간의 배변 장소와 ❸ [　　] 가 함께 있는 공간
- 신이 거주하는 장소
- 인간과 자연의 ❹ [　　]

⟷

(개량된) 변소
- ❺ [　　] 의 지표
- 인간과 자연의 분리

❸ 돼지우리

❹ 조화(공존)

❺ 문명국

핵심 7 〈신의 방〉에 담긴 사회·문화적 가치

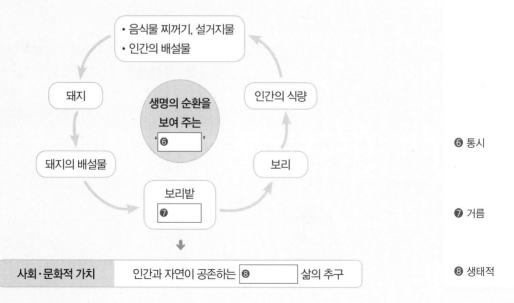

- 음식물 찌꺼기, 설거지물
- 인간의 배설물

돼지

생명의 순환을 보여 주는 '❻ [　　]'

인간의 식량

돼지의 배설물

보리

보리밭 ❼ [　　]

사회·문화적 가치	인간과 자연이 공존하는 ❽ [　　] 삶의 추구

❻ 통시

❼ 거름

❽ 생태적

정답과 해설 87쪽

5 다음은 〈신의 방〉에 대한 설명이다. 맞으면 O, 틀리면 X 표 하시오.

(1) 전통적 배변 공간에서 일어나는 생태적 순환의 모습을 보여 주고 있다. ( )

(2) '-지요', '-군요' 등의 부드러운 종결 표현과 문장의 길이가 긴 이야기체를 활용하여 주제 의식을 부각하고 있다. ( )

6 〈신의 방〉에서 '통시'를 나타내는 것을 모두 고르시오.

ⓐ 인간의 배변 장소와 돼지우리가 함께 있는 방
ⓑ 넓찍한 호를 파고 지푸라기를 깔아 준 방
ⓒ 문명국의 지표인 변소
ⓓ 내 몸 속의 방
ⓔ 신이 거주하는 장소라 여긴 곳

7 다음은 〈신의 방〉에 나타난 생명 순환 과정을 도식화한 것이다. ㉠, ㉡에 들어갈 알맞은 내용을 각각 쓰시오.

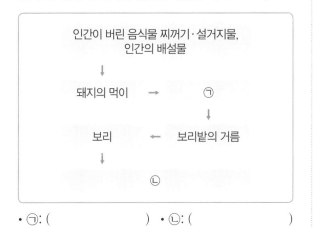

```
인간이 버린 음식물 찌꺼기·설거지물,
인간의 배설물
        ↓
돼지의 먹이  →        ㉠
                     ↓
보리    ←    보리밭의 거름
↓
㉡
```

• ㉠: ( ) • ㉡: ( )

8 〈보기〉를 참고할 때 〈신의 방〉에서 '통시'가 상징하는 삶의 방식으로 적절한 것은?

> ● 보기 ●
> 통시는 제주도의 전통 재래식 변소이다. 인간의 배변과 돼지의 생육이 함께 이루어진 공간으로, 인간의 배설물을 먹여 돼지를 기르고, 돼지의 배설물이 밭의 거름이 되는 등 생명과 생명이 연결되는 자연의 섭리가 드러나는 공간이기도 하였다.

① 자연을 효율적으로 지배하는 삶
② 자원을 많이 소모하며 낭비하는 삶
③ 자원을 개발하여 편리성을 추구하는 삶
④ 기술과 문명의 발달로 여유롭고 풍족한 삶
⑤ 생명이 순환하는 생태계에서 인간도 그 일부로서 살아가는 삶

9 〈신의 방〉을 읽은 학생들의 반응 중 작품에 담긴 사회·문화적 가치를 주체적으로 평가하며 감상한 것은?

지연: 이 시는 행을 나누지 않고 문장을 연달아 이어 쓴 산문시네. ·········· ㄱ

재현: 통시는 똥을 누는 일과 먹는 일이 함께 일어나는 장소구나. ·········· ㄴ

은재: 마치 독자에게 말을 거는 것처럼 친근한 어조를 사용하고 있어. ·········· ㄷ

지율: 생명을 존중해야 하고, 생태적 삶이 소중하다는 작가의 가치관이 드러나 있어. ·········· ㄹ

성우: 인간과 자연의 공존도 중요하지만 문명의 발전을 위해 자연을 개척할 필요도 있다고 생각해. ·········· ㅁ

① ㄱ   ② ㄴ   ③ ㄷ   ④ ㄹ   ⑤ ㅁ

[1~7] 다음 글을 읽고, 물음에 답하시오.

까마득한 날에
하늘이 처음 열리고
어데 닭 우는 소리 들렸으랴

모든 산맥들이
바다를 연모해 ㉠휘달릴 때도
차마 이곳을 범하던 못하였으리라

끊임없는 ㉡광음을
부지런한 계절이 피어선 지고
큰 강물이 비로소 길을 열었다

지금 눈 나리고
매화 향기 홀로 아득하니
내 여기 가난한 노래의 씨를 뿌려라

다시 천고의 뒤에
백마 타고 오는 ㉢초인이 있어
이 광야에서 목 놓아 부르게 하리라

시의 장면 파악하기

1 윗글에 대한 설명으로 적절하지 <u>않은</u> 것은?

빈출유형

① 1연: 천지가 개벽하는 태초의 적막하고 장엄한 분위기를 표현하고 있다.
② 2연: 산맥의 형성 과정을 의인화하여 광야의 모습을 역동적으로 그리고 있다.
③ 3연: 우리 민족의 유구한 역사를 '큰 강물'의 이미지로 보여 주고 있다.
④ 4연: 희망이 없는 현실을 '매화 향기 홀로 아득'한 상황으로 형상화하고 있다.
⑤ 5연: 우리 민족을 구원할 인물을 '백마 타고 오는 초인'으로 그려 내고 있다.

시의 표현 방법 이해하기

2 윗글의 표현상 특징으로 적절하지 <u>않은</u> 것은?

빈출유형

① 상징적인 시어로 시대 상황을 그려 내고 있다.
② 색채어의 대비로 화자의 내적 갈등을 부각하고 있다.
③ 독백적 어조로 화자의 신념과 의지를 드러내고 있다.
④ 명령형 어미를 활용하여 화자의 단호한 의지를 표현하고 있다.
⑤ 과거-현재-미래로 이어지는 시간의 흐름에 따라 시상을 전개하고 있다.

시의 화자 이해하기

3 윗글의 시적 화자에 대한 설명으로 적절한 것은?

① 부재하는 대상을 그리워하고 있다.
② 강인한°지사적 면모를 드러내고 있다.
③ 투철한 역사의식으로 자신을 반성하고 있다.
④ 속세를 떠나 자연과의 합일을 소망하고 있다.
⑤ 세월의 흐름에 따른 인생의 무상감을 드러내고 있다.

🔊 도움말
• **지사적** 나라와 민족을 위하여 제 몸을 바쳐 일하려는 뜻을 가진 사람과 같은.

시어의 의미 이해하기

4 〈보기〉는 윗글에 사용된 시어의 사전적 의미이다. 이를 참고해 윗글을 감상한 내용으로 적절하지 <u>않은</u> 것은?

┌─────────────────────── 보기 ┐
ⓐ 휘달리다: 급한 걸음으로 빨리 달리거나 바쁘게 돌아다니다.

ⓑ 광음: 햇빛과 그늘, 즉 낮과 밤이라는 뜻으로 시간이나 세월을 이르는 말.

ⓒ 초인: 보통 사람으로는 생각할 수 없을 만큼 뛰어난 능력을 가진 사람.
└──────────────────────────┘

① ⓐ을 보니 '산맥들'이 마치 살아 있는 것처럼 표현되어 있군.

② ⓐ은 '산맥', '바다'와 관련되어 '광야'의 역동적 모습을 효과적으로 드러내는군.

③ ⓑ은 시간의 흐름을 드러내며 '광야'의 과거와 현재를 대조하는군.

④ ⓒ이 '있어'라고 화자가 단정적으로 이야기하는 것은 민족의 미래에 대한 희망과 확신이 있기 때문이군.

⑤ '천고의 뒤'에 나타날 인물을 ⓒ으로 설정한 것은 이러한 능력을 가진 사람이라야 암울한 현실을 바꿀 수 있다고 생각했기 때문이군.

구절의 상징적 의미 이해하기

5 윗글에서 〈보기〉의 빈칸에 들어갈 알맞은 시 구절을 찾아 3어절로 쓰시오.

서술유형

┌─────────────────────── 보기 ┐
〈광야〉에서는 상징적 시어를 통해 주요한 시적 의미를 전달합니다. 시어 '눈'은 화자가 처해 있는 냉혹하고 암담한 조국의 현실을 의미하고, '(   )'는 그러한 현실을 극복하기 위한 화자의 자기희생적 의지를 상징한다고 볼 수 있어요.
└──────────────────────────┘

시행의 표현 방법 파악하기

6 윗글에서 〈보기〉의 설명에 해당하는 시행을 찾아 쓰시오.

서술유형

┌─────────────────────── 보기 ┐
• 반복되는 자연 현상에 빗대어 시간의 흐름을 나타내고 있다.

• 의인법을 활용하고 있다.
└──────────────────────────┘

시에 담긴 사회·문화적 가치 파악하기

7 〈보기〉를 참고하여 윗글을 이해한 내용으로 적절하지 <u>않</u>은 것은?

┌─────────────────────── 보기 ┐
이육사는 국운이 기울던 1904년에 태어나, 해방 한 해 전(1944년)에 일제의 북경 감옥에서 사망하였다. 그는 어려서 유학자인 조부 아래에서 공부하였으며 커서는 항일 운동가로서 활동하였다. 그는 만 23세 때 조선은행 대구 지점 폭발물 사건에 관련되어 옥살이를 하였는데, 당시 수인 번호가 264번이었다. 호 '육사'는 여기에서 비롯되었다고 한다.

└──────────────────────────┘

① 일제에 대한 시인의 저항 정신이 시의 주제 의식으로 나타나고 있군.

② 독립에 대한 시인의 강력한 열망이 시에서 의지적 어조로 나타나고 있군.

③ 조국과 민족에 대한 시인의 애정이 시에서 '광야'라는 공간을 통해 드러나고 있군.

④ 시인이 옥살이를 하면서 느꼈을 절망과 비관이 시의 핵심적인 정서로 나타나고 있군.

⑤ 시인이 처한 일제 강점기라는 현실이 시에서 부정적인 시적 상황으로 형상화되고 있군.

[8～14] 다음 글을 읽고, 물음에 답하시오.

㉠이런 돼지가 살았다지요 반들거리는 검은 털에 날렵한 주둥이를 가진, 유난히 흙의 온기를 좋아하여 흙이랑 노는 일을 제일로 즐거워했다는군요 ㉡기른다는 것이 실은 서로 길드는 것이어서 이 지방 사람들은 ⓐ통시라는 거처를 마련했다지요 인간의 배변 장소와 돼지우리가 함께 있는 아주 재미난 방인 셈인데요 지붕을 덮지 않은 널찍한 호를 파고 지푸라기 조금 깔아 준 방 안에서 이 짐승은 눈비 맞고 흙과 똥과 뒹굴면서 비바람 햇볕을 고스란히 살 속에 아로새기게 되었다는데요 음식물 찌꺼기며 설거지물까지 버릴 것 없이 모아 둔 큰 독 속에서 ㉢한때 빛나던 것들이 제힘으로 다시 빛날 때 발효한 이 먹이를 돼지가 먹고 돼지의 배설물은 보리밭 거름으로 이쁜 보리들을 길렀다는데요 그래도 이 짐승의 주식이 사람의 똥이었던 것은 생명은 생명에게 공양되는 법이라 행여 남아 있을 ㉣산 것들의 온기가 더럽고 하찮은 것으로 취급될까 두려운 때문이 아니었는지 몰라

나라의 높은 분이 보기에 미개하여 시멘트 네 포대씩 무상 지급한 때가 있었다는데요 문명국의 지표인 변소를 개량하라 다그쳤다는데요 ㉤흔적이나마 통시가 아직 남아 내 몸속의 방을 향해 손 내밀어 주는 것은, 똥 누고 먹는 일이 한가지로 행해지는 그곳을 신이 거주하는 장소라 여긴 하늘 가운 섬사람들이 있었기 때문입니다.

시의 표현 방법 이해하기

8 윗글에 대한 설명으로 적절하지 <u>않은</u> 것은?
빈출유형

① 유사한 종결 어미를 반복하여 운율감을 드러내고 있다.

② 특정한 장소를 구체적인 묘사를 통해 형상화하고 있다.

③ 대조적인 이미지를 활용하여 주제 의식을 드러내고 있다.

④ 상대 높임 표현을 활용하여 부드러운 어조를 형성하고 있다.

⑤ 질문을 던지고 스스로 답하는 방식을 활용하여 시상을 전개하고 있다.

구절의 의미 파악하기

9 ㉠～㉤에 대한 설명으로 적절하지 <u>않은</u> 것은?
빈출유형

① ㉠: 다른 이에게 들은 것을 전달해 주는 어투로 중심 소재를 제시하고 있다.

② ㉡: 단어의 의미를 새롭게 해석하여 돼지와 인간의 관계에 대한 인식을 보여 준다.

③ ㉢: 버려진 음식물이 돼지의 먹이로서 다시 가치를 갖게 됨을 의미한다.

④ ㉣: 사람이나 돼지의 배설물도 가치 있게 여겨져야 한다는 관점이 드러난다.

⑤ ㉤: 오늘날에는 통시로 상징되는 삶의 방식이 적합하지 않음이 드러난다.

시어의 의미 이해하기

10 ⓐ를 이해한 내용으로 적절하지 <u>않은</u> 것은?
빈출유형
① 인간과 자연이 서로 관계를 맺는 곳이다.
② 두 개의 서로 다른 가치관이 대립하는 곳이다.
③ 생명이 다른 생명의 존재를 가능하게 하는 곳이다.
④ 그 특성으로 인해 현재는 사라지고 흔적만 남은 곳이다.
⑤ 섬에 사는 사람들의 전통적인 삶의 방식이 나타나는 곳이다.

시어 간의 관계 파악하기

11 윗글의 시어 중 그 성격이 나머지와 <u>다른</u> 하나는?
① 보리　② 변소　③ 설거지물
④ 사람의 똥　⑤ 음식물 찌꺼기

시적 화자의 특성 이해하기

12 윗글의 시적 화자의 특성으로 적절한 것을 〈보기〉에서 모두 고른 것은?
빈출유형

━━━ 보기 ━━━
ㄱ. 직접 겪은 일을 회상하며 과거의 자신을 반성하고 있다.
ㄴ. 특정한 대상이 가진 가치를 긍정적으로 평가하고 있다.
ㄷ. 자신이 처한 비극적인 상황에 대해 체념적인 태도를 보이고 있다.
ㄹ. 산문적인 서술을 통해 자신이 중시하는 가치관이 드러나도록 의도하고 있다.

① ㄱ, ㄴ　② ㄱ, ㄷ　③ ㄴ, ㄷ
④ ㄴ, ㄹ　⑤ ㄴ, ㄷ, ㄹ

시의 내용 이해하기

13 윗글을 읽고 난 후의 반응으로 적절하지 <u>않은</u> 것은?
① '통시'와 '변소'는 대립적인 의미를 지니는군.
② '돼지'와 '사람들'은 자연의 일부라는 점에서 공통적이군.
③ '음식물 찌꺼기'나 '설거지물'에도 생명의 속성이 남아 있군.
④ '섬사람들'은 '한때 빛나던 것들'을 존중하는 풍습을 가지고 있는 것으로 보이는군.
⑤ '나라의 높은 분'은 '시멘트'가 가진 생명의 가치를 높이 평가해서 사람들에게 무상으로 지급했겠군.

시에 담긴 사회·문화적 가치 파악하기

14 〈보기〉의 도식이 의미하는 바를 바탕으로 하여 윗글에 담긴 사회·문화적 가치를 〈조건〉에 맞게 서술하시오.
서술유형

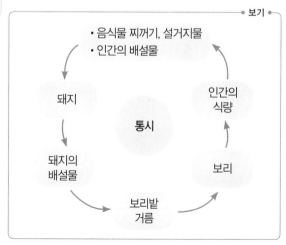

━━━ 조건 ━━━
• '인간'과 '자연'이라는 단어를 포함하여 서술할 것
• '〈신의 방〉은 ~를 통해 ~하는 삶의 가치를 추구하고 있다.'의 문장 형식으로 서술할 것

5 일

(2) 황만근은 이렇게 말했다
(3) 경험과 성찰을 담은 글 쓰기

생각 열기 성찰하는 글쓰기를 통해 무엇을 얻을 수 있을까?

각별한 친구 사이인 어린 왕자와 여우는 말다툼을 하고 사막을 헤매던 중 '성찰의 동굴'이라고 적혀 있는 곳을 발견했어요.

동굴 안으로 들어가니 동굴 벽에는 사람들이 자신의 경험을 성찰하며 글을 쓴 흔적들이 있었어요. 또 성찰하는 글을 쓰는 방법도 적혀 있었답니다.

〈성찰하는 글을 쓰는 방법〉

1. 구체적인 경험을 떠올리며 그때 느낀 감정과 깨달음을 정리합니다.
2. ……

이게 뭐지?

성찰하는 글?

어린 왕자와 여우는 둘이 다투었던 경험과
그때의 감정을 떠올리며 차분히 글을 썼습니다.

두 사람은 자신의 잘못을
깨닫고 화해를 했습니다.

어린 왕자: 여우야, 내가 잘못했어.

여우: 나도 내 생각만 했던 것 같아. 미안해.

내가 여우의 기분을
고려하지 않았어.

내가 어린 왕자에게 너무했네.
먼저 사과해야겠어.

글쓰기의 효용을 발견한 어린 왕자는 그동안 자신의 여행 이야기를 담은 책을 썼어요.
어린 왕자의 생생한 경험과 성찰이 담긴 책은 많은 사람들의 사랑을 받았답니다.

베스트셀러 기념 사인회

어린 왕자의 이야기,
정말 기대된다!

이 책에는
여행하면서 겪은 다양한
경험과 저의 깨달음이
담겨 있어요.

핵심 1 〈황만근은 이렇게 말했다〉 제재 정리

갈래	단편 소설, 농촌 소설
주제	① 황만근의 덕성과 이타적인 삶 ② ❶□□로 얼룩진 농촌 현실과 각박한 인심에 대한 비판
배경	1990년대 말, 경상도 농촌 마을
특징	① 바보형의 우직한 인물을 통해 이기적인 세태를 비판하고 있음. ② 사투리를 사용하여 향토성을, 인물의 언행을 통해 ❷□□□을 드러내고 있음. ③ 황만근의 생애를 기록한 앞부분과, 민 씨의 평가를 덧붙인 뒷부분으로 구성되어 전(傳)의 형식과 유사함.

❶ 부채

❷ 해학성

핵심 2 〈황만근은 이렇게 말했다〉의 등장인물

황만근	• 마을의 궂은일을 도맡아 하며 가족에게 헌신함. • 자신을 돌보지 않으며, 천성적으로 술을 좋아함. • 농사꾼은 ❸□□을 지면 안 된다고 생각함. • 사람들에 대해 배려심이 깊고 공평무사함.
이장	황만근의 실종에 책임이 있으면서도 자기 일에만 신경 쓰는 이기적인 인물임.
❹□□	귀농한 지 얼마 안 된 외지인. 마을에서 황만근의 진실성과 가치를 유일하게 인정해 줌.
마을 사람들	황만근을 무시하고 그를 있으나 마나 한 존재로 취급해 왔지만, 황만근의 부재로 그가 마을에서 꼭 필요한 존재였음을 깨닫고 아쉬워하는 ❺□□□인 모습을 보임.

❸ 빚

❹ 민 씨

❺ 타산적

핵심 3 〈황만근은 이렇게 말했다〉에 담긴 사회·문화적 가치

시대 상황	인물(황만근)
• ❻□□□□의 풍습이 사라지고 인간 관계가 각박해짐. • 농가 부채 문제가 심각함.	• 근면·성실하고, 가족과 마을을 위해 헌신함. • 농사꾼은 빚을 지면 안 된다는 소신을 가짐.

⬇

• ❼□□□ 삶의 자세
• 공동체에 대한 봉사
• 부채 없이 성실한 노동으로 ❽□□하는 삶의 가치

❻ 상부상조
❼ 이타적
❽ 자립

개념 Catch

• 전(傳): 어떤 사람의 독특한 행적을 기록하고, 교훈적인 내용이나 비판을 덧붙인 글.

1 다음은 〈황만근은 이렇게 말했다〉의 핵심적인 사건을 정리한 도식이다. 빈칸에 알맞은 말을 쓰시오.

> 황만근의 (   )
>
> ・마을 사람들을 소집하는 계기가 됨.
> ・황만근에 대한 마을 사람들의 시각이 드러남.
> ・독자의 호기심을 자극하여 이후의 내용 전개에 몰입하게 함.

2 황만근에 대한 설명으로 알맞은 것을 〈보기〉에서 모두 고르시오.

─ 보기 ─

ⓒ 자신의 입장만 생각하는 이기적인 인물이다.
ⓒ 마음은 착하지만 농사나 동네일에 서툰 인물이다.
ⓒ 마을의 궂은일을 도맡아 하는 배려심 있는 인물이다.
ⓒ 쉽게 내주는 빚을 손쉽게 얻어 쓰는 세태에 휩쓸리지 않는 소신 있는 인물이다.

3 〈황만근은 이렇게 말했다〉의 등장인물과 인물에 대한 설명을 바르게 연결하시오.

(1)
황만근의
어머니
・

・ⓐ 황만근의 진실성과 가치를 유일하게 인정하는 인물

(2)
이장
・

・ⓑ 집안일을 돌보지 않고 자식의 봉양을 받는 인물

(3)
민 씨
・

・ⓒ 황만근의 실종에 책임이 있지만 자신의 일에만 신경 쓰는 인물

4 〈보기〉를 통해 알 수 있는 농촌의 문제로 알맞은 것은?

─ 보기 ─
"그란데 민 씨는 진짜 농사꾼도 아이민서 왜 자꾸 농민 궐기 대회에 나갈라꼬 캐싸."
"아아, 저도 부채는 남부럽지 않게 있어요."
또래인 황학수가 말을 이어 받았다.
"농사를 지도 부채, 농사를 몰라도 부채. 아이고, 그라마 우리를 다 합치 가이고 부채 말고 선풍기를 해도 되겠네."

① 농촌 인구가 급격히 줄어들고 있다.
② 농촌 사회에 빚을 진 농민들이 많았다.
③ 농촌에 젊은 사람들이 거의 남지 않았다.
④ 농촌에서 서로 일을 돕는 풍습이 사라지고 있다.
⑤ 경제 위기 때문에 도시에서 농촌으로 밀려난 사람들의 수가 늘고 있다.

[1~2] 다음 글을 읽고, 물음에 답하시오.

황만근이 없어졌다. 새벽에 혼자 경운기를 타고 집을 나간 황만근은 늘 들일을 나가면 돌아오는 시각인 저물녘에 돌아오지 않았다. ㉠술을 마시고 취하더라도 열두 시가 될락 말락 한 한밤이면 돌아왔는데 이번에는 아니었다. 평생 단 하루 외박한 뒤 돌아왔던 그 시각, 횃대의 닭이 울음을 그치는 아침이 되어도 돌아오지 않았다. ㉡마을 회관 앞, 황만근이 직접 심어 놓은 등나무 덩굴 아래, 직접 짠 평상에 사람들이 모였다. 먼저 이장이 입을 열었다.

"㉢만그인지 반그인지 그 바보 자석 하나 때문에 소여물도 못 하러 가고 이기 뭐라. 스무 바리나 되는 소가 한꺼분에 밥 굶는 기 중요한가, 바보 자석 하나가 어데 가서 술 처먹고 집에 안 오는 기 중요한가, 써그랄."

마을에서 연장자 축에 들고 가장 학식이 높아 해마다 한 번씩 지내는 용왕제(龍王祭)에 축(祝)을 초(草)하는 황재석
용왕에게 마을의 평안을 기원하는 제사.   축문의 초안을 잡는.
씨가 받았다.

"그래도 질래 있던 사람이 없어지마 필시 연유가 있는 기라. 사람이 바늘이라, 모래라. 기양 없어지는 기 어디 있어. 암만 그래도 우리 동네 사람 아이라. 반그이, 아이다, 만그이가 여게서 나서 사는 동안 한 분도 밖에서 안 들어온 적이 없는데 말이라."

㉣"아이지요, 어르신. 가가 군대 간다 캤을 때 여운지 토깨인지하고 밤새도록 싸우니라고 하루는 안 들어왔심다."

용왕제에서 집사 역을 하는 황동수가 우스개처럼 말을 이었다.
제사를 진행하는 동안 필요한 잡무를 담당하는 사람.
아침밥을 먹기도 전 황만근의 아들이 찾아와 황만근이 집에 돌아오지 않았다고 하길래 얼결에 동네 사람들을 불러 모으는 역할을 하게 된 민 씨는 분위기가 이상하게 돌아간다 생각하고 참견을 했다.

"어제 궐기 대회 한다 하고 간 사람이 누구누구십니까. 황
어떤 문제의 해결책을 촉구하기 위하여 뜻있는 사람들이 함께 일어나 행동하는 모임.
만근 씨하고 같이 간 사람은요? 궐기 대회 하는 동안 본 사람은 없나요?"

㉤자리에 모인 대여섯 명의 황씨들은 서로의 얼굴을 마주 보더니 모두 고개를 흔들었다.

소설의 구성 단계 파악하기

1 윗글에 대한 설명으로 가장 적절한 것은?
① 인물들의 대화를 통해 갈등이 해소되고 있다.
② 공간적 배경을 통해 사건의 해결 방향을 암시하고 있다.
③ 주인공의 행방에 대한 의문으로 사건이 시작되고 있다.
④ 특정한 소재가 계기가 되어 인물 간의 갈등이 고조되고 있다.
⑤ 사건을 서술하는 서술자가 바뀌면서 사건이 본격적으로 전개되고 있다.

구절의 의미 파악하기

2 ㉠~㉤에 대한 설명으로 적절하지 않은 것은?
빈출유형
① ㉠: 황만근의 평소 행동으로 보아 황만근의 부재가 예삿일이 아님을 암시하고 있다.
② ㉡: 마을 회관 앞 등나무 덩굴과 평상을 통해 황만근이 공동체에 기여하는 인물임을 알 수 있다.
③ ㉢: 황만근의 별명을 통해 황만근에 대한 마을 사람들의 일반적인 평가가 드러나고 있다.
④ ㉣: 과거 일화를 언급하여 황만근이 마을 사람들에게 무척 중요한 인물임을 드러내고 있다.
⑤ ㉤: 장면에 등장한 사람들이 대부분 같은 성씨인 것을 통해 공간적 배경의 특성을 나타내고 있다.

[3~4] 다음 글을 읽고, 물음에 답하시오.

민 씨는 이장이 궐기 대회 전날 황만근을 따로 불러 무슨 말을 건네던 것을 기억해 냈다.

"그제 밤에 내일 궐기 대회 한다고 사람들 모였을 때 이장님이 황만근 씨에게 뭐라고 하셨죠. 모임 끝난 뒤에."

이장은 민 씨를 흘기듯 노려보았다. / "왜, 농민보고 농민 궐기 대회 꼭 나오라 캤는데, 뭐가 잘못됐나."

민 씨는 자신도 모르게 따지는 어조가 되었다.

"군 전체가 모두 모여도 몇명 안 되었다면서요. 그런 자리에 황만근 씨가 꼭 가야 합니까. 아니, 황만근 씨만 가야 할 이유라도 있습니까. 따로 황만근 씨한테 부탁을 할 정도로."

"이 사람이 뭐라 카는 기라. 이장이 동민한테 농가 부채 탕감 촉구 전국 농민 총궐기 대회가 있다, 꼭 참석해서 우 _{빚이나 요금, 세금 따위의 물어야 할 것을 덜어 줌.} 리의 입장을 밝히자 카는데 뭐가 잘못됐단 말이라."

"잘못이라는 게 아니고요, 다른 사람들은 다 돌아왔는데 왜 황만근 씨만 못 오고 있나 하는 겁니다."

"내가 아나. 읍에 가 보이 장날이더라고. 보나 마나 어데서 술 처먹고 주질러 앉았을 끼라. 백 리 길을 깅운기를 끌고 갔으이 시간도 마이 걸릴 끼고."

다른 사람들은 말이 없었고 민 씨와 이장만이 공을 주고받는 꼴이 되어 버렸다.

"글세, 그 자리에 꼭 황만근 씨만 경운기를 끌고 갔어야 했느냐 이 말입니다. 그것도 고장 난 경운기를."

"깅운기를 끌고 오라는 기 내 말이라? 투쟁 방침이 그렇다 카이. 깅운기도 그렇지, 고장은 무신 고장, 만그이가 그걸 하루이틀 몰았나. 남들이 못 몬다 뿌이지."

"그럼 이장님은 왜 경운기를 안 타고 가고 트럭을 타고 가셨나요. 이장님부터 솔선수범을 해야지 다른 동민들이 따라 할 텐데, 지금 거꾸로 되었잖습니까."

소설의 인물 이해하기

3 민 씨에 대한 설명으로 적절하지 **않은** 것은?

빈출
유형

① 다른 인물과 달리 표준어를 사용하는 것으로 보아 타지에서 온 사람임을 짐작할 수 있다.

② 이장과 대화하면서 그의 잘못을 비판하는 것으로 보아 이장의 행동에 불만을 느끼고 있다.

③ 황만근을 '황만근 씨'라고 부르는 것으로 보아 다른 인물들과 달리 황만근을 존중하고 있다.

④ 황만근이 돌아오지 않는 것을 걱정하는 것으로 보아 황만근에게 호의를 가지고 있음을 짐작할 수 있다.

⑤ 이장이 황만근을 궐기 대회에 보낸 까닭을 추궁하는 것으로 보아 궐기 대회에 반감을 가지고 있음을 알 수 있다.

인물 간의 갈등 이해하기

4 민 씨와 이장의 대화를 이해한 내용으로 적절한 것은?

① 민 씨는 이장에게 사건의 책임을 묻고 있고, 이장은 자신의 행동을 반성하고 있군.

② 민 씨는 이장을 사건의 범인으로 의심하고 있고, 이장은 민 씨의 인정에 호소하며 결백을 주장하고 있군.

③ 민 씨는 사건과 관련하여 이장의 태도를 비판하고 있고, 이장은 자신의 행위가 정당했음을 강조하고 있군.

④ 민 씨는 이성적이고 객관적으로 문제점을 짚고 있고, 이장은 날카로운 지적에 당황하여 횡설수설하고 있군.

⑤ 민 씨는 사건의 해결을 위해 자신의 의견을 이장에게 제시하고 있고, 이장은 민 씨의 견해를 부분적으로 수용하고 있군.

[5~6] 다음 글을 읽고, 물음에 답하시오.

마침 황만근의 어머니가 나오지 않았으면 몸싸움이 났을지도 몰랐다. 민 씨가 막 핏대를 세우며 맞대꾸를 하려는데, 도저히 시골의 환갑 노인으로는 보이지 않는, 곱고 여린 외모의 여인이 종종걸음으로 다가와서는 평상 앞에서 어른들의 눈치를 보며 엉거주춤 서 있는 손자를 붙들고 우는 소리를 냈다.

"㉠내가 고딩어를 안 먹는다 캤어도 이런 일이 없을 낀데. 내가 고여히 고딩어를 먹는다 캐 가이고 우리 만그이가, 우리 만그이가 고딩어를 사러 갔다가 이래 안 오는구나아."

그래서 사람들은 알게 되었다. 황만근이 경운기를 끌고 간 날 아침, 아침을 차리던 황만근에게 그의 어머니가 고등어자반이 없으면 밥을 먹지 않겠다고 한 사실을. 이장은 그것 보라는 듯이 "반동가리 반그이가 궐기 대회가 아이고 고딩어 사러 갔구마. ㉡효자 났네, 효자 났어." 하고는 허리를 쭉 폈다. 황재석 씨도 수염을 쓰다듬며 "홀어머니 조석을 지극 정성으로 평생 한 끼도 안 빠뜨리고 공궤하니, ㉢암만, 효자는 효자지. 천생지 효자라." 했다. 그 황만근의 아들인 영호가 덩달아 우는소리를 하는 것이었다.

아침밥과 저녁밥을 아울러 이르는 말.
음식을 줌.

"아이라요. 내가 아침에 집으로 오다가 경운기 타고 가는 아부지를 만났는데요, 목욕을 하고 오라 캤거든요. ㉣목욕탕에 갔을 끼라요. 그런데 면에 있는 목욕탕에 연락해 봐도 그런 사람은 안 왔다 카고…… 온천에 갔는가 봐요. 온천에 가다가 우째 됐는가도 모르고……."

사람들은 또한 알게 되었다. 황만근은 전에 없이 전날 밤 그의 아들 방에서 잠을 잤다. 아들은 시험공부 하느라고 친구 집에서 밤을 새우고 아침에 들어오는 길이었다. 길에서 아버지를 만난 아들은 대번에 아버지가 자신의 방에서 잔 사실을 알아차렸다. 아버지가 자신의 점퍼를 입고 있었기 때문이다. 그래서 당장 옷을 벗어 내놓으라, 다시는 내 방에 들어오지 말라고 소리쳤고 덧붙여 제발 좀 목욕탕에 가서 씻고 오라고 했던 것이다. 황만근은 그 길로 목욕탕으로 간 것인지도 몰랐다. 아니면 궐기 대회가 열리는 읍의 반대편에 있는 온천에 갔든가.

"㉤내 평생 반그이가 한 번 씻는 걸 못 봤다. 냇가에 가도 샘에를 가도 들어갈 생각을 안 하는구마. 목욕탕에 우째 가는 줄도 모를 낀데 온천이 여게서 어데라고 지가 찾아가노." 황규수가 입을 비틀며 웃었다.

소설의 세부 내용 파악하기

5 **빈출유형** 윗글의 내용과 일치하지 <u>않는</u> 것은?

① 이장은 황만근이 궐기 대회에 참석하였다고 확신하고 있다.

② 황규수는 황만근이 온천에 가지 않았을 것이라고 생각하고 있다.

③ 영호는 황만근이 고등어를 사러 간 것이 아니라고 생각하고 있다.

④ 황재석은 황만근이 평소에도 어머니를 극진히 대접하였다고 여기고 있다.

⑤ 황만근의 어머니는 황만근이 고등어를 사러 갔다가 사라진 것이라고 생각하고 있다.

인물의 태도 파악하기

6 윗글을 시나리오로 각색한다고 할 때, ㉠~㉤에 들어갈 지시문으로 적절하지 <u>않은</u> 것은?

① ㉠: 자책하듯 우는 소리로

② ㉡: 빈정거리는 말투로

③ ㉢: 고개를 끄덕거리며

④ ㉣: 한심하다는 듯이

⑤ ㉤: 확신에 찬 말투로

[7~8] 다음 글을 읽고, 물음에 답하시오.

그러는 동안 모든 사람들이 알게 되었다. 황만근이 집으로 돌아오지 않았다. 동네 사람 누구든 하루 이틀, 또는 한두 달 집을 비울 수도 있지만 그렇다고 그 사실을 모든 사람이 알게 되는 것은 아니다. ㉠그러나 황만근만은 하루밖에 지나지 않았음에도 모든 사람이 그의 부재를 알게 되었다. 그렇지만 누구도 적극적으로 황만근을 찾아 나서려 하지 않았다. 그는 있으나 마나 한 존재이면서 있었고 없어서는 안 되는 존재이면서 지금처럼 없기도 했다. 동네 사람들은 그를 바보라고 했다. 두어 해 전에야 신대 1리로 들어와 황만근의 탄생과 성장, 삶을 처음부터 지켜보지 못한 민 씨만은 그렇게 생각하지 않았다.

마을에서 젊은 축에 드는 마흔다섯 살의 황영석은 황만근이 벽돌을 찍고 구덩이를 파서 지은 마을 회관 변소에서 분뇨를 퍼내면서 황만근의 부재를 알게 되었다.
똥과 오줌.

"만그이 자석이 있었으마 내가 돈을 백만 원 준다 캐도 이런 일을 안 할 낀데. 아이구, 이 망할 놈의 똥 냄새, 여러가 싸 놔 그런지 독하기도 하네. 이기 곡석한테 독이 될지 약이 될지도 모르겠구마."
'곡식'의 방언.

황만근이 있었으면 군말 없이 했을 일이었다. 늘 그렇듯이 벙글벙글 웃으면서.

"만그이가 있었으모 저 거름이 우리 밭으로 올 낀데, 만그이가 도대체 어데 갔노."

마을 회관 곁 조그만 밭에 채소를 심어 먹는 여씨 노인도 황만근의 부재를 알게 되었다. 황만근은 마을 공통의 분뇨를, 역시 자신이 판 마을 공통의 분뇨장으로 가져가서 충분히 익힌 뒤에, 공평하게 나누어 주었다. 황영석처럼 제가 펐다고 바로 제 밭에 가져다가 뿌리지는 않았다. 특히 여씨 노인처럼 일찍 남편을 잃고 혼잣몸이 된 노인들에게는, 알고 그러는지 모르고 그러는지 더 자주 거름을 가져다주었다.

"만그이한테 물어보자." / 아이들은 소꿉장난을 하다가 황만근의 부재를 알게 되었다. 공평무사한 것이 황만근의 평생의 처사였다. 그에게는 판단 능력이 없는 듯했지만 시비를
공평하여 사사로움이 없음.
물으러 가면, 가노라면 언제나 공평무사한 자연의 이법에 대해 깨우치게 되고 분쟁은 종식되었다.

구절의 의미 파악하기

7 ㉠의 까닭으로 가장 적절한 것은?
① 동네 사람들이 서로에게 관심이 많기 때문이다.
② 황만근이 동네 사람들에게 큰 빚을 졌기 때문이다.
③ 황만근이 평소 동네 사람들에게 존경을 받는 인물이었기 때문이다.
④ 동네 사람들이 항상 황만근의 안위를 걱정하고 염려해 왔기 때문이다.
⑤ 궂은일을 도맡아 하던 황만근이 사라지자 마을 사람들이 불편함을 겪었기 때문이다.

인물의 유형 파악하기

8
서술
유형
윗글에 나타난 인물을 다음과 같이 파악할 때 ⓐ, ⓑ에 들어갈 알맞은 말을 각각 쓰시오.

	행동	인물 유형
황만근	분뇨를 (ⓐ)하게 나누되, 혼잣몸인 노인들에게 더 줌.	공정하면서도 약자를 배려하는 인물
(ⓑ)	분뇨를 자기 밭에만 뿌림.	자신의 이익만을 추구하는 인물

• ⓐ: (   ) • ⓑ: (   )

[9~10] 다음 글을 읽고, 물음에 답하시오.

그러던 어느 날, '농가 부채 해결을 위한 전국 농민 총궐기 대회'가 열린다고 이장이 방송을 해서 저녁에 마을 회관에 사람들이 모였다. 황만근은 누구보다 먼저 나타났고 이장이 시키는 대로 마을 구판장에서 막걸리를 받아 왔다. 스테인리스 물 잔이 두어 개밖에 없어서 한 사람이 마시면 다음 사람

조합 따위에서, 생활용품 등을 공동으로 사들여 조합원에게 싸게 파는 곳.

이 받고 하는 식의 술자리였다. 황만근은 자신의 차례가 되면 번개처럼 잔을 들어 마시고는 눈을 끔벅거리면서 잔이 도는 것을 쳐다보고 있었다. 황만근의 관심은

오로지 잔이 언제 돌아올까 하는 것뿐인 듯했다. 그래도 잔이 도는 속도는 너무 느렸다. 민 씨에게는 좀 빠른 듯했지만.

"그래서 우리 동네서도 군청 앞에서 열리는 대회에 전원 참가를 해야겠다, 이 말이라. 집에 돌아가거들랑 경운기를 깨끗이 손질해 가지고 내일 아침에 민소 앞까정 끌고 와서 집합을 하라는 기 행동 지침이라. 그래 가이고 군청까지 가는 국도로 깅운기로 길기 행진을 하민서 우리의 결의를 행동으로 보이 주는 기라."

"경운기가 없는 사람은 어쩌나요?"

민 씨가 물었다.

"농사짓는 사람이 깅운기도 없다 하마 농사꾼이 아니지럴. 그랜게 민 씨는 농사짓는 기 아이라. 비니루하우스 안에 꽃 및 송이 심가 놓고 우째 농사를 짓는다 카나."

"어디 고장 난 경운기는 없어요? 경운기가 꼭 있어야 합니까." / 무안해진 민 씨는 둘러보며 물었다. 새마을 지도자인 황철석이 대답했다.

"말이 그렇다는 기지, 민소까지는 깅운기를 끌고 가든동 버스를 타고 가든동 하고, 그 담에는 깅운기를 같이 타마 되지, 까잇 거. 그란데 민 씨는 진짜 농사꾼도 아이민서 왜

자꾸 농민 궐기 대회에 나갈라꼬 캐싸."

"아아, 저도 부채는 남부럽지 않게 있어요."

또래인 황학수가 말을 이어 받았다.

"농사를 지도 부채, 농사를 몰라도 부채. 아이고, 그라마 우리를 다 합치 가이고 부채 말고 선풍기를 해도 되겠네."

소설의 서술상 특징 파악하기

9 윗글에 대한 설명으로 가장 적절한 것은?

① 인물 간의 대화를 통해 당대 사회의 현실을 드러내고 있다.

② 비판의 대상이 되는 인물을 희화화하여 세태를 풍자하고 있다.

③ 인물의 행적을 요약적으로 제시하여 사건의 전모를 밝히고 있다.

④ 서술자가 작품에 개입하여 사건에 대해 주관적 평가를 내리고 있다.

⑤ 공간적 배경을 구체적으로 묘사하여 앞으로 일어날 사건을 암시하고 있다.

인물의 태도 파악하기

10 윗글에 나타난 인물의 태도로 적절하지 않은 것은?

① 민 씨는 자신의 상황을 언급하며 마을 사람들과 같은 처지라는 것을 밝히고 있다.

② 이장은 경운기가 없다는 이유로 민 씨가 궐기 대회에 참석하는 것을 반대하고 있다.

③ 황학수는 마을 회관에 모인 사람들이 처한 어두운 현실을 해학적으로 표현하고 있다.

④ 황만근은 마을 회관에 나타났으나 회의 내용보다는 술을 마시는 데 더 관심을 보이고 있다.

⑤ 황철석은 민 씨의 질문에 답하면서도 민 씨가 궐기 대회에 동참하려는 것을 의아하게 여기고 있다.

[11~12] 다음 글을 읽고, 물음에 답하시오.

[A]
다음 날 새벽, 민 씨는 새벽녘에 잠깐 동네 어귀에서 탈탈거리는 경운기 소리를 들었다. 탁, 탁, 탁…… 시동이 잘 걸리지 않는 모양이었다. 타닥, 닥, 타닥, 탁, 탁, 탈, 탈, 탈, 탈, 탈탈탈탈…… 그 뒤에도 궐기 대회 가는 집마다 경운기를 끌고 나오려면 온 동네가 시끄럽겠다고 생각했지만 웬일인지 다른 경운기 소리는 더 이상 들려오지 않았다. 경운기 소리가 아득히 멀어져 가는 소리를 들으며 민 씨는 까무룩 잠이 들었다.

전날 밤, 분명 꿈은 아니었다. 민 씨는 황만근의 말을 이렇게 들었다.

"농사꾼은 빚을 지마 안 된다 카이."

(한번 빚을 지면 그 빚을 갚으려고 무리하게 일을 벌인다. 동네 곳곳에 텅 빈 우사(牛舍), 마른 똥만 뒹구는 축사, 잡초만 무성한 비닐하우스를 보라. 농어민 복지, 소득 향상, 생활 개선? 다 좋다. 그걸 제 돈으로 해야 한다. 제 돈으로 하지 않으면 그건 노름이나 다를 바 없다. 빚은 만근산의 눈덩이, 처마의 고드름처럼 자꾸 커진다.) 〈중략〉

"내가 왜 안 졌느냐고. 아무도 나한테 빚 준다고 안 캐. 바보라고 아무도 보증 서라는 이야기도 안 했다. 나는 내 짓고 싶은 대로 농사지으면서 안 망하고 백 년을 살 끼라."

일주일 뒤에 황만근은 돌아왔다. 그의 아들이 그를 안고 돌아왔다. 한 항아리밖에 안 되는 그의 뼈를 담고 돌아왔다.

서술상의 특징 비교하기

11 〈보기〉는 황만근에 대해 민 씨가 쓴 글이다. [A]와 〈보기〉에 대한 설명으로 적절하지 않은 것은?

보기
전일에, 선생은 경운기를 끌고 면 소재지로 갔지만 경운기를 타고 온 사람이 없어 같이 갈 사람을 만나지 못했다. 선생은 다시 경운기를 끌고 백 리 길을 달려 약속 장소인 군청까지 갔다. 가는 동안 선생은 여러 번 차에 부딪힐 뻔했다. 마른 봄바람에 섞인 먼지가 눈을 괴롭혔다.

① 시간 순서상 〈보기〉는 [A] 이후에 일어난 일이다.
② 〈보기〉는 앞에서 드러나지 않았던 인물의 행적을 밝히고 있다.
③ [A]는 소설 밖 서술자가, 〈보기〉는 민 씨가 내용을 전달하고 있다.
④ [A]는 민 씨의 행동에, 〈보기〉는 민 씨의 상황에 초점을 맞추어 서술하고 있다.
⑤ [A]는 인물이 직접 겪은 사건이고, 〈보기〉는 추측을 통해 재구성된 사건이다.

소설에 담긴 사회·문화적 가치 이해하기

12
서술
유형
윗글에서 황만근을 통해 전달하고 있는 사회·문화적 가치가 무엇인지 〈조건〉에 맞게 서술하시오.

조건
• 황만근이 생각하는 농사꾼의 바람직한 자질과 관련하여 서술할 것
• '~없이 ~하는 삶의 가치를 전달하고 있다.'의 문장 형식으로 서술할 것

핵심 1 | 경험과 성찰을 담은 글쓰기의 과정과 효용

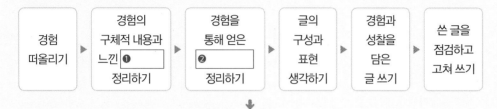

| 경험 떠올리기 | ▶ | 경험의 구체적 내용과 느낀 ❶ □ 정리하기 | ▶ | 경험을 통해 얻은 ❷ □ 정리하기 | ▶ | 글의 구성과 표현 생각하기 | ▶ | 경험과 성찰을 담은 글 쓰기 | ▶ | 쓴 글을 점검하고 고쳐 쓰기 |

❶ 감정
❷ 깨달음

⬇

- 건강한 자아를 형성하는 데 도움이 됨.
- 잘 인식하지 못했던 자신의 내면을 발견할 수 있음.
- 주변을 돌아보며 자신을 ❸ □ 으로 평가하는 계기가 됨.

❸ 객관적

핵심 2 | 〈오해〉 제재 정리

갈래	수필
주제	❹ □ 에 대한 오해와 성찰
특징	① 먹이를 주던 도둑고양이 때문에 놀랐던 ❺ □ 을 고백하고 있음. ② 경험에서 깨달은 점(성찰)과 느낀 점(정서)이 잘 나타나 있음.

❹ 도둑고양이
❺ 경험

핵심 3 | 고양이에 관한 글쓴이의 오해와 깨달음

고양이에 관한 글쓴이의 ❻ □			
고양이는 자신이 주는 ❼ □ 를 좋아했을 것임.	고양이가 자신에게 감사와 친애를 표시하러 나왔다고 생각함.	고양이가 자신을 공격하려 했다고 느낌.	고양이는 은혜를 모르는 동물임.

❻ 오해

❼ 먹이

⬇

고양이에 관한 글쓴이의 깨달음			
고양이는 직접 음식을 찾아 먹는 것을 더 좋아했을 것임.	고양이는 어떤 감정이나 의도를 가지고 나들이를 나온 것이 아닐 수 있음.	고양이는 내가 아닌 새끼들을 향해서 경고의 메시지를 보냈을 것임.	고양이는 인간에게 길들여지는 것을 ❽ □ 할지도 모름.

❽ 거부

 기초 확인 문제

정답과 해설 **90**쪽

1 경험과 성찰을 담은 글쓰기 과정으로 적절하지 <u>않은</u> 것은?

> ㉠ 방학 중에 겪었던 일들을 떠올려 봐야겠어.
> ㉡ 인상적인 경험을 골라서 구체적인 내용을 정리해야겠어.
> ㉢ 그 일을 경험했을 당시에 내가 느낀 감정을 생각해 봐야지.
> ㉣ 내 경험을 주변 친구들의 경험과 비교해 보고 내 깨달음이 적절한지 평가해 봐야지.
> ㉤ 내 경험과 깨달음을 정리한 뒤 그 내용이 잘 드러날 수 있게 글의 구성과 표현 방법을 고민해 봐야겠어.

① ㉠   ② ㉡   ③ ㉢   ④ ㉣   ⑤ ㉤

2 성찰하는 글쓰기를 통해 얻을 수 있는 효과를 〈보기〉에서 모두 고른 것은?

> ── 보기 ──
> ㄱ. 자신의 주변을 돌아볼 수 있다.
> ㄴ. 건강한 자아를 형성하는 데 도움이 된다.
> ㄷ. 자신의 경험을 객관적으로 평가할 수 있다.
> ㄹ. 잘 인식하지 못했던 자신의 내면을 발견할 수 있다.

① ㄱ, ㄴ   ② ㄱ, ㄹ   ③ ㄴ, ㄷ
④ ㄴ, ㄷ, ㄹ   ⑤ ㄱ, ㄴ, ㄷ, ㄹ

5일

3 〈오해〉에 나타난 글쓴이의 경험과 그 경험을 통해 글쓴이가 느꼈을 감정을 바르게 연결하시오.

(1) 고양이가 쓰레기봉투를 헤집어 놓음. · · ⓐ 감탄

(2) 먹이를 놓아 주며 고양이를 챙김. · · ⓑ 재미

(3) 새끼를 거느린 어미 고양이에게 아름다움을 느낌. · · ⓒ 속상함

(4) 고양이 가족이 자신에게 감사와 친애를 표현한다고 생각함. · · ⓓ 기쁨, 감동

(5) 고양이가 순식간에 공격 태세를 보임. · · ⓔ 놀라움, 공포

4 다음은 〈오해〉에 나타난 사건의 흐름을 정리한 것이다. 빈칸에 알맞은 말을 쓰시오.

> 고양이에게 먹이를 놓아 주며 고양이를 길들였다고 생각함. → 고양이 가족에게 다가갔다가 날카로운 적의에 놀람.
>
> 〈오해〉에는 사건이 예상 밖의 방향으로 흘러가는 ( )이 나타나는데, 이 과정에서 글쓴이는 자신이 고양이에 대해 오해하고 있었음을 깨닫게 된다.

[1~2] 다음 글을 읽고, 물음에 답하시오.

가 땅 집에서는 수거차가 오는 날 집 앞에 내다 놓아야 하기 때문에 누구네 쓰레기라고 딱지를 써 붙인 거나 다름이 없다. 쓰레기이지만 깔끔하게 보이고 싶어 넘치지도 모자라지도 않게 담아서 꼭꼭 잘 여미게 된다.

⊙쓰레기라도 깔끔하게 보이고 싶다는 내 허영심을 비웃
<u>필요 이상으로 겉치레에 신경 쓰는 마음.</u>
듯이 수거차가 오기 전에 우리 쓰레기봉투가 무참하게 파헤쳐지는 일이 빈번하다는 것을 알게 되었다. 생선이나 닭고기를 먹고 난 후는 영락없이 그런 일을 당했다. 고양이들의 소행이었다. 개는 안 기르는 집이 거의 없다시피 하지만 고양이 기르는 집은 거의 없는 것 같은데도 동네에는 고양이들이 많다. 이렇게 도둑고양이들이 많기 때문에 쥐가 거의 없다는 게 동네 사람들의 설명이었다.

나 ⓒ아무리 그렇다고 해도 수거차가 지나 간 후에도 문 앞이 깨끗하지 않고 닭 뼈 나 생선 뼈가 어지럽게 널려 있다는 건 여간 속상한 일이 아니었다. 터 져서 냄새나는 내용물이 꾸역

꾸역 쏟아지는 쓰레기봉투를 들어 올렸을 미화원 아저씨에게는 또 얼마나 미안한 노릇인가. ⓒ그래서 생각해 낸 게 고양이가 좋아할 만한 먹이가 생기면 봉투 속에 넣지 않고 접시에 따로 담아 고양이가 잘 다니는 통로에다 놓아두는 거였다.

다 그것은 좋은 생각이었다. 적중했으니까. 그 후부터 쓰레기봉투가 훼손당하는 일은 안 생겼고, 나도 고양이를 챙기는 일에 재미를 붙이게 되었다. 비린 것을 탐하는 고양이의 식성은 춥춥했지만 생선 뼈를, 머리칼처럼 가느다란 가시까지
<u>너절하고 염치가 없었지만.</u>
도 깨끗이 발라내는 솜씨는 가히 예술이라 부를 만했다. 그 대신 우리 식구들은 고양이 생각을 한답시고 ⓔ닭고기나 생선을 먹을 때 점점 더 살을 많이 붙여서 남기게 되었다.

나는 한술 더 떠서 식구들이 잘 안 먹는 생선 조림이 생기면 고양이를 위해 냄비째 쏟아 버리기도 했다. 그러나 ⓜ고양이는 절대로 과식하는 일이 없었다. 남겼다가 며칠에 걸쳐서 다 먹어 치웠다. 그래서 나는 속으로 우리 집 단골 고양이가 여간 아니라고 생각했지만, 한 번도 녀석의 모습을 제대로 본 적은 없었다.

구절의 의미 파악하기

1 **⊙~ⓜ에 대한 이해로 적절하지 않은 것은?**
빈출유형

① ⊙: 자신을 낮춰 겸손하게 표현하려는 글쓴이의 의도가 드러난다.

② ⓒ: 고양이의 소행으로, 글쓴이가 고양이에게 먹이를 챙겨 주는 계기가 된다.

③ ⓒ: 고양이가 쓰레기봉투를 파헤치지 않게 하기 위해 글쓴이가 생각해 낸 묘안이다.

④ ⓔ: 글쓴이의 식구들 역시 고양이를 의식하고 배려하게 되었음을 의미한다.

⑤ ⓜ: 고양이가 자신의 호의를 무시하는 것 같아 글쓴이가 고양이에게 서운함을 느끼는 계기가 된다.

글쓴이의 심리 변화 파악하기

2 **다음은 윗글에 나타난 글쓴이의 경험과 정서 변화를 도식화한 것이다. ⓐ, ⓑ에 들어갈 알맞은 말을 각각 쓰시오.**
서술유형

경험		정서
잘 여며 놓은 쓰레기봉투를 고양이가 헤집어 놓은 것을 봄.	→	(ⓐ)
↓		↓
고양이에게 줄 (ⓑ)를 놓아 주며 돌봄.		재미

• ⓐ: (   ) • ⓑ: (   )

[3~4] 다음 글을 읽고, 물음에 답하시오.

21 오랜 장마가 갠 어느 날 오후였다. 마침 혼자 집을 지키고 있었다. 무더위가 한풀 꺾였다고는 하나 집 안에는 아직 곰팡내 섞인 습기가 많이 남아 있어 앞뒷문을 활짝 열어 놓고 있었다. 마루에서 책을 읽고 있다가 무심히 부엌 뒷문 밖을 내다보았을 때였다. 뒷문 밖에는 꽤 넓은 툇마루가 있는데 거기 우리 집 단골 얼룩 고양이가 꼭 저 닮은 새끼를 다섯 마리나 거느리고 나란히 앉아 있는 게 아닌가. 어미는 산후라 그런지 털이 꺼칠했지만 새끼들은 털이 반지르르 윤이 흐르는 게 정말이지 눈이 부시게 아름다웠다. 어떤 인간의 가족에게서도 그렇게 아름다운 모습은 본 적이 없었다.

11 나는 마치 손주 새끼들 반기듯이 만면에 웃음을 띠고 두 손까지 활짝 벌려 그들 고양이 가족을 환대한다는 표시를 하며 부엌문 쪽으로 갔다. 그러나 그다음에 나는 기절을 할 뻔하게 놀라고 말았다. 어미가 눈으로 불을 뿜으며 으르렁 이를 드러내고 나에게 공격 태세를 취하는 게 아닌가. 신속하고도 눈부신 적의(敵意)였다. 다행히 순

적대하는 마음. 또는 해치려는 마음.

간적이었다. 내가 혹시 대낮에 환상을 본 게 아닌가 싶게 고양이 가족은 소리도 없이 신속하게 모습을 감추었다. 그래도 나는 무서워서 부엌문을 닫아 버렸다.

11 두근거리는 가슴을 진정하고 나니까 고양이에 대한 내 오해가 하도 어처구니없어서 슬며시 웃음이 났다. 그까짓 먹고 남은 생선 뼈 따위 좀 챙겨 주고 나서 내가 녀석을 길들인 줄 알다니. 녀석은 챙겨 주는 것보다 스스로 쓰레기봉투를 뚫고 찾아내는 게 훨씬 스릴도 있고 보람도 있었을 것이다. 어쩌면 녀석이 나를 공격하려 했다는 것조차 오해일 수도 있

었다. 나에 대한 녀석의 적의는 곧 저렇게 생긴 인간이라는 족속에게 길들여지면 절대로 안 돼, 라는 제 새끼들에 대한 강력한 경고가 아니었을까.

글의 서술상 특징 파악하기

3 윗글에 대한 설명으로 가장 적절한 것은?

① 글쓴이가 자신의 과거를 돌아보며 삶의 의지를 다지고 있다.
② 글쓴이가 타인에게 들은 이야기를 주관적으로 해석하여 전달하고 있다.
③ 글쓴이가 직접 경험한 일을 소개하며 과거 자신의 생각을 성찰하고 있다.
④ 글쓴이가 인상적인 경험에서 얻은 깨달음을 바탕으로 하여 독자의 행동 변화를 촉구하고 있다.
⑤ 글쓴이가 대상을 다각도로 관찰한 경험을 바탕으로 하여 대상과 관련한 구체적인 정보를 제공하고 있다.

성찰하는 글쓰기의 효용 이해하기

4 윗글을 읽은 후 짝과 대화를 나누었다고 할 때, 그 내용으로 적절하지 않은 것은?

① 글쓴이는 경험을 한 후에 글쓰기를 통해 그 경험을 객관적으로 평가할 수 있었을 거야.
② 글쓴이는 글을 쓴 후에 인간 중심적으로 생각하고 대상을 판단했던 것을 반성할 수 있었을 거야.
③ 글쓴이처럼 나도 인간과 동물의 관계와 관련하여 고정관념이 있지는 않은지 생각해 보는 계기가 되었어.
④ 나도 글쓴이와 비슷한 경험이 있었는데 글로 표현하면서 감정을 정리하면 좋을 것 같다는 생각이 들었어.
⑤ 글쓴이는 글을 쓰면서 남의 시선을 의식하여 대상을 판단해 왔던 스스로의 모습을 새롭게 발견할 수 있었을 거야.

[1~2] 다음 글을 읽고, 물음에 답하시오.

世·솅宗죵御·엉製·졩訓·훈民민正·졍音흠

나·랏 :말쌋·미 中듕國·귁·에 달·아 文문字·쫑·와
·로 서르 스뭇·디 아·니홀·씨 ·이런 젼·ᄎ·로 어·린
百·빅姓·셩·이 니르·고·져 ·홇 ·배 이·셔·도 ᄆ·ᄎᆷ:내
제 ·ᄠᅳ·들 시·러 펴·디 :몯ᄒᆞᆯ ·노·미 하·니·라 내 ·이
·를 爲·윙·ᄒᆞ·야 :어엿·비 너·겨 ·새로 ·스·믈여·듧
字·쫑·ᄅᆞᆯ 밍·ᄀᆞ노·니 :사름:마·다 :ᄒᆡ·ᅇᅧ :수·비 니·겨
·날·로 ·ᄡᅮ·메 便뼌安한·킈 ᄒᆞ·고·져 ᄒᆞᆯ ᄯᆞᄅᆞ·미니·라

[현대어 풀이]

[____ㄱ____] 한자와 서로 통하지 아니하여서, 이런 까닭으로 어리석은 백성이 말하고자 하는 바가 있어도 마침내 제 뜻을 능히 펴지 못하는 사람이 많다. 내가 이것을 가엾게 생각하여 새로 스물여덟 글자를 만드니, 모든 사람으로 하여금 쉽게 익혀서 날마다 쓰는 데 편안하게 하고자 할 따름이다.

1 윗글을 읽고 알 수 있는 내용으로 적절하지 <u>않은</u> 것은?
① 창제된 글자의 수
② 당시 언어생활의 현실
③ 당대의 외래어 사용 실태
④ 새로운 문자를 창제한 이유
⑤ 새로운 문자 창제를 통해 기대하는 효과

2 ㉠에 들어갈 내용으로 가장 적절한 것은?
① 우리나라의 말이 중국에 가면
② 우리나라의 말이 중국과 달라
③ 임금님의 말씀이 궁극에 이르러
④ 우리나라의 말이 중국 말에 따라
⑤ 우리나라의 말이 중국처럼 되려면

3 〈보기〉의 문장에 나타난 높임 표현을 분석한 내용으로 적절하지 <u>않은</u> 것은?

→ 보기 ←
진지를 잡순 아버지께서 외출을 서두르셨어요.

① 높임의 대상은 '아버지'이다.
② 대상을 높이려고 '께서', '-시-'를 사용하였다.
③ 서술의 객체를 높이는 표현 방법을 사용하였다.
④ 듣는 사람을 고려하여 높임 표현을 사용하였다.
⑤ '진지', '잡수다'는 높임법을 실현하는 특수한 어휘이다.

4 밑줄 친 피동 표현을 고친 것으로 적절하지 <u>않은</u> 것은?
① 케이크에 축하 메시지가 <u>쓰여져</u> 있었다. → 쓰여
② 그의 글은 쉽게 <u>읽혀지는</u> 게 장점이다. → 읽히는
③ 문제가 너무 난해해서 <u>풀려지지</u> 않았다. → 풀리지
④ 날뛰던 망아지가 결국 말뚝에 <u>매여지고</u> 말았다.
　 → 매이고
⑤ 고려 가요는 민간에서 <u>불려지던</u> 민요에 기원을 둔다.
　 → 불리어진

5 〈보기〉의 문장을 간접 인용문으로 바꾸어 쓰시오.
서술유형

─────────── 보기 ───────────

민희는 "수연아, 어서 와."라고 말했다.

[6 ~ 7] 다음 글을 읽고, 물음에 답하시오.

사회자: 반대 측 제1 토론자, 입론해 주십시오.

반대 1: 앞서 찬성 측은 동물 실험 때문에 발생하는 문제가 심각하고, 동물 실험을 대체할 방법이 있으므로 이를 금지해야 한다고 주장했습니다. 저희 반대 측은 찬성 측의 이러한 주장에 동의하기가 어려우며, 다음과 같은 점에서 동물 실험을 금지해서는 안 된다고 생각합니다.

우선 동물 실험은 윤리적으로 문제가 없습니다. 동물 실험은 동물의 고통을 최소화해야 한다는 원칙에 따라 행해지고 있기 때문입니다. 현재 동물 실험은 엄격한 법적 규제 아래에서 실행됩니다. 미국에서는 1966년부터 동물복지법이 시행되었고, 이 법에 따라 수의사들이 정기적으로 실험동물 사육 시설의 온도, 음식과 식수 등의 환경을 감시합니다. 우리나라에서도 1991년부터 동물보호법을 시행하고 있습니다.

또한 동물 실험이 인간에게 가져다주는 이익이 매우 큽니다. 동물 실험은 수많은 사람의 생명을 구하는 치료법을 개발하는 데에 이바지합니다. 캘리포니아의 생명연구협회에서는 지난 백 년간 위대한 의학적 발견에 모두 동물 실험이 결정적인 역할을 했다고 보고한 바 있습니다. 수많은 당뇨병 환자의 생명을 구하는 데 중요한 역할을 한 인슐린은 개를 대상으로 한 실험에서 발견되었습니다. 한 해 35만여 명에 이르던 세계 소아마비 환자 수를 2012년에는 2백여 명으로 크게 떨어뜨린 소아마비 백신 역시 동물 실험을 통해 개발한 것입니다.

그리고 동물 실험은 다른 방법으로 대체할 수 없습니다. 의약품의 효능과 안전성을 확인하는 데에 동물 실험만큼 정확하고 신속한 것은 없기 때문입니다. 찬성 측에서 언급한 여러 대체 방법으로 인간 생명체에서 발생하는 문제를 정확히 짚어 내기란 불가능합니다. 인공 세포는 인간의 실제 세포를 완벽히 재현하지 못하고, 시력이나 혈압 등은 조직 배양 조건에서는 실험할 수가 없습니다.

또 동물은 사람보다 세대 시간이 짧아 연구에 드는 시간을 줄일 수 있습니다. 초파리를 대상으로 했던 1926년 모건의 유전자 실험은 사람을 대상으로 했다면 210여 년이 걸렸을 것입니다. 현대 사회에서는 새로운 바이러스가 언제라도 출현할 수 있으므로 이를 물리칠 수 있는 의약품을 신속하게 개발해야 합니다. 그런데 동물 실험이 아닌 대체 방법으로는 신속하게 개발하기가 어렵습니다. 이와 같이 동물 실험은 정확성과 신속성의 측면에서 최선의 방안이므로 의약품 개발을 위한 동물 실험은 계속되어야 합니다.

6 윗글을 이해한 내용으로 적절하지 <u>않은</u> 것은?

① 자료의 출처를 밝히며 근거의 신뢰성을 높이고 있다.
② 찬성 측 주장을 일부분 수용하며 합일점을 모색하고 있다.
③ 찬성 측의 주장에 대해 논리적 이유와 근거를 들어 반박하고 있다.
④ 동물 실험을 금지해야 한다는 논제에 대한 반대 견해를 제시하고 있다.
⑤ 인슐린, 소아마비 백신 등 동물 실험을 통해 치료법을 발견하고 개발한 사례를 제시하고 있다.

7
서술유형
〈보기〉를 참고하여 반대 1의 입론 일부를 다음과 같이 정리할 때, '이유'에 들어갈 내용을 윗글에서 찾아 한 문장으로 쓰시오.

▸ 보기 ◂
논증을 구성할 때에는 쟁점에 관한 주장이 명확해야 하고, 주장의 이유와 근거가 타당해야 한다. 이유는 주장을 정당화할 수 있어야 하고, 근거가 어떻게 주장과 연결되는지를 설명할 수 있어야 한다. 근거는 객관적인 사실 정보를 가리키는데, 근거와 이유 사이에는 밀접한 연관성이 있어야 한다.

반대 1 입론	주장	동물 실험은 다른 방법으로 대체할 수 없다.
	이유	
	근거	• 여러 대체 방법으로 인간 생명체에서 발생하는 문제를 정확히 짚어 내기 불가능함. • 동물이 사람보다 세대 시간이 짧아 연구 기간을 줄일 수 있음.

[8~10] 다음 글을 읽고, 물음에 답하시오.

가

행복시: 문화시가 들꽃 축제와 비슷한 축제를 개최해서 우리 시 축제의 고유성이 훼손되었다. 문화시는 풀꽃 축제를 중단해야 한다.

문화시: 들꽃이나 풀꽃을 소재로 한 축제는 행복시만의 전유물이 아니다. 소재만 비슷할 뿐 세부 내용은 차이가 있으므로 중단할 이유가 없다.

행복시: 문화시의 축제 개최 이후 우리 시의 관광객이 감소하였으므로 무관하다고 볼 수 없다. 우리 시의 경제적 손실이 매우 크다. 문화시는 풀꽃 축제를 당장 중단하라.

문화시: 우리 시에 관광객이 몰리는 이유는 접근성이 높기 때문이다. 행복시의 관광객을 빼앗은 것이 아니므로 중단할 수 없다.

나

행복시: ❝ 문화시가 풀꽃 축제의 내용을 우리 축제의 내용과 더욱 다르게 하고, 관광객이 감소하여 발생한 우리 시의 경제적 손실을 보전해 준다면, 문화시의 풀꽃 축제 운영을 반대하지 않겠다. ❞

당장은 힘들지만, 내년부터는 새로운 내용을 개발하여 우리 축제를 들꽃 축제와 차별화하겠다. 그런데 행복시의 경제적 손실에 대한 보전은 어려운 문제이다.

그렇다면 경제적 손실은 일부만 보전하라. 그 대신 유동 인구가 많은 문화시에서 우리 시의 들꽃 축제를 홍보하여 다시 관광객이 늘 수 있도록 도와주면 좋겠다.

우리 시에서 행복시의 축제를 홍보하는 것은 가능하다. 그러나 경제적 손실을 일부 보전하는 것보다는 공동 사업을 추진하여 발생하는 이익을 나누는 방안이 좋겠다.

행복시는 문화시가 내놓은 대안을 받아들였습니다.

우리 시는 축제를 시행한 지 얼마 되지 않아 미숙한 점이 많다. 비슷한 소재의 축제를 먼저 개발한 행복시에서 우리에게 축제 운영 정보를 제공해 달라. **문화시**

들꽃 축제 정보를 제공하겠다. 하지만 축제 운영 정보를 그대로 주면 두 축제가 너무 비슷해질 우려가 있다. '풀꽃 축제'의 이름을 바꾸어서 우리와 더 차별화하면 좋겠다.

유익한 정보를 얻을 수 있다면 우리 축제의 이름을 바꾸겠다. 우리 시는 접근성이 높으므로 일정 수의 관광객은 확보할 수 있을 것이다.

좋은 생각이다. 먼저 축제를 개발한 도시로서 우리도 문화시의 축제가 성공할 수 있도록 적극 협력하겠다.

두 도시는 대안을 탐색하며 원만하게 협상을 진행하였습니다.

8 위와 같은 말하기의 특징으로 가장 적절한 것은?

① 대상자의 평가 및 선발을 목적으로 하는 말하기이다.
② 공적 상황에서 청중에게 자기의 견해를 말로 전달하는 말하기이다.
③ 여러 사람 앞에서 자기의 생각이나 어떠한 사실에 대해 전달하는 말하기이다.
④ 갈등 상황에서 문제 해결을 위해 서로 타협하고 조정하며 대안을 찾는 말하기이다.
⑤ 특정 논제에 대해 찬성 측과 반대 측으로 나뉘어 논증을 통해 자기 측 주장이 정당함을 내세우는 말하기이다.

9 (가)의 내용과 일치하지 <u>않는</u> 것은?

① 행복시는 문화시가 당장 풀꽃 축제를 중단해야 한다고 주장하고 있다.
② 행복시는 문화시가 비슷한 축제를 개최하여 들꽃 축제의 고유성이 훼손되었다고 주장하고 있다.
③ 행복시는 문화시의 축제 개최 이후 행복시의 관광객이 감소하여 경제적 손실이 크다고 주장하고 있다.
④ 문화시는 축제 이름만 비슷할 뿐 소재와 세부 내용은 차이가 있다고 반박하고 있다.
⑤ 문화시는 문화시에 관광객이 몰리는 이유는 접근성이 높기 때문이라고 반박하고 있다.

10 (나)에 나타난 협상 과정을 분석한 내용으로 적절하지 <u>않</u>은 것은?

행복시의 제안	• 풀꽃 축제의 내용을 우리 축제의 내용과 더욱 다르게 하라. • 우리 시의 경제적 손실을 보전하라.

↓

문화시의 대안	• 내년부터 새로운 내용을 개발하여 들꽃 축제와 차별화하겠다. ·············· ㉠ • 경제적 손실은 극히 일부분만 보전하겠다. ·············· ㉡ • 행복시의 축제를 홍보하고, 공동 사업을 추진하여 이익을 분배하겠다. ·············· ㉢

↓

문화시의 제안	• 행복시는 들꽃 축제의 운영 정보를 제공해 달라. ·············· ㉣

↓

행복시의 대안	• 들꽃 축제 운영 정보를 제공하고 문화시의 축제가 성공할 수 있도록 협력하겠다. ·············· ㉤

① ㉠   ② ㉡   ③ ㉢   ④ ㉣   ⑤ ㉤

[1~3] 다음 글을 읽고, 물음에 답하시오.

까마득한 날에
하늘이 처음 열리고
어데 닭 우는 소리 들렸으랴

모든 산맥들이
바다를 연모해 휘달릴 때도
차마 이곳을 범하던 못하였으리라

끊임없는 광음을
부지런한 계절이 피어선 지고
큰 강물이 비로소 길을 열었다

지금 눈 나리고
매화 향기 홀로 아득하니
내 여기 가난한 노래의 씨를 뿌려라

다시 천고의 뒤에
백마 타고 오는 초인이 있어
이 ㉠광야에서 목 놓아 부르게 하리라

1 윗글에 나타난 시적 화자의 태도로 가장 적절한 것은?
① 자신 앞에 닥친 시련을 회피하고 있다.
② 암담한 현실 상황 때문에 좌절하고 있다.
③ 다가올 미래를 냉소적인 자세로 바라보고 있다.
④ 고난을 대수롭지 않게 여기며 낙관적인 태도를 보이고 있다.
⑤ 현실의 어려움을 극복하기 위해 굳은 의지를 드러내고 있다.

2 ㉠에 대한 설명으로 적절한 것은?
① '나'의 불가능한 소망이 투영되어 있는 공간이다.
② 짧은 역사를 간직하고 있으나 그 미래가 기대되는 공간이다.
③ 과거에서 현재에 이르기까지 변화가 나타나지 않는 공간이다.
④ '나'가 희생의 의지를 드러낼 만큼 '나'에게 중요한 공간이다.
⑤ '나'가 희망찬 미래를 맞이하기 위해서 반드시 떠나야 하는 공간이다.

3
서술
유형
〈보기〉의 빈칸에 들어갈 알맞은 시어를 윗글에서 찾아 4어절로 쓰시오.

┌─ 보기 ─

윗글의 시인이 독립운동가인 점을 고려할 때, ( )은 조국의 암울한 현실을 극복할 지도자 또는 미래의 후손을 상징한다고 볼 수 있어.

[4~5] 다음 글을 읽고, 물음에 답하시오.

이런 돼지가 살았다지요 반들거리는 검은 털에 날렵한 주둥이를 가진, 유난히 흙의 온기를 좋아하여 흙이랑 노는 일을 제일로 즐거워했다는군요 기른다는 것이 실은 서로 길드는 것이어서 이 지방 사람들은 ㉠통시라는 거처를 마련했다지요 인간의 배변 장소와 돼지우리가 함께 있는 아주 재미난 방인 셈인데요 지붕을 덮지 않은 널찍한 호를 파고 지푸라기 조금 깔아 준 방 안에서 이 짐승은 눈비 맞고 흙과 똥과 뒹굴면서 비바람 햇볕을 고스란히 살 속에 아로새기게 되었다는데요 음식물 찌꺼기며 설거지물까지 버릴 것 없이 모아 둔 큰 독 속에서 한때 빛나던 것들이 제힘으로 다시 빛날 때 발효한 이 먹이를 돼지가 먹고 돼지의 배설물은 보리밭 거름으로 이쁜 보리들을 길렀다는데요 그래도 이 짐승의 주식이 사람의 똥이었던 것은 생명은 생명에게 공양되는 법이라 행여 남아 있을 산 것들의 온기가 더럽고 하찮은 것으로 취급될까 두려운 때문이 아니었는지 몰라

나라의 높은 분이 보기에 미개하여 시멘트 네 포대씩 무상 지급한 때가 있었다는데요 문명국의 지표인 변소를 개량하라 다그쳤다는데요 흔적이나마 통시가 아직 남아 내 몸속의 방을 향해 손 내밀어 주는 것은, 똥 누고 먹는 일이 한가지로 행해지는 그곳을 ㉡신이 거주하는 장소라 여긴 하늘 가까운 섬사람들이 있었기 때문입니다

4 섬사람들이 ㉠을 ㉡으로 여긴 이유로 가장 적절한 것은?
① 생명의 순환이 일어나는 공간이므로
② 하늘 가까운 곳에 위치한 공간이므로
③ 인간이 돼지를 효율적으로 기르는 공간이므로
④ 문명국의 지표인 변소와 대립되는 공간이므로
⑤ 돼지가 눈비를 맞으며 시련을 견디는 공간이므로

5 윗글에 담긴 사회·문화적 가치를 바르게 이해한 사람은?

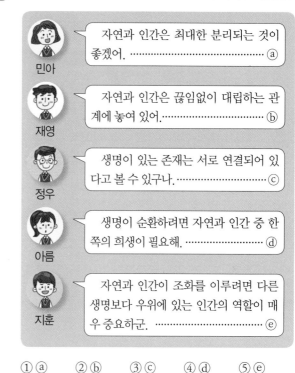

민아: 자연과 인간은 최대한 분리되는 것이 좋겠어. ⋯⋯⋯⋯⋯⋯⋯⋯⋯⋯⋯ ⓐ

재영: 자연과 인간은 끊임없이 대립하는 관계에 놓여 있어. ⋯⋯⋯⋯⋯⋯⋯⋯ ⓑ

정우: 생명이 있는 존재는 서로 연결되어 있다고 볼 수 있구나. ⋯⋯⋯⋯⋯⋯⋯ ⓒ

아름: 생명이 순환하려면 자연과 인간 중 한쪽의 희생이 필요해. ⋯⋯⋯⋯⋯⋯⋯ ⓓ

지훈: 자연과 인간이 조화를 이루려면 다른 생명보다 우위에 있는 인간의 역할이 매우 중요하군. ⋯⋯⋯⋯⋯⋯⋯⋯⋯⋯ ⓔ

① ⓐ   ② ⓑ   ③ ⓒ   ④ ⓓ   ⑤ ⓔ

[6~8] 다음 글을 읽고, 물음에 답하시오.

가 그의 집에는 그가 수십 년 동안 만져 온 연장이 그가 아니면 이해할 수 없는 순서로 잘 정리되어 있었다. 그 연장들 역시 그의 집이나 어머니나 아들과 마찬가지로 그가 매일 돌보는 덕분에 윤기가 흘렀다. 그는 집에 있는 모든 것을 일목요연하게 잘 알고 있어서 대부분의 고장은 스스로 고쳤다. 특히 경운기는 초기에 나온 모델로 지금은 부품도 제대로 없는 고물 중의 고물이었지만 자주 망가지는 수레만 열 번 넘게 갈았을 뿐, 엔진이 달려 있

는 앞부분은 계속 고쳐 썼다. 그의 경운기는 구식인 데다 하도 고친 데가 많아서 그가 아니면 운전은커녕 시동조차 걸 수 없었다.

나 "그래서 우리 동네에서도 군청 앞에서 열리는 대회에 전원 참가를 해야겠다, 이 말이라. 집에 돌아가거들랑 경운기를 깨끗이 손질해 가지고 내일 아침에 민소 앞까정 끌고 와서 집합을 하라는 기 행동 지침이라. 그래 가이고 군청까지 가는 국도로 깅운기로 길기 행진을 하민서 우리의 결의를 행동으로 보이 주는 기라."

"경운기가 없는 사람은 어쩌나요?"

민 씨가 물었다.

"농사짓는 사람이 깅운기도 없다 하마 농사꾼이 아니지럴. 그랭께 민 씨는 농사짓는 기 아이라. 비니루하우스 안에 꽃 및 송이 심가 놓고 우째 농사를 짓는다 카나."

다 민 씨는 황만근의 말을 이렇게 들었다.

"농사꾼은 빚을 지마 안 된다 카이."

(한번 빚을 지면 그 빚을 갚으려고 무리하게 일을 벌인다. 동네 곳곳에 텅 빈 우사(牛舍), 마른 똥만 뒹구는 축사, 잡초만 무성한 비닐하우스를 보라. 농어민 복지, 소득 향상, 생활 개선? 다 좋다. 그걸 제 돈으로 해야 한다. 제 돈으로 하지 않으면 그건 노름이나 다를 바 없다. 빚은 만근산의 눈덩이, 처마의 고드름처럼 자꾸 커진다.)

"기계화 영농 카더이마 집집마다 바퀴 달린 기계가 및 이나 되나. 깅운기, 트랙터, 콤바인, 이앙기, 거다 탈곡기, 건조기에 …… 다 빚으로 산 기라. 농사지 봐야 그 빚 갚느라고 정신없다."

---

6 (가)~(다)에 대한 설명으로 적절하지 <u>않은</u> 것은?

① (가)에서는 인물의 평소 행동을 서술자가 직접 요약하여 제시하고 있다.

② (나)에서는 인물의 말을 통해 인물들이 처한 상황을 드러내고 있다.

③ (나)에서는 인물의 행동을 묘사하여 인물 사이의 관계를 암시하고 있다.

④ (다)에서는 인물이 한 말에서 그가 가진 신념과 가치관이 드러나고 있다.

⑤ (다)에서는 인물의 말을 직접 인용한 뒤 괄호를 사용하여 구체적·요약적으로 드러내고 있다.

7 서술 유형 〈보기〉에서 설명하는 소재를 윗글에서 찾아 표준어로 쓰시오.

> ● 보기 ●
> • 황만근이 평소 검소하고 살뜰한 성품을 지닌 사람임을 보여 준다.
> • 농민들이 궐기 대회에서 그들의 결의를 드러내는 데 활용하려 한 수단이다.

8 (다)를 통해 알 수 있는 당시 농촌 사회의 문제점으로 적절한 것은?

① 소수의 농민만 돈을 빌릴 수 있었다.

② 이상 한파 때문에 농사짓기가 어려워졌다.

③ 불어나는 빚을 감당하지 못하는 농민이 많았다.

④ 노름에 빠져 생계가 어려워진 사람들이 늘어났다.

⑤ 쉽게 돈을 빌릴 수 있는 점을 악용해 일부러 빚을 갚지 않는 경우가 많았다.

[9 ~ 10] 다음 글을 읽고, 물음에 답하시오.

가 터져서 냄새나는 내용물이 꾸역꾸역 쏟아지는 쓰레기봉투를 들어 올렸을 미화원 아저씨에게는 또 얼마나 미안한 노릇인가. 그래서 생각해 낸 게 고양이가 좋아할 만한 먹이가 생기면 봉투 속에 넣지 않고 접시에 따로 담아 고양이가 잘 다니는 통로에다 놓아두는 거였다.

나 오랜 장마가 갠 어느 날 오후였다. 〈중략〉 뒷문 밖에는 꽤 넓은 툇마루가 있는데 거기 우리 집 단골 얼룩 고양이가 꼭 저 닮은 새끼를 다섯 마리나 거느리고 나란히 앉아 있는 게 아닌가. 어미는 산후라 그런지 털이 꺼칠했지만 새끼들은 털이 반지르르 윤이 흐르는 게 정말이지 눈이 부시게 아름다웠다.

다 나는 나에게 잘 얻어먹은 어미 고양이가 그동안 해산을 해서 반질반질 잘 기른 새끼들을 나에게 자랑도 할 겸, 감사와 친애의 표시도 할 겸해서 그렇게 가족 나들이를 나왔으려니 하고 있었다. 그 쌀쌀맞고 영악하기만 한 고양이로서는 기특하기 짝이 없는 마음 씀씀이 아닌가.

나는 마치 손주 새끼들 반기듯이 만면에 웃음을 띠고 두 손까지 활짝 벌려 그들 고양이 가족을 환대한다는 표시를 하며 부엌문 쪽으로 갔다. 그러나 그 다음에 나는 기절을 할 뻔하게 놀라고 말았다. 어미가 눈으로 불을 뿜으며 으르릉 이를 드러내고 나에게 공격 태세를 취하는 게 아닌가. 신속하고도 눈부신 적의(敵意)였다.

라 두근거리는 가슴을 진정하고 나니까 고양이에 대한 ㉠내 오해가 하도 어처구니없어서 슬며시 웃음이 났다. 그까짓 먹고 남은 생선 뼈 따위 좀 챙겨 주고 나서 내가 녀석을 길들인 줄 알다니. 녀석은 챙겨 주는 것보다 스스로 쓰레기봉투를 뚫고 찾아내는 게 훨씬 스릴도 있고 보람도 있었을 것이다. 어쩌면 녀석이 나를 공격하려 했다는 것조차 오해일 수도 있었다. 나에 대한 녀석의 적의는 곧 저렇게 생긴 인간이라는 족속에게 길들여지면 절대로 안 돼, 라는 제 새끼들에 대한 강력한 경고가 아니었을까.

9 ㉠의 구체적인 내용으로 볼 수 없는 것은?
① 어미 고양이가 자기에게 길들여졌으리라는 생각
② 어미 고양이가 새끼들에게 인간을 조심하라는 경고를 했으리라는 생각
③ 어미 고양이가 먹이를 챙겨 준 자신에게 감사한 마음을 가졌으리라는 생각
④ 글쓴이가 어미 고양이에게 느끼는 친밀감을 어미 고양이도 느꼈으리라는 생각
⑤ 어미 고양이가 새끼 고양이를 이끌고 온 것이 자신에게 자랑하기 위해서였으리라는 생각

10 글쓴이가 윗글을 쓰기 전에 세웠을 계획으로 적절하지 않은 것은?

ⓐ 일상적인 경험에서 글의 소재를 마련한다.
ⓑ 대상에 대해 느낀 감정을 솔직하게 드러낸다.
ⓒ 대상의 모습이나 상황을 생생하게 묘사해 읽는 이의 공감을 유도한다.
ⓓ 경험과 그 경험을 통해 얻은 깨달음을 시간 순서대로 제시한다.
ⓔ 오해의 원인과 결과를 분석하여 글이 논리적으로 전개되도록 한다.

① ⓐ ② ⓑ ③ ⓒ ④ ⓓ ⑤ ⓔ

창의 · 융합 · 코딩 서술형 테스트

1 다음은 〈세종어제훈민정음〉 원문의 일부이다. ㉠~㉢에 드러나는 중세 국어의 특징을 〈보기〉의 단어를 활용하여 서술하시오.

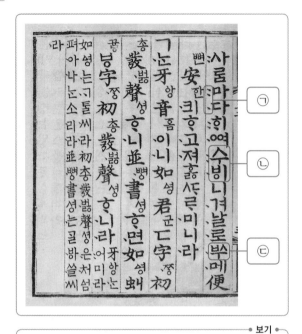

─── 보기 ───

성조   아래아   옛이응   여린히읗

끊어적기   이어적기   주격 조사

순경음 비읍   어두 자음군

• ㉠: (   )
• ㉡: (   )
• ㉢: (   )

2 다음을 바탕으로 하여 훈민정음 창제 이후 백성들의 국어 생활이 어떻게 바뀌었을지 〈조건〉에 맞게 서술하시오.

워늬 아바님씌 샹빅

　자내 샹해 날드려 닐오듸 둘히 머리 셰도록 사다가 홈씌 죽쟈 ᄒ 시더니 엇디ᄒ야 나ᄅᆞᆯ 두고 자내 몬져 가시ᄂᆞ.
　　　　　– 〈이응태 묘 출토 편지〉에서(1586년)

─── 조건 ───

'제시된 글을 통해 ~을 알 수 있다.'의 문장 형식으로 서술할 것

3 다음은 높임 표현이 잘못 사용된 사례이다. 어떤 점이 잘못되었는지 이유를 서술하고, 문장을 알맞게 고쳐 쓰시오.

• 잘못된 이유: (   )
• 고친 표현: (   )

정답과 해설 **93**쪽

4
참의

다음 토론에 나타난 논증의 구성을 아래와 같이 정리할 때, 〈보기〉의 내용을 참고하여 빈칸에 알맞은 말을 서술하시오.

무엇보다도 동물 실험은 비윤리적이라는 심각한 문제가 있습니다. 실험 과정에서 동물에게 큰 고통을 주고, 생명을 빼앗기도 하기 때문입니다.

동물 실험에서는 실험동물의 먹이와 물의 공급을 제한하여 특정 사료만을 먹게 하거나, 실험동물을 묶어 놓고 피부에 상처를 입힌 뒤 그 치유 과정을 관찰하기도 합니다. 미국 농무부의 보고에 따르면, 2010년에 9만 7천여 마리의 동물이 실험 과정에서 마취제나 진통제 투여 없이 실험을 받았습니다. 이 같은 사실은 동물 실험이 동물에게 큰 고통을 주는 현실을 잘 보여 줍니다.

━━ 보기 ●

• 주장: 토론에서 내세우는 의견
• 이유: 주장에 이르게 된 원인이나 조건
• 근거: 이유를 뒷받침하는 사실이자 주장을 지지하는 객관적 정보

이유

주장

근거

실험동물에게 큰 고통을 주는 사례

5
창의
융합

다음과 같은 갈등 상황에 놓였다고 가정할 때, 빈칸에 들어갈 수 있는 영화 동아리 부원의 말을 〈조건〉에 맞게 서술하시오.

축제 때 사용할 장소를 정하면서, 영화 동아리와 연극 동아리 모두 아래 시설 중 시청각실을 원하여 갈등이 생겼다. 두 동아리는 협상을 통해 이를 해결해야 한다.

시청각실	음악실
• 지하 1층 • 빔 투사기 • 암막 커튼 • 경사진 좌석	• 1층(농구장 바로 옆) • 빔 투사기 • 무대 • 조명 장치

영화 동아리 부장: 연극 동아리도 시청각실을 사용하고 싶어 해서 협상이 필요할 것 같아. 우리가 시청각실을 사용해야 하는 이유가 뭐였지?

영화 동아리 부원 1: 무엇보다 조용해서 좋아. 음악실은 농구장 바로 옆이어서 시끄럽거든. 그리고 어두워야 하므로 암막 커튼이 있는 시청각실이 필요하지.

영화 동아리 부원 2: 연극 동아리도 그 점 때문에 시청각실을 선호할 거야. 그렇다면

━━ 조건 ●

연극 동아리가 원하는 장소의 특성 두 가지를 파악하여 각각을 고려한 제안을 제시할 것

6
창의
융합

다음 두 시가 비슷한 시기에 창작되었다고 할 때, (가)와 (나)에 담긴 사회·문화적 가치를 〈조건〉에 맞게 서술하시오.

> (가) 하늘 밑 푸른 바다가 가슴을 열고
>   흰 돛단배가 곱게 밀려서 오면
>
>   내가 바라는 손님은
>   고달픈 몸으로
>   청포를 입고 찾아온다고 했으니
>
>   내 그를 맞아 이 포도를 따 먹으면
>   두 손은 함뿍 적셔도 좋으련
>   – 이육사, 〈청포도〉에서
>
> (나) 지금 눈 나리고
>   매화 향기 홀로 아득하니
>   내 여기 가난한 노래의 씨를 뿌려라
>
>   다시 천고의 뒤에
>   백마 타고 오는 초인이 있어
>   이 광야에서 목 놓아 부르게 하리라
>   – 이육사, 〈광야〉에서

─── 조건 ───
• 화자가 기다리는 대상을 (가), (나)에서 찾아 각각 한 단어로 제시할 것
• (가), (나)의 시인이 독립운동가였다는 점을 고려하여 시인이 추구한 사회·문화적 가치를 서술할 것

[7~8] 다음 글을 읽고, 물음에 답하시오.

이 짐승은 눈비 맞고 흙과 똥과 뒹굴면서 비바람 햇볕을 고스란히 살 속에 아로새기게 되었다는데요 음식물 찌꺼기며 설거지물까지 버릴 것 없이 모아 둔 큰 독 속에서 한때 빛나던 것들이 제힘으로 다시 빛날 때 발효한 이 먹이를 돼지가 먹고 돼지의 배설물은 보리밭 거름으로 이쁜 보리들을 길렀다는데요 그래도 이 짐승의 주식이 사람의 똥이었던 것은 생명은 생명에게 공양되는 법이라 행여 남아 있을 산 것들의 온기가 더럽고 하찮은 것으로 취급될까 두려운 때문이 아니었는지 몰라

나라의 높은 분이 보기에 미개하여 시멘트 네 포대씩 무상 지급한 때가 있었다는데요 문명국의 지표인 변소를 개량하라 다그쳤다는데요 흔적이나마 ⓐ통시가 아직 남아 ⓑ내 몸속의 방을 향해 손 내밀어 주는 것은, 똥 누고 먹는 일이 한가지로 행해지는 그곳을 신이 거주하는 장소라 여긴 하늘 가까운 섬사람들이 있었기 때문입니다

7
창의
코딩

윗글의 내용을 바탕으로 하여 〈보기〉와 같이 정리한다고 할 때, ⑩와 같이 화살표와 설명을 추가하여 각 시어들의 관계를 나타내시오.

─── 보기 ───
윗글은 생명이 순환하는 생태계에서 인간도 그 일부로서 다른 만물과 조화를 이루어 상호·보완적 관계를 이루는 삶을 그리고 있다.

| 사람 | | 보리(밭) |

먹이

⑩ 배설물

돼지

8 @와 ⓑ의 공통점을 〈조건〉에 맞게 서술하시오.
참의

● 조건 ●
각 공간에서 이루어지는 작용과 관련지을 것

9 민 씨가 황만근을 평가한 다음 글을 읽고 〈황만근은 이렇
창의 게 말했다〉에 담긴 사회·문화적 가치를 알아보는 활동을
코딩 하고자 한다. 빈칸에 들어갈 말을 〈조건〉에 맞게 서술하
시오.

어느 누구도 알아주지 아니하고 감탄하지 않는 삶
이었지만 선생은 깊고 그윽한 경지를 이루었다. 보라.
남의 비웃음을 받으며 살면서도 비루하지 아니하고
홀로 할 바를 이루어 초지를 일관하니 이 어찌 하늘이
낸 사람이라 아니할 수 있겠는가. 이 어찌 하늘이 내고
땅이 일으켜 세운 사람이 아니랴.

황만근의 삶에 대한 민 씨의 평가에 공감하는가?

공감한다   공감하지 않는다

황만근이 '하늘이 | 황만근의 덕성은
내고 땅이 일으켜 세 | 인정하지만, 그의 삶
운 사람'이라는 민 씨 | 의 방식은 바람직하
의 평가에 동의한다. | 지 않다. 황만근의 희
왜냐하면 황만근은 | 생을 다른 사람들이
_____. | 이용하는 것 같다.

● 조건 ●
소설에서 황만근을 통해 전달하고 있는 사회·문화
적 가치와 관련하여 황만근의 성품을 긍정적으로 평
가하는 내용을 서술할 것

10 〈오해〉의 구성을 다음과 같이 도식화할 때, '깨달음'에 들
참의 어갈 알맞은 말을 〈조건〉에 맞게 서술하시오.

경험		깨달음
쓰레기봉투를 파 헤치던 도둑고양이에 게 먹이를 챙겨 주다 가 놀라게 된 일	+	

● 보기 ●
두근거리는 가슴을 진정하고 나니까 고양이에 대한
내 오해가 하도 어처구니없어서 슬며시 웃음이 났다.
그까짓 먹고 남은 생선 뼈 따위 좀 챙겨 주고 나서 내
가 녀석을 길들인 줄 알다니. 녀석은 챙겨 주는 것보
다 스스로 쓰레기봉투를 뚫고 찾아내는 게 훨씬 스릴
도 있고 보람도 있었을 것이다. 어쩌면 녀석이 나를
공격하려 했다는 것조차 오해일 수도 있었다. 나에 대
한 녀석의 적의는 곧 저렇게 생긴 인간이라는 족속에
게 길들여지면 절대로 안 돼, 라는 제 새끼들에 대한
강력한 경고가 아니었을까.

● 조건 ●
글쓴이가 고양이와 관련하여 깨달은 내용을 압축하
는 2음절의 단어를 〈보기〉에서 찾아 포함할 것

[1~3] 다음 글을 읽고, 물음에 답하시오.

世·솅宗종御·엉製·졩訓·훈民민正·졍音흠

나·랏 :말ᄊᆞ·미 中듕國·귁·에 달·아 文문字·ᄍᆞ·와·로 서르 ᄉᆞᄆᆞᆺ·디 아·니ᄒᆞᆯ·ᄊᆡ ·이런 젼·ᄎᆞ·로 어·린 百·ᄇᆡᆨ姓·셩·이 니르·고·져 ·홇 ·배 이·셔·도 ᄆᆞ·ᄎᆞᆷ:내 제 ·ᄠᅳ·들 시·러 펴·디 :몯ᄒᆞᆯ ·노·미 하·니·라 ·내 ·이·ᄅᆞᆯ 爲·윙·ᄒᆞ·야 :어엿·비 너·겨 ·새·로 ·스·믈여·듧 字·ᄍᆞ·ᄅᆞᆯ 밍·ᄀᆞ노·니 :사·ᄅᆞᆷ:마·다 :ᄒᆡ·ᅇᅧ :수·ᄫᅵ 니·겨 ·날·로 ·ᄡᅮ·메 便뼌安ᅙᅡᆫ·킈 ᄒᆞ·고·져 ᄒᆞᆯ ᄯᆞᄅᆞ·미니·라

[현대어 풀이] 우리나라의 말이 중국과 달라 한자와 서로 통하지 아니하여서, 이런 까닭으로 어리석은 백성이 말하고자 하는 바가 있어도 마침내 제 뜻을 능히 펴지 못하는 사람이 많다. 내가 이것을 가엾게 생각하여 새로 스물여덟 글자를 만드니, 모든 사람으로 하여금 쉽게 익혀서 날마다 쓰는 데 편안하게 하고자 할 따름이다.

△ 〈훈민정음〉(언해본)

1 윗글을 이해한 내용으로 적절하지 **않은** 것은?

① 새로 만들어진 글자인 훈민정음은 모두 28자이다.
② 백성의 어려움을 헤아리는 애민 정신이 드러나 있다.
③ 훈민정음은 백성들이 쉽게 사용할 수 있게 만든 글자이다.
④ 훈민정음이 창제되기 전에는 백성들이 글을 통해 자신의 뜻을 펼치기 어려웠다.
⑤ 세종 대왕은 훈민정음이 중국의 글자를 익히는 데 도움이 될 것이라고 기대하였다.

2 다음 밑줄 친 부분에서 알 수 있는 표기법 및 음운의 변화로 적절하지 **않은** 것은?

	중세 국어	현대 국어	변화 내용
①	·이런	이런	성조가 사라졌다.
②	·ᄠᅳ·들	뜻을	어두 자음군이 거센소리로 변했다.
③	펴·디	펴지	'ㅣ' 모음 앞에서 'ㄷ'이 'ㅈ'으로 변했다.
④	·노·미	놈이	끊어적기를 하여 표기하게 되었다.
⑤	:수·ᄫᅵ	쉬이	'ㅸ'이 사라졌다.

3 어휘의 의미 변화를 고려할 때 ㉠, ㉡에 들어갈 알맞은 말을 각각 쓰시오.

중세 국어	의미		현대 국어	의미
어·린	㉠	→	어린	나이가 적은
:어엿·비	가엾게, 불쌍히	→	어여쁘	㉡

· ㉠: (   )　· ㉡: (   )

4 밑줄 친 부분의 의미가 바르게 연결된 것은?

① 너 정말 좋았<u>겠</u>다. – 과거의 사건을 나타냄.
② 그 일은 내가 맡<u>겠</u>다. – 주체의 의지를 나타냄.
③ 나는 할머니가 <u>그립</u>다. – 미래의 사건을 나타냄.
④ 이 마을에는 사람이 적<u>었었</u>다. – 미래에 대한 추측을 나타냄.
⑤ 이렇게 비가 안 오니 올해 농사는 다 지<u>었</u>다. – 현재와 단절된 과거를 나타냄.

정답과 해설 **94**쪽

5 능동 표현과 피동 표현에 대해 탐구한 내용으로 적절하지 않은 것은?

은지 | 능동과 피동은 문장에서 주어의 동작이나 행위가 어떻게 이루어지는지에 따라 구별되는 개념이야. ·················· ⓐ

민호 | 주어가 제힘으로 움직이면 '능동'이라 하고, 주어가 다른 힘에 의해 움직이면 '피동'이라 하지. ·················· ⓑ

수찬 | 능동문을 피동문으로 바꿀 때 능동문의 주어는 피동문의 목적어가 돼. ······ ⓒ

현지 | 동사에 피동 접미사를 붙이거나 일부 명사 뒤에 접사 '-되다'를 결합하는 방법으로 피동 표현을 만들 수 있어. ········ ⓓ

재혁 | 같은 사건도 능동문이냐 피동문이냐에 따라 문장의 의미 초점이 달라져. ······ ⓔ

① ⓐ   ② ⓑ   ③ ⓒ   ④ ⓓ   ⑤ ⓔ

6 〈보기〉의 밑줄 친 부분을 알맞은 간접 인용 표현으로 고쳐 쓰시오.

──── 보기 ────

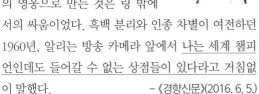

세계 권투 대회의 챔피언 알리가 1964년에 상대 선수와의 경기를 앞두고 "나비처럼 날아서 벌처럼 쏘겠다."라고 했던 말은 평생 그를 따라다닌 말이다. 그를 세계의 영웅으로 만든 것은 링 밖에서의 싸움이었다. 흑백 분리와 인종 차별이 여전하던 1960년, 알리는 방송 카메라 앞에서 나는 세계 챔피언인데도 들어갈 수 없는 상점들이 있다라고 거침없이 말했다.

– 《경향신문》(2016. 6. 5.)

[7 ~ 9] 다음 글을 읽고, 물음에 답하시오.

사회자: 지금부터 "의약품 개발을 위한 동물 실험을 금지해야 한다."라는 논제로 토론을 시작하겠습니다. 먼저 찬성 측 제1 토론자의 입론으로 시작하겠습니다.

찬성 1: 현재 전 세계에서 연간 1억 마리 이상의 동물이 인간을 위한 동물 실험으로 죽어 가고 있습니다. 여기에서 동물 실험이란 새로운 약품이나 치료법의 효능과 안전성을 확인하기 위해 동물을 대상으로 실시하는 의학적인 실험을 말합니다. 이 동물 실험은 인간에 의해 많은 동물이 희생된다는 점에서 문제가 있습니다. 인간과 동물은 모두 생명을 가진 존재이며, 고통을 느낀다는 점에서 크게 다르지 않습니다. 저희 찬성 측은 다음과 같은 측면에서 의약품 개발을 위한 동물 실험을 반드시 금지해야 한다고 생각합니다.

무엇보다도 동물 실험은 비윤리적이라는 심각한 문제가 있습니다. 실험 과정에서 동물에게 큰 고통을 주고, 생명을 빼앗기도 하기 때문입니다. 동물 실험에서는 실험동물의 먹이와 물의 공급을 제한하여 특정 사료만을 먹게 하거나, 실험동물을 묶어 놓고 피부에 상처를 입힌 뒤 그 치유 과정을 관찰하기도 합니다.

이러한 문제들을 해결할 수 있는 대체 방안이 있습니다. 동물 실험을 하지 않고도 의약품의 효능과 안전성을 확인하는 방법에 대한 연구가 진행되고 있습니다. 〈중략〉 이와 같은 대체 실험을 상용화하는 데에는 새로운 비용이 발생하겠지만, 장기적으로는 실험동물의 막대한 구입비와 유지비를 줄일 수 있고, 동물 실험이 안고 있는 윤리 문제도 피할 수 있어 그 이익이 훨씬 큽니다.

7 윗글을 참고할 때, 토론의 입론에서 제시될 내용으로 적절하지 <u>않은</u> 것은?

① 논제의 사회적 배경

② 논제에 대한 명확한 주장

③ 토론의 규칙과 진행 순서

④ 토론이 필요하게 된 문제 상황

⑤ 토론에 사용되는 핵심적인 용어의 정의

8 〈보기〉에서 윗글의 뒤에 이어질 반대 측 토론자의 교차 신문 내용으로 적절한 것끼리 바르게 짝지어진 것은?

━━━ 보기 ●

ㄱ. 동물에게는 존엄성이 없다고 생각하는가?

ㄴ. 동물 실험의 결과가 정확하다고 할 수 있는가?

ㄷ. 동물 실험 결과를 인간에게 그대로 적용할 수 있는가?

ㄹ. 대체 실험이 지금 당장 동물 실험을 대체할 수 있는가?

ㅁ. 대체 실험에 대한 연구가 진행 중인 단계라면 동물실험은 여전히 필요한 것 아닌가?

① ㄱ, ㄴ   ② ㄴ, ㄷ   ③ ㄴ, ㄹ

④ ㄷ, ㅁ   ⑤ ㄹ, ㅁ

9 찬성 측 토론자의 입론 중 〈보기〉의 밑줄 친 부분에 해당하는 내용을 찾아 50자 내외로 요약하여 서술하시오.

━━━ 보기 ●

쟁점 가운데 반드시 다루어야 하는 쟁점을 필수 쟁점이라고 한다. 정책 논제를 다루는 토론에서는 문제, 해결 방안, <u>효과와 이익</u> 등이 주요한 필수 쟁점이 된다.

[10~11] 다음 글을 읽고, 물음에 답하시오.

[조정 단계] 행복시와 문화시는 문제를 확인하며 서로의 견해 차이를 좁혀 나가고자 합니다. 두 도시는 어떻게 대안을 탐색하여 조정해 나갈까요?

행복시: 문화시가 들꽃 축제와 비슷한 축제를 개최해서 우리 시 축제의 고유성이 훼손되었다. 문화시는 풀꽃 축제를 중단해야 한다.

문화시: ㉠들꽃이나 풀꽃을 소재로 한 축제는 행복시만의 전유물이 아니다. 소재만 비슷할 뿐 세부 내용은 차이가 있으므로 중단할 이유가 없다.

행복시: 문화시의 축제 개최 이후 우리 시의 관광객이 감소하였으므로 무관하다고 볼 수 없다. 우리 시의 경제적 손실이 매우 크다. 문화시는 풀꽃 축제를 당장 중단하라.

문화시: 우리 시에 관광객이 몰리는 이유는 접근성이 높기 때문이다. 행복시의 관광객을 빼앗은 것이 아니므로 중단할 수 없다.

행복시: " ㉡문화시가 풀꽃 축제의 내용을 우리 축제의 내용과 더욱 다르게 하고, 관광객이 감소하여 발생한 우리 시의 경제적 손실을 보전해 준다면, 문화시의 풀꽃 축제 운영을 반대하지 않겠다. "

문화시: 당장은 힘들지만, 내년부터는 새로운 내용을 개발하여 우리 축제를 들꽃 축제와 차별화하겠다. 그런데 행복시의 경제적 손실에 대한 보전은 어려운 문제이다.

행복시: 그렇다면 경제적 손실은 일부만 보전하라. 그 대신 유동 인구가 많은 문화시에서 우리 시의 들꽃 축제를 홍보하여 다시 관광객이 늘 수 있도록 도와주면 좋겠다.

ⓒ우리 시에서 행복시의 축제를 홍보하는 것은 가능하다. 그러나 경제적 손실을 일부 보전하는 것보다는 공동 사업을 추진하여 발생하는 이익을 나누는 방안이 좋겠다.

행복시는 문화시가 내놓은 대안을 받아들였습니다.

" 우리 시는 축제를 시행한 지 얼마 되지 않아 미숙한 점이 많다. 비슷한 소재의 축제를 먼저 개발한 행복시에서 우리에게 축제 운영 정보를 제공해 달라. " 문화시

ⓓ들꽃 축제 정보를 제공하겠다. 하지만 축제 운영 정보를 그대로 주면 두 축제가 너무 비슷해질 우려가 있다. '풀꽃 축제'의 이름을 바꾸어서 우리와 더 차별화하면 좋겠다.

유익한 정보를 얻을 수 있다면 우리 축제의 이름을 바꾸겠다. 우리 시는 접근성이 높으므로 일정 수의 관광객은 확보할 수 있을 것이다.

ⓔ좋은 생각이다. 먼저 축제를 개발한 도시로서 우리도 문화시의 축제가 성공할 수 있도록 적극 협력하겠다.

두 도시는 대안을 탐색하며 원만하게 협상을 진행하였습니다.

10 윗글을 통해 알 수 있는 내용으로 적절하지 <u>않은</u> 것은?

① 행복시에 비해 문화시의 접근성이 좋다.
② 문화시는 축제 운영에 미숙한 점이 많다.
③ 문화시가 행복시보다 먼저 축제를 개발하였다.
④ 문화시가 축제를 개최한 후 행복시의 관광객이 감소하였다.
⑤ 행복시와 문화시는 모두 꽃을 소재로 한 축제를 시행하고 있다.

11 ㉠~㉤에 대한 설명으로 적절하지 <u>않은</u> 것은?

① ㉠: 행복시의 주장에 대한 반박으로 문화시는 축제의 세부 내용에 차이가 있음을 근거로 제시하고 있다.
② ㉡: 축제 중단을 요구한 행복시가 한발 물러나 새로운 제안을 제시하고 있다.
③ ㉢: 문화시는 행복시의 제안을 일부 수용하고 있다.
④ ㉣: 행복시는 문화시의 제안을 수용하여 발생할 수 있는 문제 상황을 해결할 대안도 함께 제시하고 있다.
⑤ ㉤: 행복시는 문화시에 협력하여 문화시가 새로 진행할 축제를 홍보해 주기로 약속하고 있다.

7일

[12 ~ 14] 다음 글을 읽고, 물음에 답하시오.

가 까마득한 날에 / 하늘이 처음 열리고
어데 닭 우는 소리 들렸으랴

모든 산맥들이 / 바다를 연모해 휘달릴 때도
㉠차마 이곳을 범하던 못하였으리라

끊임없는 광음을 / ㉡부지런한 계절이 피어선 지고
큰 강물이 비로소 길을 열었다

지금 눈 나리고 / 매화 향기 홀로 아득하니
내 여기 가난한 노래의 씨를 뿌려라

다시 천고의 뒤에 / ㉢백마 타고 오는 초인이 있어
이 광야에서 ⓐ목 놓아 부르게 하리라

나 이런 돼지가 살았다지요 반들거리는 검은 털에 날렵한 주둥이를 가진, 유난히 흙의 온기를 좋아하여 흙이랑 노는 일을 제일로 즐거워했다는군요 기른다는 것이 실은 서로 길 드는 것이어서 이 지방 사람들은 통시라는 거처를 마련했다 지요 인간의 배변 장소와 돼지우리가 함께 있는 아주 재미난 방인 셈인데요 지붕을 덮지 않은 널찍한 호를 파고 지푸라기 조금 깔아 준 방 안에서 이 짐승은 눈비 맞고 흙과 똥과 뒹굴 면서 비바람 햇볕을 고스란히 살 속에 아로새기게 되었다는 데요 음식물 찌꺼기며 설거지물까지 버릴 것 없이 모아 둔 큰 독 속에서 한때 빛나던 것들이 제힘으로 다시 빛날 때 ㉣<u>발 효한 이 먹이를 돼지가 먹고 돼지의 배설물은 보리밭 거름으 로 이쁜 보리들을 길렀다는데요</u> 그래도 이 짐승의 주식이 사 람의 똥이었던 것은 생명은 생명에게 공양되는 법이라 행여 남아 있을 산 것들의 온기가 더럽고 하찮은 것으로 취급될까 두려운 때문이 아니었는지 몰라

㉤<u>나라의 높은 분이 보기에 미개하여 시멘트 네 포대씩 무 상 지급한 때가 있었다는데요</u> 문명국의 지표인 변소를 개량 하라 다그쳤다는데요 흔적이나마 통시가 아직 남아 내 몸속 의 방을 향해 손 내밀어 주는 것은, 똥 누고 먹는 일이 한가 지로 행해지는 그곳을 신이 거주하는 장소라 여긴 하늘 가까 운 섬사람들이 있었기 때문입니다

12 (가), (나)의 공통점으로 가장 적절한 것은?

① 대상을 의인화하여 대상의 부정적 속성을 강조하고 있다.

② 선언적인 어조를 통해 미래에 대한 확신을 보여 주 고 있다.

③ 과거와 현재를 대비하여 과거에 대한 향수를 드러내 고 있다.

④ 묻고 답하는 방식을 통해 자연스럽게 시상을 전환하 고 있다.

⑤ 특정 공간을 바탕으로 화자가 추구하는 가치를 드러 내고 있다.

13 ㉠~㉤에 대한 설명으로 적절하지 <u>않은</u> 것은?

① ㉠: 광야가 신성하여 함부로 침범할 수 없는 공간임 을 강조하고 있다.

② ㉡: 시간의 흐름을 반복되는 개화와 낙화로 표현하 고 있다.

③ ㉢: 화자 자신의 모습을 '초인'으로 형상화하고 있다.

④ ㉣: 생명이 순환되는 과정을 구체적으로 드러내고 있다.

⑤ ㉤: 통시의 가치를 무시하는 부정적인 관점을 보이 고 있다.

14 (가)에서 ⓐ의 의미가 무엇인지 〈조건〉에 맞게 서술하시오.

┌─────── 조건 ┐
• 4연의 어떤 시어와 연결되는지 제시할 것
• (가)의 사회·문화적 가치와 관련지을 것
└──────────────┘

[15~18] 다음 글을 읽고, 물음에 답하시오.

가 황만근의 어머니와 아들, 조손은 입맛이 까다로워 비린 반찬이 없으면 먹지를 않는가 하면 비린 반찬이 있으면 밥상 머리에서 돌아앉았다. 한 끼에 두 번 상을 차리는 일이 예사였다. 어머니 한 상, 아들 한 상이었고 본인은 상이 없이 먹었다. 황만근은 하루 일이 끝나면 반드시 경운기에 고기를 매달고 집으로 돌아왔다. 일을 하는 동안 논 주변에서 잡은 붕어나 메기, 미꾸라지, 혹은 메뚜기, 방아깨비라도 짚에 꿰어 들어왔다. 동네에서 이따금 잡는 소나 돼지, 개, 닭, 오리, 토끼 같은 가축 모두 숨을 끊는 것에서부터 내장을 손질하고 뼈에서 살을 발라내는 포정(庖丁)의 업(業)에는 황만근이 반드시 필요했다.
소나 개, 돼지 따위를 잡는 일을 직업으로 하는 사람.
스스로의 필요에 의해 오래도록 자주 하다 보니 어느새 전문가가 된 것이었다. 그는 그런 일을 해 주고 얻어 온 고기를 뜨고 굽고 찌고 데치고 삶고 끓이는 데도 이골이 났다. 어쩌다 그가 만든 음식에 숟가락을 대 본 사람은 이구동성으로 감탄을 하게 마련이었다. 그러고 나서는 남녀노소를 막론하고 "희한할세, 바보가." 하는 말을 덧붙이는 것을 잊지 않았다. 그는 만들어져 있는 조미료를 몰랐지만 재료가 가지고 있는 맛을 흠뻑 우려내어 조화를 시킬 줄 알았다.

황만근은 또한 책에 나오는 예(禮)는 몰라도 염습과 산역(山役)같이 남이 꺼리는 일에는 누구보다 앞장을 섰고 동네
시신을 씻긴 뒤 수의를 갈아입히고 베로 묶는 일.
시체를 묻고 뫼를 만들거나 이장하는 일.
사람들도 서슴없이 그에게 그런 일을 맡겼다. 〈중략〉

마을 회관 밖, 어둠 속에서 오줌을 누던 민 씨는 우연히 이장이 황만근을 붙들고 무슨 이야기를 하는 걸 보게 되었다.

"내 이러키까지 말을 해도 소양이 없어. 보나 마나 내일, 융자 받아서 다방이나 댕기민서 학수걸이 겉농사 짓는 놈들이나 및 올까. 만그이 자네겉이 똑 부러지게 농사짓는 사람은 하나도 안 올 끼라. 자네가 앞장을 서야 되네. 자네 경운기 겉은 헌 깅운기에다 농사짓는 놈 다 직이라고 써

붙이 달고 가야 된께……."

민 씨가 헛기침을 하자 이장의 이야기는 거기서 끝났다. 황만근이 약간 앞서고 민 씨가 뒤를 따르면서 두 사람은 한동안 걷게 되었다. 그날따라 하늘에는 별이 초롱초롱했고 아직 차가운 봄바람이 술로 달아오른 얼굴의 열기를 금방 씻어 갔다. 민 씨는 무슨 말을 꺼낼까 말까 망설였다. 이제까지 늘 여러 사람이 있는 데서만 만났지 한 번도 황만근과 단둘이서만 제대로 이야기를 해 본 적이 없는 탓도 있었다. 그런데 황만근이 먼저 입을 열었다.

"참 똑똑하기 잘도 돈다."

"뭐가 말씀입니까."

민 씨는 조심스럽게 되물었다.

"저 빌(별)들 말이라. 시계맨쭈로 하루도 쉬지 않고 똑딱똑딱 나왔다가 들어갔다, 나왔다가 들어갔다 하지 않는기요."

황만근에 대해서는 부지런한 술주정뱅이 이상으로는 아는 게 없었던 ㉠민 씨는 조금 어리둥절했다. 그러다가 그에게 알맞을 것 같은 물음을 찾아냈다. 〈중략〉

"경운기 운전을 잘하신다면서요."

"동네에서는 내가 젤 오래 했응께. 깅운기도 마이 늙었어. 고집이 시 가이고 나 아이만 발동도 안 걸리. 내가 제 똥창까지 환하게 안께 말을 듣는 기라."

"……내일 궐기 대회에 가십니까."

"내사 뭐 어머이 밥도 끓이 디리야 되고…… 모르겠소. 구장은 나 겉은 상농사꾼이 꼭 가야 된다 카는데."

나 황만근, 황 선생은 어리석게 태어났는지는 모르지만 해가 가며 차츰 신지(神智)가 돌아왔다. 하늘이 착한 사람을 따
신령스럽고 기묘한 지혜.
뜻이 덮어 주고 땅이 은혜롭게 부리를 대어 알껍질을 까 주었다. 그리하여 후년에는 그 누구보다 지혜로웠다. 그는 누구에게도 해를 끼치지 않았듯 그 지혜로 어떤 수고로운 가르

침도 함부로 남기지 않았다. 스스로 땅의 자손을 자처하여 늘 부지런하고 근면하였다. 사람들이 빚만 남는 농사에 공연히 뼈를 상한다고 하였으나 개의치 아니하였다. 사람 사이에 어려움이 있으면 언제나 함께하였고 공에는 자신보다 남을 내세워 뒷사람을 놀라게 했다. 하늘이 내린 효자로서 평생 어머니 봉양을 극진히 했다. 아들에게는 따뜻하고 이해심 많은 아버지였고 훈육을 할 때는 알아듣기 쉽게 하여 마음으로 감복시켰다. 〈중략〉 어느 누구도 알아주지 아니하고 감탄하지 않는 삶이었지만 선생은 깊고 그윽한 경지를 이루었다. 보라. 남의 비웃음을 받으며 살면서도 비루하지 아니하고 홀로 할 바를 이루어 초지를 일관하니 이 어찌 하늘이 낸 사람이라 아니할 수 있겠는가. 이 어찌 하늘이 내고 땅이 일으켜 세운 사람이 아니랴.

단기 사천삼백삼십 년 오월 스무날

본디 묘지에나 쓰일 것[묘비명(墓碑銘)]이지만 천지를 대영혼의 집으로 삼은 선생인지라 아무 쓸모도 없는 이 글을, 새터말로 귀농하였다가 이룬 것 없이 다시 도시로 흘러가며, 남해인(南海人) 민순정(閔順晶)이 엎디어 쓰다.

15 (가), (나)에 대한 설명으로 가장 적절한 것은?

① (가), (나) 모두 갈등이 해소되는 과정을 그리고 있다.

② (가), (나) 모두 특정 인물의 회상을 중심으로 이야기를 전개하고 있다.

③ (가), (나) 모두 인물의 행위와 대화를 통해 사건의 전모를 드러내고 있다.

④ (가)는 (나)와 달리 시점의 변화를 통해 인물 간의 갈등과 사건을 새롭게 조명하고 있다.

⑤ (나)는 (가)와 달리 예찬적인 태도로 인물의 삶을 요약적으로 제시하고 있다.

16 (가)의 내용과 일치하지 <u>않는</u> 것은?

① 민 씨는 황만근이 궐기 대회에 참석하는 것을 불안하게 여겼다.

② 황만근은 가족을 위해 한 끼에 두 번 상을 차리는 경우가 많았다.

③ 황만근은 마을에서 오랜 기간 포정의 업을 하며 전문가가 되었다.

④ 동네 사람들은 꺼리는 일들이 생기면 서슴없이 황만근에게 맡겼다.

⑤ 구장(이장)은 황만근에게 궐기 대회에 꼭 참석하라고 이야기하였다.

17 (나)를 통해 알 수 있는 황만근에 대한 설명으로 적절하지 <u>않은</u> 것은?

① 황만근은 스스로 농사꾼임을 자처했다.

② 황만근은 나이를 먹으며 지혜로워졌다.

③ 황만근은 누구에게도 해를 끼치지 않았다.

④ 황만근은 남에게 자신의 공을 내세우지 않았다.

⑤ 황만근은 농사일을 하며 빚을 지는 것을 개의치 않았다.

18 ㉠의 이유로 가장 적절한 것은?

① 황만근에게 건넬 말을 찾기 어려웠기 때문에

② 황만근의 술주정에 대처할 방법을 몰랐기 때문에

③ 황만근에게 기대한 것과 달리 그가 바보스러운 말을 했기 때문에

④ 평소 알고 있던 바와 달리 황만근이 이치에 맞는 말을 했기 때문에

⑤ 황만근이 궐기 대회에 참석할지를 전혀 고민하지 않고 평온한 모습을 보였기 때문에

7일

[19 ~ 20] 다음 글을 읽고, 물음에 답하시오.

어미는 산후라 그런지 털이 꺼칠했지만 새끼들은 털이 반지르르 윤이 흐르는 게 정말이지 눈이 부시게 아름다웠다. 어떤 인간의 가족에게서도 그렇게 아름다운 모습은 본 적이 없었다.

나는 거의 전율에 가까운 기쁨을 느꼈다. 그뿐이 아니었다. 나는 감동까지 하고 있었다. 나는 나에게 잘 얻어먹은 어미 고양이가 그동안 해산을 해서 반질반질 잘 기른 새끼들을 나에게 자랑도 할 겸, 감사와 친애의 표시도 할 겸해서 그렇게 가족 나들이를 나왔으려니 하고 있었다. 그 쌀쌀맞고 영악하기만 한 고양이로서는 기특하기 짝이 없는 마음 씀씀이 아닌가.

나는 마치 손주 새끼들 반기듯이 만면에 웃음을 띠고 두 손까지 활짝 벌려 그들 고양이 가족을 환대한다는 표시를 하며 부엌문 쪽으로 갔다. 그러나 그다음에 나는 기절을 할 뻔하게 놀라고 말았다. ㉠어미가 눈으로 불을 뿜으며 으르릉 이를 드러내고 나에게 공격 태세를 취하는 게 아닌가. 신속하고도 눈부신 적의(敵意)였다. 다행히 순간적이었다. 내가 혹시 대낮에 환상을 본 게 아닌가 싶게 고양이 가족

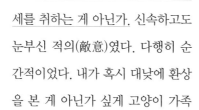

은 소리도 없이 신속하게 모습을 감추었다. 그래도 나는 부서워서 부엌문을 닫아 버렸다.

두근거리는 가슴을 진정하고 나니까 고양이에 대한 내 오해가 하도 어처구니없어서 슬며시 웃음이 났다. 그까짓 먹고 남은 생선 뼈 따위 좀 챙겨 주고 나서 내가 녀석을 길들인 줄 알다니. 녀석은 챙겨 주는 것보다 스스로 쓰레기봉투를 뚫고 찾아내는 게 훨씬 스릴도 있고 보람도 있었을 것이다. 어쩌면 녀석이 나를 공격하려 했다는 것조차 오해일 수도 있었

다. 나에 대한 녀석의 적의는 곧 저렇게 생긴 인간이라는 족속에게 길들여지면 절대로 안 돼, 라는 제 새끼들에 대한 강력한 경고가 아니었을까.

우리는 흔히 고양이는 은혜를 모르는 동물이라고 생각하며 길들이기를 꺼려 한다. 그게 인간들끼리 통하는 생각이라면 고양이들끼리 통하는 생각은 인간이라는 머리 검은 동물에게 길들여진다는 건 자유와 자존심을 담보로 해야 하는, 즉 죽느니만도 못한 짓이라는 것일지도 모르겠다.

---

19 윗글에 대한 감상을 사자성어로 나타낸 것 중 가장 적절한 것은?
① 글쓴이는 자신의 몸을 희생하는 살신성인(殺身成仁)의 자세로 고양이를 돌봐 왔군.
② 글쓴이는 처지를 바꾸어 생각해 보는 역지사지(易地思之)의 자세로 자신의 행동을 성찰하고 있군.
③ 글쓴이는 겉으로 보이는 행동과 속마음이 다른 표리부동(表裏不同)한 자세로 고양이를 대해 왔군.
④ 글쓴이는 은혜를 저버리고 배신한 고양이의 배은망덕(背恩忘德)한 태도를 못마땅하게 여기고 있군.
⑤ 글쓴이가 고양이에게 두려움을 느끼는 것은 잘못한 사람이 도리어 잘못 없는 이를 나무라는 적반하장(賊反荷杖)의 자세라고 할 수 있군.

20 ㉠에 대한 글쓴이의 생각이 어떻게 변화하였는지 ⓐ에 들어갈 알맞은 내용을 윗글에서 찾아 쓰시오.

고양이에 관한 오해		고양이에 관한 깨달음
나에 대한 공격	→	ⓐ

[1~3] 다음 글을 읽고, 물음에 답하시오.

世·솅宗종御·엉製·졩訓·훈民민正·졍音흠

나·랏 :말싸·미 ⓐ中듕國·귁·에 달·아 文문字·쫑·와·로 서르 ㉠스뭇·디 아·니홀·씨 ·이런 ㉡젼·ᄎ·로 어·린 百·빅姓·셩·이 니르·고·져 ·홇 ·배 이·셔·도 ᄆᆞ·촘:내 제 ·ᄠ·들 시·러 펴·디 :몯홇 ·노·미 ㉢하·니·라 ·내 ·이·룰 爲·윙·ᄒᆞ·야 ㉣:어엿·비 너·겨 ·새·로 ·스·믈여·듧 字·쫑·ᄅᆞᆯ 밍·ᄀ노·니 :사ᄅᆞᆷ:마·다 :ᄒᆡ·ᅇᅧ ㉤:수·비 니·겨 ·날·로 ·ᄡᅳ·메 便뼌安ᅙᅡᆫ·킈 ᄒᆞ·고·져 홇 ᄯᆞᄅᆞ·미니·라

1 윗글을 통해 알 수 있는 중세 국어의 특징으로 적절하지 <u>않은</u> 것은?

① 끊어적기 방식으로만 표기하였다.
② 동국정운식 한자음 표기가 나타난다.
③ 성조를 나타내기 위한 방점이 쓰였다.
④ 현대 국어와 다른 주격 조사가 사용되었다.
⑤ 현대 국어에서는 사용하지 않는 음운이 존재하였다.

2 ㉠~㉤의 뜻풀이로 적절하지 <u>않은</u> 것은?

① ㉠: 통하지   ② ㉡: 까닭으로
③ ㉢: 많으니라   ④ ㉣: 아름답게
⑤ ㉤: 쉽게

3 ⓐ를 현대 국어로 풀이하고, 조사의 사용 면에서 현대 국어와 다른 점을 서술하시오.

> ──── 조건 ────
> '중세 국어에서는 현대 국어에서와 달리 ~ '의 문장 형식으로 서술할 것

4 〈보기〉의 ⓐ, ⓑ에 대한 설명으로 적절하지 <u>않은</u> 것은?

──── 보기 ────

ⓐ 선생님께서 민재에게 꽃을 주셨다.

ⓑ 민재가 선생님께 꽃을 드렸다.

① ⓐ에서는 꽃을 준 주체인 '선생님'을 높이고 있다.
② ⓐ에서는 '께서'를 사용하고 서술어 어간에 선어말 어미 '−시−'를 붙여 직접 높임을 실현하고 있다.
③ ⓑ에서는 문장의 부사어에 해당하는 '선생님'을 높이고 있다.
④ ⓐ와 ⓑ 모두 격 조사를 사용하여 높임의 대상인 '선생님'을 높이고 있다.
⑤ ⓐ와 ⓑ 모두 특수 어휘를 사용하여 높임의 대상인 '선생님'을 높이고 있다.

5 다음 문장에 나타난 시간 표현 세 가지를 찾고, 이 표현들이 어떤 시제를 나타내는지 쓰시오.

> 그것은 지금 동생이 읽는 책이다.

6 문장에 사용된 인용 표현이 적절한 것은?

① 민주는 수찬에게 산책하자라고 말했다.
② 나는 속으로 "기회는 지금이야!" 하고 외쳤다.
③ 사람들이 "도둑이야!"고 소리쳐서 깜짝 놀랐다.
④ 준호는 내가 읽고 있는 책이 재미있냐고 물었다.
⑤ 그는 '여러분! "시작이 반이다."라는 말 들어 보셨죠?'라고 말했다.

정답과 해설 96쪽

[7~8] 다음 글을 읽고, 물음에 답하시오.

반대 1: 우선 동물 실험은 윤리적으로 문제가 없습니다. 동물 실험은 동물의 고통을 최소화해야 한다는 원칙에 따라 행해지고 있기 때문입니다. 현재 동물 실험은 엄격한 법적 규제 아래에서 실행됩니다. 미국에서는 1966년부터 동물 복지법이 시행되었고, 이 법에 따라 수의사들이 정기적으로 실험동물 사육 시설의 온도, 음식과 식수 등의 환경을 감시합니다. 우리나라에서도 1991년부터 동물보호법을 시행하고 있습니다.

또한 동물 실험이 인간에게 가져다주는 이익이 매우 큽니다. 동물 실험은 수많은 사람의 생명을 구하는 치료법을 개발하는 데에 이바지합니다. 캘리포니아의 생명연구협회에서는 지난 백 년간 위대한 의학적 발견에 모두 동물 실험이 결정적인 역할을 했다고 보고한 바 있습니다. 수많은 당뇨병 환자의 생명을 구하는 데 중요한 역할을 한 인슐린은 개를 대상으로 한 실험에서 발견되었습니다. 한 해 35만여 명에 이르던 세계 소아마비 환자 수를 2012년에는 2백여 명으로 크게 떨어뜨린 소아마비 백신 역시 동물 실험을 통해 개발한 것입니다.

그리고 동물 실험은 다른 방법으로 대체할 수 없습니다. 의약품의 효능과 안전성을 확인하는 데에 동물 실험만큼 정확하고 신속한 것은 없기 때문입니다. 찬성 측에서 언급한 여러 대체 방법으로 인간 생명체에서 발생하는 문제를 정확히 짚어 내기란 불가능합니다. 인공 세포는 인간의 실제 세포를 완벽히 재현하지 못하고, 시력이나 혈압 등은 조직 배양 조건에서는 실험할 수가 없습니다. 컴퓨터 모의실험도 일차적으로 동물 실험을 하여 충분한 사전 정보와 지식을 얻은 뒤에야 가능합니다.

7 윗글의 내용과 일치하는 것은?

① 컴퓨터 모의실험만으로 동물 실험을 대체할 수 있다.
② 시력, 혈압 등은 조직 배양 조건에서 실험 가능하다.
③ 인슐린은 침팬지를 대상으로 한 동물 실험을 통해 발견되었다.
④ 인공 세포는 인간의 실제 조직 세포를 재현하는 데 한계가 있다.
⑤ 미국과 달리 우리나라에서는 동물 실험이 법적 규제 없이 이루어진다.

8 〈보기〉를 참고하여 찬성 측에서 반대 측에 대응하는 두 번째 입론의 논증을 구성할 때, 적절하지 <u>않은</u> 것은?

━━━━━━ 보기 ┐

• 논증 구성 시 참고 자료
 ㄱ. 일부 동물만을 보호 대상으로 하는 동물보호법
 ㄴ. 비용이 적고 효율이 높은 대체 실험인 '환자 관찰'의 사례
 ㄷ. 실험동물을 사들이고 유지하는 비용이 많이 든다는 통계 자료
 ㄹ. 대체 실험인 '사체 연구'를 통해 의미 있는 의학적 연구를 한 여러 사례
 ㅁ. 동물의 권리를 보장할 때 사람들의 생명 존중 의식이 높아질 것이라는 전문가의 의견

① ㄱ을 근거로 동물보호법의 한계를 지적한다.
② ㄴ을 근거로 대체 실험이 동물 실험보다 경제적이라는 주장을 펼친다.
③ ㄷ을 근거로 동물 실험이 위대한 의학적 발견에 결정적인 역할을 했다는 반대 측의 주장을 반박한다.
④ ㄹ을 근거로 동물 실험을 대체할 다른 방법이 없다는 반대 측의 주장을 반박한다.
⑤ ㅁ을 근거로 동물 실험을 금지하면 생명 존중의 가치를 실현할 수 있다는 주장을 펼친다.

9 다음 대화가 이루어지는 협상의 절차로 알맞은 것은?

행복시

우리 행복시는 꽃을 활용한 축제로 유명한 도시입니다. 그런데 문화시가 최근에 우리 축제와 유사한 축제를 개최하고 대대적으로 홍보를 했더군요. 이 때문에 우리 시의 피해가 심각하다는 점 알고 계십니까?

문화시

저희 문화시가 최근 '풀꽃 축제'를 개최한 것은 맞습니다. 그렇지만 우리 축제 때문에 행복시의 축제가 영향을 받았다는 것은 지나친 해석인 것 같습니다.

행복시

문화시의 '풀꽃 축제'가 우리 '들꽃 축제'에 영향을 미쳤다는 여러 근거 자료가 있습니다. 그러니 축제 개최에 대해 전면적으로 검토하기 위한 논의가 필요합니다.

문화시

축제와 관련해서 문제가 있다면 해결을 해야겠지요. 그럼 어떤 대안이 있을지 준비해 온 의견을 나누어 볼까요?

문제 분석	갈등이 발생한 원인을 세부적으로 분석함. ······················ ①

↓

문제 확인	해결해야 할 문제와 논의의 필요성에 대한 인식을 공유함. ······················ ②

↓

대안 탐색	문제를 해결하기 위해 서로 의견(제안이나 대안)을 제시함. ······················ ③

↓

해결책 마련	검토와 협의를 통해 최선의 해결책을 마련함. ······················ ④

↓

합의와 이행	해결책에 서로 합의하고 이행을 약속함. ······················ ⑤

10 〈보기〉에서 행복시가 한 발언을 분석한 내용으로 적절하지 **않은** 것은?

→ 보기 →

행복시: 들꽃 축제는 우리 시에서 먼저 시작했습니다. 그런데 문화시에 이와 비슷한 풀꽃 축제가 생긴 이후 우리 시의 관광객이 감소해서 경제적 손실을 크게 입었습니다. 그러니 축제를 중단해 주십시오.

문화시: 먼저 시작했다고 해서 축제를 독점할 권리가 생기는 것은 아니라고 생각합니다. 행복시와 문화시는 거리도 멀리 떨어져 있고, 두 축제에서 사용하는 꽃도 많이 다릅니다.

행복시: 어쨌든 따라 한 것 아닙니까? 우리 관광객이 감소했다니까요.

문화시: 네, 말씀하신 대로 전혀 영향이 없는 것은 아닐지도 모릅니다. 하지만 두 축제는 개최 시기가 다릅니다. 따라서 행복시의 관광객이 우리 축제 때문에 줄었다고 보기는 어렵지 않을까요?

행복시: 축제 소재가 비슷하면 관광객이 나뉘는 게 당연하죠. 축제를 중단해 보세요. 그럼 우리 관광객이 다시 늘어나는지 그렇지 않은지 확인할 수 있을 것 아닙니까?

문화시: 소재가 비슷해도 내용을 달리하여 운영한다면, 두 도시 모두 더 큰 이익을 얻을 것이라고 생각합니다. 두 축제가 우리나라를 대표하는 축제로 발전하도록 서로 도웁시다.

① 축제 중단 요청에 대해 이유를 밝히고 있다.

② 문화시의 의도를 단정하며 따지듯이 말하고 있다.

③ 관광객 감소를 보여 주는 객관적 자료를 제시하고 있다.

④ 축제를 중단해 보면 안다는 무책임한 발언을 하고 있다.

⑤ 상대방을 존중하는 태도로 듣거나 말했다고 볼 수 없다.

[11 ~ 15] 다음 글을 읽고, 물음에 답하시오.

가 까마득한 날에 / 하늘이 처음 열리고
어데 닭 우는 소리 들렸으랴

모든 산맥들이 / 바다를 연모해 휘달릴 때도
차마 이곳을 범하던 못하였으리라

끊임없는 광음을 / 부지런한 계절이 피어선 지고
큰 강물이 비로소 길을 열었다

지금 눈 나리고 / 매화 향기 홀로 아득하니
내 여기 가난한 노래의 씨를 뿌려라

다시 천고의 뒤에 / 백마 타고 오는 ㉠초인이 있어
이 광야에서 목 놓아 부르게 하리라

나 민 씨는 자신도 모르게 따지는 어조가 되었다.

"군 전체가 모두 모여도 몇명 안 되었다면서요. 그런 자리에 황만근 씨가 꼭 가야 합니까. 아니, 황만근 씨만 가야 할 이유라도 있습니까. 따로 황만근 씨한테 부탁을 할 정도로."

"이 사람이 뭐라 카는 기라. 이장이 동민한테 ⓐ농가 부채 탕감 촉구 전국 농민 총궐기 대회가 있다, 꼭 참석해서 우리의 입장을 밝히자 카는데 뭐가 잘못됐단 말이라."

"잘못이라는 게 아니고요, 다른 사람들은 다 돌아왔는데 왜 황만근 씨만 못 오고 있나 하는 겁니다."

"내가 아나. 읍에 가 보이 장날이더라고. 보나 마나 어데서 술 처먹고 주질러 앉았을 끼라. 백 리 길을 깅운기를 끌고 갔으이 시간도 마이 걸릴 끼고."

ⓑ다른 사람들은 말이 없었고 민 씨와 이장만이 공을 주고받는 꼴이 되어 버렸다.

"글세, ⓒ그 자리에 꼭 황만근 씨만 경운기를 끌고 갔어야 했느냐 이 말입니다. 그것도 고장 난 경운기를."

"깅운기를 끌고 오라는 기 내 말이라? 투쟁 방침이 그렇다 카이. 깅운기도 그렇지, 고장은 무신 고장, 만그이가 그걸 하루이틀 몰았나. 남들이 못 몬다 뿌이지."

"그럼 이장님은 왜 경운기를 안 타고 가고 트럭을 타고 가셨나요. 이장님부터 [A] 을 해야지 다른 동민들이 따라 할 텐데, 지금 거꾸로 되었잖습니까."

"내사 민사무소에서 인원 점검하고 다른 이장들하고 의논도 해야 되고 울매나 바쁜 사람인데 깅운기를 타고 언제 가고 말고 자빠졌나. 다른 동네 이장들도 민소 앞에서 모이 가이고 트럭 타고 갔는 거를. ⓓ진짜로 깅운기를 끌고 갔으마 군 대회에는 늦어도 한참 늦었지. 군청에 갔는데 비가 와 가이고 온 사람도 및 없더마. 소리마 및 분 지르고 왔지. 군청까지 깅운기를 타고 갈 수나 있던가. ⓔ국도에 차들이 미치괘이맨구로 쌩쌩 달리는데 받히만 우짜라고. 다른 동네서는 자가용으로 간 사람도 쌨어." 〈중략〉

㉡선생이 군청 앞까지 갔을 때 이미 대회는 끝나고 아무도 없었다. 어머니에게 가져다줄 생선을 사고 몸을 녹인 선생은 날이 어두워 오는 줄도 모르고 경운기에 올라 집으로 향했다. 경운기에는 빠르게 달리는 차량의 주의를 끌 만한 표지가 없어서 선생은 몇 번이나 사고를 당할 뻔했다. 그때마다 멈추었다가 다시 출발하는 바람에 시간은 점점 늦어졌다. 어두워지면서 경운기는 길옆의 논으로 떨어졌고 수레는 부서졌다. 결국 선생은 그 밤 안으로 집에 돌아갈 수 없다는 걸 알았다. 선생은 경운기에 실려 있는 땅의 젖에 취하여 경운기 옆에 앉아 경운기를 지켰다. 그러나 경운기는 선생을 지켜 주지 않았다. 추위와 졸음으로부터 선생을 지켜 주지 못

했다. 아아, 선생이 좀 더 살았더라면 난세의 혹염에 그늘의 덕을 널리 베푸는 큰 나무가 되었을 것이다.

11 ㉠과 ㉡에 대한 이해로 가장 적절한 것은?

① ㉠과 ㉡ 모두 시대에 필요한 가치를 지닌 인물이다.

② ㉠과 ㉡ 모두 이상을 실현하기 위해서 나타난 인물이다.

③ ㉠은 화자 자신을 가리키고, ㉡은 서술자이자 주인공이다.

④ ㉠은 뛰어난 능력을 가진 인물이고, ㉡은 모든 사람들에게 존경을 받는 인물이다.

⑤ ㉠은 공동체의 위기를 극복하기 위한 인물이고, ㉡은 공동체를 위기에 처하게 하는 인물이다.

12 〈보기〉를 바탕으로 (가)를 감상한 내용으로 적절하지 않은 것은?

▶ 보기 ◀

　시적 화자는 '광야'의 아득한 과거에서 현재, 그리고 미래에 이르는 모습을 그려 보고 우리 민족의 암울한 현실을 극복할 수 있다는 희망과 의지를 노래하고 있다. 시간적·공간적으로 웅대한 규모를 형상화하고 있으며, 시인의 역사 인식이 반영된 여러 가지 시적 상징이 잘 드러나 있다.

① '까마득한 날', '지금', '천고의 뒤' 등의 시어로 시간의 흐름에 따른 '광야'의 모습을 드러내고 있군.

② '하늘이 처음 열린 날'부터 '광야'가 존재했다는 설정에서 웅대한 시간적 규모가 나타나고 있군.

③ '큰 강물이 비로소 길을 열었다'는 표현을 통해 고난을 극복한 뒤에 찾아올 미래의 모습을 형상화하고 있군.

④ '눈', '매화 향기' 등의 상징적 시어를 통해 시대 상황에 대한 시인의 인식을 드러내고 있군.

⑤ '가난한 노래의 씨를 뿌리겠다는 다짐에는 민족의 이상을 실현하고자 하는 의지가 반영되어 있군.

13 (나)를 바탕으로 하여 〈보기〉의 사건을 시간 순서에 따라 바르게 나열하시오.

▶ 보기 ◀

ㄱ. 황만근이 군청에 도착함.

ㄴ. 황만근이 이장에게 부탁을 받음.

ㄷ. 전국 농민 총궐기 대회가 끝남.

ㄹ. 황만근이 어머니를 위해 생선을 삼.

ㅁ. 민 씨가 이장에게 황만근의 부재를 따져 물음.

ㅂ. 망가진 경운기 옆에서 황만근이 죽음을 맞음.

(　) → (　) → (　) → (　) → (　) → (　)

14 ⓐ~ⓔ를 이해한 내용으로 적절하지 않은 것은?

① ⓐ: 경제적 어려움을 겪는 농촌의 현실을 알 수 있다.

② ⓑ: 표면적인 갈등의 주체가 민 씨와 이장임이 드러난다.

③ ⓒ: 민 씨만 알고 있는 정보가 공개되며 긴장감이 조성된다.

④ ⓓ: 애초에 실천하기 어려운 투쟁 방침이었음을 알 수 있다.

⑤ ⓔ: 위험하다는 것을 알면서도 황만근에게 경운기를 몰고 올 것을 부탁한 이장의 이기적 면모가 드러난다.

15 [A]에 들어갈 사자성어로 가장 적절한 것은?

① 감언이설　　　　② 솔선수범

③ 자업자득　　　　④ 초지일관

⑤ 토사구팽

[16~20] 다음 글을 읽고, 물음에 답하시오.

가 이런 돼지가 살았다지요 반들거리는 검은 털에 날렵한 주둥이를 가진, 유난히 흙의 온기를 좋아하여 흙이랑 노는 일을 제일로 즐거워했다는군요 기른다는 것이 실은 서로 길드는 것이어서 이 지방 사람들은 통시라는 거처를 마련했다지요 인간의 배변 장소와 돼지우리가 함께 있는 아주 재미난 방인 셈인데요 지붕을 덮지 않은 널찍한 호를 파고 지푸라기 조금 깔아 준 방 안에서 이 짐승은 눈비 맞고 흙과 똥과 뒹굴면서 비바람 햇볕을 고스란히 살 속에 아로새기게 되었다는데요 ㉠음식물 찌꺼기며 설거지물까지 버릴 것 없이 모아 둔 큰 독 속에서 한때 빛나던 것들이 제힘으로 다시 빛날 때 발효한 이 먹이를 돼지가 먹고 돼지의 배설물은 보리밭 거름으로 이쁜 보리들을 길렀다는데요 그래도 이 짐승의 주식이 사람의 똥이었던 것은 생명은 생명에게 공양되는 법이라 행여 남아 있을 산 것들의 온기가 더럽고 하찮은 것으로 취급될까 두려운 때문이 아니었는지 몰라

나라의 높은 분이 보기에 미개하여 시멘트 네 포대씩 무상 지급한 때가 있었다는데요 문명국의 지표인 변소를 개량하라 다그쳤다는데요 흔적이나마 통시가 아직 남아 내 몸속의 방을 향해 손 내밀어 주는 것은, 똥 누고 먹는 일이 한가지로 행해지는 ⓐ그곳을 신이 거주하는 장소라 여긴 하늘 가까운 섬사람들이 있었기 때문입니다

나 아파트에 살 때도 그러했지만 땅 집에 살고부터는 더더욱 쓰레기에 신경이 쓰인다. 아파트에서는 분류해서 내다 버리는 순간 쓰레기봉투는 익명의 것이 되어 버린다. 그러나 땅 집에서는 수거차가 오는 날 집 앞에 내다 놓아야 하기 때문에 누구네 쓰레기라고 딱지를 써 붙인 거나 다름이 없다. 쓰

레기이지만 깔끔하게 보이고 싶어 넘치지도 모자라지도 않게 담아서 꼭꼭 잘 여미게 된다.

쓰레기라도 깔끔하게 보이고 싶다는 내 허영심을 비웃듯이 수거차가 오기 전에 우리 쓰레기봉투가 무참하게 파헤쳐지는 일이 빈번하다는 것을 알게 되었다. 생선이나 닭고기를 먹고 난 후는 영락없이 그런 일을 당했다. 고양이들의 소행이었다. 개는 안 기르는 집이 거의 없다시피 하지만 고양이 기르는 집은 거의 없는 것 같은데도 동네에는 고양이들이 많다. 이렇게 도둑고양이들이 많기 때문에 쥐가 거의 없다는 게 동네 사람들의 설명이었다.

아무리 그렇다고 해도 수거차가 지나간 후에도 문 앞이 깨끗하지 않고 닭 뼈나 생선 뼈가 어지럽게 널려 있다는 건 여간 속상한 일이 아니었다. 터져서 냄새나는 내용물이 꾸역꾸역 쏟아지는 쓰레기봉투를 들어 올렸을 미화원 아저씨에게는 또 얼마나 미안한 노릇인가. 그래서 생각해 낸 게 ㉡고양이가 좋아할 만한 먹이가 생기면 봉투 속에 넣지 않고 접시에 따로 담아 고양이가 잘 다니는 통로에다 놓아두는 거였다.

그것은 좋은 생각이었다. 적중했으니까. 그 후부터 쓰레기봉투가 훼손당하는 일은 안 생겼고, 나도 고양이를 챙기는 일에 재미를 붙이게 되었다. 비린 것을 탐하는 고양이의 식성은 츱츱했지만 생선 뼈를, 머리칼처럼 가느다란 가시까지도 깨끗이 발라내는 솜씨는 가히 예술이라 부를 만했다. 그 대신 우리 식구들은 고양이 생각을 한답시고 닭고기나 생선을 먹을 때 점점 더 살을 많이 붙여서 남기게 되었다.

나는 한술 더 떠서 식구들이 잘 안 먹는 생선 조림이 생기면 고양이를 위해 냄비째 쏟아 버리기도 했다. 그러나 고양이는 절대로 과식하는 일이 없었다. 남겼다가 며칠에 걸쳐서 다 먹어 치웠다. 그래서 나는 속으로 우리 집 단골 고양이가 여간 아니라고 생각했지만, 한 번도 녀석의 모습을 제대로

본 적은 없었다. 동네에는 여러 종류의 도둑고양이가 있었지만 우리 마당을 환각처럼 바람처럼 스쳐 지나가는 고양이는 베이지색 바탕에 검은 줄이 있는 상당히 아름다운 고양이라는 걸 알고 있을 뿐이었다.

16 (가)와 (나)에 대한 설명으로 가장 적절한 것은?

① (가), (나) 모두 세태에 대한 비판적 태도를 드러내고 있다.

② (가), (나) 모두 인물 간의 갈등을 다루어 교훈을 이끌어 내고 있다.

③ (가)는 이야기체를 통해, (나)는 일상적인 표현을 통해 대상에 대한 생각을 드러내고 있다.

④ (가)는 (나)와 달리 대상을 관찰한 결과를 시간의 흐름에 따라 보여 주고 있다.

⑤ (나)는 (가)와 달리 과거 회상을 통해 현재 진행되고 있는 사건의 내막을 밝히고 있다.

17 ㉠, ㉡을 비교한 내용으로 적절하지 <u>않은</u> 것은?

① ㉠, ㉡ 모두 인간이 의도적으로 동물에게 주는 것이다.

② ㉠, ㉡ 모두 버려지는 대신 새로운 쓰임을 얻게 된 것이다.

③ ㉠, ㉡ 모두 인간과 동물의 관계를 변화시키기 위한 것이다.

④ ㉠과 달리 ㉡은 동물로 인한 불편을 해소하기 위해 마련된 것이다.

⑤ ㉡과 달리 ㉠은 순환 과정을 거쳐 다시 인간에게 돌아오게 되는 것이다.

18 ⓐ에 대한 설명으로 적절하지 <u>않은</u> 것은?

① 생명이 생명에게 공양되는 곳

② 섬사람들이 신성하게 여기는 곳

③ 개량된 변소의 의미가 남아 있는 곳

④ 쓸모가 없어진 듯한 존재가 다시 빛나는 곳

⑤ 인간과 자연이 공존하는 생태적 삶이 나타나는 곳

19 (나)에서 글쓴이가 '고양이'와 관련해 보인 반응으로 적절하지 <u>않은</u> 것은?

① 고양이의 모습이 아름답다고 생각함.

② 고양이가 먹이를 먹는 솜씨에 감탄함.

③ 고양이에게 먹이를 챙겨 주는 일에 재미를 느낌.

④ 고양이가 자신이 주는 먹이를 다 먹지 않아 이상하게 여김.

⑤ 고양이가 잘 여며 놓은 쓰레기봉투를 헤집어 놓아 속이 상함.

20 (나)의 내용을 바탕으로 하여 〈보기〉의 ⓐ, ⓑ에 들어갈 알맞은 내용을 각각 두 어절로 쓰시오.

> ● 보기
>
> (ⓐ   ) 보이고 싶었다.
>
> ↓
>
> 그런데 고양이가 (ⓑ   )
>
> ↓
>
> 그래서 고양이에게 먹이를 챙겨 주기 시작하였다.

• ⓐ: (   )

• ⓑ: (   )

7일 끝!

정답과 해설

 정답과 해설 활용 안내

◈ 정답 박스로 빠르게 정답 확인하기!

◈ 정답과 오답의 이유, 확실히 짚고 넘어가기!

◈ 서술형 답안의 평가 요소를 직접 체크해 보며,
주관식 문제 꼼꼼히 대비하기!

7일 끝! 기말 대비

• 8단원 (1) 국어의 변화와 발전

1 ㉠ 한자 ㉡ 훈민정음　**2** (1) ⓒ (2) ⓑ (3) ⓓ (4) ⓐ　**3** (1) ○ (2) ○ (3) ✕.　**4** ④　**5** 어리석다, 역사성

1 한글이 창제되기 전 우리나라에서 사용한 문자는 중국의 '한자'이다. 그리고 백성들이 쉽게 익히고 자신의 뜻을 펼칠 수 있도록 하기 위해 세종 대왕이 만든 글자는 '훈민정음'이다.

2 〈세종어제훈민정음〉에 나타나는 한글 창제 정신으로는 자주, 애민, 창조, 실용 정신이 있다.
(1) 우리나라와 중국의 언어 차이를 인식하여 글자를 만든 것은 자주정신과 관련 있다.
(2) 말하고자 하는 바를 제대로 전달하지 못하는 백성들을 가엾게 여긴 것은 애민 정신과 관련 있다.
(3) 새로 스물여덟 글자를 만든 것은 창조 정신과 관련 있다.
(4) 사람들이 쉽게 익히고 편하게 쓸 수 있도록 한 것은 실용 정신과 관련 있다.

3 (1) 중세 국어에서는 주격 조사로 '이'(자음 아래)와 'ㅣ'('ㅣ' 이외의 모음 아래)가 쓰였다.
(2) 중세 국어에서는 어두에 자음군을 사용하였다.
(3) 중세 국어에서는 종성에 제시된 일곱 글자 외에 'ㅿ'을 포함하여 여덟 글자를 사용할 수 있었다.

4 'ㆍ(아래아)'는 현대 국어에서는 쓰이지 않는 글자이다. 그러나 모음 'ㅣ'는 중세 국어와 현대 국어에서 모두 쓰이는 글자이므로 ④는 적절하지 않다.

5 현재 '나이가 적다'의 의미로 쓰이는 '어리다'는 중세 국어에서 '어리석다'의 의미로 쓰였다. 이처럼 언어가 시간의 흐름에 따라 변화하거나 생성, 소멸되는 특성을 언어의 역사성이라고 한다.

• 8단원 (1) 국어의 변화와 발전

1 ④　**2** ①　**3** ⑤　**4** ①　**5** ①　**6** ③　**7** 중세 국어의 어두 자음군이 현대 국어에서는 된소리로 변하였다.　**8** ⑤　**9** 어·린, :어엿·비　**10** ⑤　**11** 엇디ᄒᆞ야, 나롤　**12** ③　**13** ④　**14** ②　**15** 순화어　**16** ③

1 모든 사람들로 하여금 쉽게 익혀 편하게 사용하게 하고자 하였다는 말을 고려할 때 특정한 계층만이 사용할 문자를 만들었다는 설명은 적절하지 않다.

2 훈민정음은 한자를 쉽게 익히게 하려는 것이 아니라, 한자를 모르는 백성들이 문자 생활을 할 수 있도록 하기 위해 창제한 것이다. 따라서 훈민정음 창제 이후 백성들이 글자를 쉽게 익히고, 편하게 사용하여 자신의 뜻을 보다 자유롭게 펼 수 있게 되었을 것이라고 짐작할 수 있다.

3 이어적기가 실현된 것을 확인하기 위해서는 앞 음절의 종성 뒤에 모음으로 시작하는 조사나 어미 등이 이어진 사례를 탐구 자료로 활용해야 하므로, 'ᄭᆞ룸+이니라'를 'ᄭᆞᄅᆞ미니라'로 적은 ⑤가 적절하다.

4 방점은 소리의 길이가 아니라 높낮이(성조)를 표시한 것이다.

5 'ㆍ내'는 '나+ㅣ'로 이때 'ㅣ'는 주격 조사이다. '中듕·國귁·에'는 '듕귁+에'로 이때 '에'는 비교를 나타내는 부사격 조사로 현대 국어의 '과'와 같은 뜻이다. 'ㆍ뜨·들'은 '뜯+을'로 이때 '을'은 목적격 조사이다.

오답 풀이
② 'ㆍ이·롤'은 '이+롤'로 이때 '롤'은 목적격 조사이다. '나·랏'은 '나라+ㅅ'의 구성으로 이때 'ㅅ'은 관형격 조사이며 현대 국어의 '의'와 같은 뜻이다.
③ '노·미'는 '놈+이'로 이때 '이'는 주격 조사이다.
④ '젼·ᄎ·로'는 '젼ᄎ+로'로 이때 '로'는 부사격 조사이다. 'ㆍᄶ·롤'은 'ᄶ+롤'로 이때 '롤'은 목적격 조사이다.
⑤ ':말ᄊ·미'는 '말ᄊᆞᆷ+이'로 이때 '이'는 주격 조사이다.

6 '하·니·라'는 '많으니라'를 의미하므로 '하-'는 중세 국어에서 '많다.'를 뜻하는 동사 '하다'의 어간이다.

7 'ㆍ뜨·들(뜯 + 을)'과 'ㆍ뿌·메(쓰ㅡ + ㅡ움 + 에)'의 'ㅳ'과 'ㅄ'은 어두에 쓰일 수 있었던 자음군으로, 현대 국어에서는 각각 된소리 'ㄸ', 'ㅆ'으로 바뀌었다.

평가 요소	확인 ✔
'어두 자음군'이 '된소리'가 되었음을 밝혀 서술하였다.	
완결된 한 문장으로 서술하였다.	

8 '便뼌安한·킈'에서 한자어는 '편안'의 의미를 나타내므로, '변하게'가 아니라 '편안하게'로 풀이해야 한다.

오답 풀이

① ':노·미'는 '놈+이'로, 현대 국어에서는 '남자를 낮추어 가리키는 말'을 뜻하지만 중세 국어에서는 '보통 사람(남자)'을 뜻하였다.

9 '어·린'은 중세 국어에서 '어리석은'이라는 의미로 쓰였으나, 현대 국어에서는 '나이가 적은'이라는 의미로 쓰인다. 그리고 ':어·엿비'는 중세 국어에서는 '불쌍히', '가엾게'라는 의미로 쓰였으나 현대 국어에서는 '예쁘게'라는 의미로 쓰인다.

10 끊어적기는 형태소의 모습을 밝혀 적는 방법이다. '원이'를 '워니'로 적는 것은 소리 나는 대로 적는 이어적기 표기 방식이다.

오답 풀이

① '끠'에 음절 첫머리에 둘 이상의 자음으로 된 어두 자음군이 쓰였다.
② 우리말 단어에서 모음이 'ㅣ, ㅑ, ㅕ, ㅛ, ㅠ'일 때 'ㄴ'은 첫소리에 나타나지 못한다는 것이 두음 법칙이다. '닐오되'는 두음 법칙이 적용되지 않고 'ㄴ'이 첫소리에 남아 있다.

11 '엇디ᄒᆞ야', '나롤'은 각각 양성 모음인 'ㆍ'와 'ㅑ', 'ㅏ'와 'ㆍ'가 쓰인 것으로 보아 중세 국어에서 모음 조화가 엄격하게 지켜졌음을 알 수 있다.

12 '둘히'는 현대어로 '둘이'로 풀이할 수 있다.

13 윗글에서 패션 잡지체의 사례는 외국어 남용 실태의 한 예로 제시되었다. 패션 잡지체로 쓰인 말도 얼마든지 우리말로 순화하여 쓸 수 있으므로 외국어를 사용해야만 의미가 전달되는 분야도 있다는 내용은 적절하지 않다.

14 ㉡에서 '언어 건강을 해'친다는 말은 외국어와 한자어의 남용이 우리 국어를 유지하고 발전시키는 데 방해가 된다는 점을 지적한 표현이다.

15 (나)에서는 생소한 외국어를 우리말로 다듬은 단어들을 소개하고 있다. 이처럼 지나치게 어려운 말이나 비규범적인 말, 외래어 따위를 알기 쉽고 규범적인 상태로 또는 고유어로 다듬은 말을 순화어라고 한다.

16 세종은 사람들이 쉽게 익혀 날마다 쓸 수 있도록 실용 정신을 바탕으로 하여 한글을 만들었으므로, 한자나 외국어가 더 실용적이라고 말하는 내용은 적절하지 않다.

2일 기초 확인 문제

15쪽

• 8단원 (2) 문법 요소의 이해와 활용

1 ㉠ 규칙 ㉡ 문법 요소 **2** (1) ⓔ (2) ⓒ (3) ㉠ (4) ㉡ **3** (1) ⓐ (2) ⓑ (3) ⓓ (4) ⓒ **4** (1) X (2) X (3) X **5** ①

1 언어 사용에 적용되는 규칙을 '문법'이라 하고 문법적 의미를 실현하는 데 사용되는 표현을 '문법 요소'라고 한다.

2 (1) '높임법'은 말하는 이가 듣는 이나 다른 대상을 높이거나 낮추는 정도를 언어적으로 구별하여 표현하는 방식이나 체계이다.
(2) '시제'는 사건의 시간적 위치를 구분하여 표현하는 방법이다.
(3) '피동'이란 주어가 다른 힘에 의하여 움직이는 것을 뜻한다.
(4) '인용'은 다른 사람의 말이나 글을 옮겨 사용하는 것을 가리킨다.

3 (1) 듣는 사람에 따라 종결 표현을 달리 하는 높임 표현과 관련 있다.
(2) '읽은'에는 과거 시제, '읽을'에는 미래 시제가 나타나 있으므로 시간 표현과 관련 있다.
(3) '먹느냐'는 능동 표현, '먹히느냐'는 피동 표현이므로 피동 표현과 관련 있다.
(4) 햄릿의 대사를 인용한 것으로 인용 표현과 관련 있다.

4 (1) 형용사의 경우 현재 시제를 나타낼 때에는 선어말 어미 없이 기본형을 사용한다.
(2) 문장의 주어를 높일 때에는 선어말 어미 '-(으)시-'와 주격 조사 '께서', '계시다', '주무시다', '잡수시다'와 같은 특수한 어휘를 사용한다. '모시다'는 목적어나 부사어에 해당하는 서술의 객체를 높일 때 사용하는 어휘이다.
(3) 피동의 의미를 나타내기 위해 동사에 피동 접미사 '-이-, -히-, -리-, -기-'를 붙인다. '-이-, -히-, -리-, -기-, -우-, -구-, -추-'는 사동의 뜻을 나타내는 접미사이다.

5 ①에는 주격 조사 '께서'와 특수 어휘 '주무시다'를 사용하여 주어인 '할아버지'를 높이는 주체 높임법이 나타난다. ②~⑤에는 문장의 목적어나 부사어에 해당하는 대상을 높이는 객체 높임법이 쓰였다.

오답 풀이

② '께'와 '여쭈다', ③ '모시다', ④ '께'와 '드리다', ⑤ '뵈다'와 같이 부사격 조사나 특수 어휘를 사용하여 목적어나 부사어에 해당하는 서술의 객체를 높이는 객체 높임법이 사용되었다.

• 8단원 (2) 문법 요소의 이해와 활용

1 ⑤　**2** ④　**3** 할머니, 께서, -시-　**4** ⑤　**5** 나는 아저씨께 안부를 여쭌다(여쭙는다).　**6** 오라고 하셔(오라셔)　**7** ⑤
8 ②　**9** ④　**10** ②　**11** ③　**12** ①　**13** 시간 부사어 '어제', 관형사형 어미 'ㅡㄴ', 선어말 어미 'ㅡ었ㅡ' / 과거 시제　**14** ⑤
15 ④　**16** ①　**17** ⑤　**18** ⑤　**19** ②　**20** ④

1 듣는 이를 높이거나 낮추어 표현하는 상대 높임법은 종결 표현을 통해 실현되며, 객체 높임법은 부사격 조사 '께'와 '모시다', '드리다', '여쭈다'와 같은 특수 어휘를 사용하여 실현되므로 ⑤는 적절하지 않은 설명이다.

2 '빌려줘(빌려주어)'는 종결 어미 'ㅡ어'를 사용한 해체로, 친한 친구 사이에 쓸 수 있는 표현이다.

　오답 풀이
①, ②, ③, ⑤ 직장 상사, 선생님, 할머니, 처음 만난 사람에게는 해요체나 하십시오체 등을 사용하여 높임을 표현하는 것이 적절하다.
① (직장 상사에게) 어디 가? → 가세요? / 가십니까?
② (선생님께) 어제 책을 읽었다. → 읽었어요. / 읽었습니다.
③ (할머니께) 할머니, 진지 드시오. → 드세요. / 드십시오.
⑤ (처음 만난 사람에게) 여기에서 내려라. → 내리세요. / 내리십시오.

3 주체 높임법은 서술의 주체(문장의 주어)를 높이는 표현이다. 따라서 제시된 문장에서 높임의 대상은 서술의 주체에 해당하는 '할머니'이며 이를 높이기 위해 주격 조사 '께서'와 선어말 어미 'ㅡ시ㅡ'를 사용하였다.

4 간접 높임을 실현할 때 특수 어휘의 사용이 제한되는 것은 아니다. '할머니'와 밀접하게 관련 있는 대상인 '나이'를 간접적으로 높이기 위해 '연세, 춘추'와 같은 특수 어휘를 사용하는 것은 적절한 높임 표현이다.

　오답 풀이
④ 간접 높임은 높이려는 대상(주어)의 신체 부분, 소유물, 생각 등과 관련된 서술어에 'ㅡ(으)시ㅡ'를 사용하여 높임의 뜻을 간접적으로 실현하게 된다. 따라서 아버지의 '고민'을 높여 '있으시다'라고 표현한 것은 간접 높임에 해당한다.

5 제시된 문장에서는 서술의 객체인 '아저씨'를 높이는 객체 높임법을 사용하여야 한다. 부사격 조사 '에게' 대신 '께'를 사용하고, '여쭈다/여쭙다'라는 특수 어휘를 사용하여 객체 높임법을 실현할 수 있다.

6 '오시래'는 '오시라고 해'의 준말로 서술의 객체인 '너'를 높인 표현이다. 하지만 주어진 상황에서 높여야 할 대상은 '너'가 아니라 서술의 주체인 '선생님'이므로 '오라고 하셔(오라셔)'로 표현하는 것이 적절하다.

7 부사격 조사 '께'와 특수 어휘 '드리다'를 사용하여 서술의 객체인 '할머니'를 높이는 객체 높임법을 실현하였다.

　오답 풀이
①, ② 서술의 주체는 '나'로 문장에서 생략되어 있으며, 해요체를 사용하여 듣는 이인 '어머니'를 높이는 상대 높임법도 실현되었다.

8 ㄱ. '오셨습니다'에서 듣는 이를 높이는 격식체인 '하십시오체'가 쓰였다.
ㄷ. '아버지께서'에 주격 조사 '께서'를 사용하여 문장의 주어인 '아버지'를 높이고 있다.

　오답 풀이
ㄴ. 선어말 어미 'ㅡ시ㅡ'를 사용하여 서술의 주체인 '아버지'를 높이고 있다.
ㄹ. 특수 어휘 '뵙다'를 사용하여 서술의 객체인 '할머니'를 높이고 있다.

9 부사격 조사 '께'와 특수 어휘 '여쭈다'를 통해 서술의 객체인 '아버지'를 높이고 있으므로 문장에서 높이고자 하는 대상은 '누나'가 아닌 '아버지'이다.

10 서술의 주체인 '사장님'을 높이기 위해 '말' 대신 '말씀'이라는 어휘와 '있으시겠습니다'라는 표현을 사용했으므로 간접 높임 표현이 적절하게 쓰인 문장이다.

　오답 풀이
①, ③ 서술의 대상인 '강아지', '음식'과 같은 동물이나 사물을 높여 표현했으므로 '강아지가 참 귀엽네요.', '음식이 나왔습니다.'로 고쳐 쓰는 것이 적절하다.
④ 높임의 대상은 문장의 주어인 '선생님'이므로 '남으라고 하셔'와 같이 고쳐 쓰는 것이 적절하다.
⑤ 객체 높임에 사용하는 특수 어휘인 '여쭈다'를 잘못 사용하여 '선생님'보다 '나'를 높여 표현한 문장이므로 '선생님께서 나에게 집 주소를 물어보셨다.'로 고쳐 쓰는 것이 적절하다.

11 ③은 특수 어휘인 '모시다'를 사용하여 서술의 객체인 '손님'을 높이고 있다.

12 ①은 시간 부사어 '지금'을 사용하여 현재 시제를 나타낸 문장이고, ②~⑤는 선어말 어미 'ㅡ았ㅡ/ㅡ었ㅡ'을 사용하여 과거 시제를 나타낸 문장이다.

13 제시된 문장에서는 과거를 나타내는 시간 부사어 '어제'와 관형사형 어미 'ㅡㄴ', 선어말 어미 'ㅡ었ㅡ'을 사용하여 과거 시제를 나타내고 있다.

14 미래 시제를 나타내기 위해서는 관형사형 어미 'ㅡ(으)ㄹ'을 사용하여 '나눌', '먹을'과 같이 표현할 수 있다.

15 말하는 이가 현재는 더 이상 초콜릿을 많이 먹지 않음을 나타

내는 문장은 ㄱ이 아니라 ㄴ이다. ㄴ에 쓰인 '-었었-'은 현재와 단절된 과거의 일정 시점(대과거)을 나타낼 때 사용하는 어미로, 선어말 어미 '-었-'을 사용하여 과거 시제를 나타낸 ㄱ보다 더 먼 과거에 일어난 사건임을 드러낸다.

16 선어말 어미 '-았-'은 사건이 일어난 시점이 과거임을 나타낸다.

오답 풀이
②의 '-겠-'은 화자의 의지를, ③의 '-겠-'은 추측의 의미를, ④의 '-던'은 과거 시제를, ⑤의 '-았-'은 미래에 일어날 명백한 사실을 나타낸다.

17 동사에 '-게 하다'를 결합하여 나타내는 것은 사동 표현이며, 피동 표현을 만들려면 '-게 되다'를 결합해야 한다.

18 '생각되어지다'는 '-되다'와 '-어지다'가 붙은 이중 피동 표현이고, '믿겨지다', '열려지다', '보여지다'는 모두 피동 접사가 붙은 피동사에 다시 '-어지다'가 붙은 이중 피동 표현이다. 피동 표현은 한 번만 사용하고, 굳이 피동 표현을 사용할 필요가 없을 때에는 능동 표현을 사용하는 것이 자연스러우므로 ㉠~㉣은 모두 바르게 고친 표현이다.

19 ②는 능동문의 주어와 목적어만 바꾸어 의미가 완전히 다른 문장이 되었다. 피동문을 만들 때에는 능동문의 목적어를 주어로, 능동문의 주어를 피동문의 부사어로 바꾸고 서술어인 능동사는 피동 접미사를 붙여 피동사로 만들어야 한다. 따라서 ②를 알맞게 바꾸면 '친구가 나에게 업혔다.'가 된다.

20 [A]에는 등장인물의 말을 그대로 전하는 직접 인용문이 사용되었고, [B]는 서술자가 등장인물의 말을 자신의 언어로 바꾸어 쓴 간접 인용문이 사용되었다. [A]와 같이 직접 인용을 사용할 때 내용이 더 객관화되거나 격식을 갖추게 되는 것은 아니므로 ④의 설명은 적절하지 않다.

3일 기초 확인 문제   23쪽

• 9단원 (1) 토론과 논증

1 ㉠ 주장 ㉡ 근거 **2** (1) ㄹ (2) ㄷ **3** (1) ⓑ (2) ⓐ (3) ⓒ **4** ⑤

1 토론에서 주장이란 쟁점과 관련해 내세우는 의견을 말하고, 근거란 이유를 뒷받침하는 사실이자 주장을 지지하는 객관적 정보를 가리킨다.

2 (1) 토론에서는 주장, 이유, 근거가 밀접한 관련을 맺어야 하는데 찬성 1 토론자의 발언은 주장의 이유와 근거 사이에 연관성이 부족하다.
(2) 토론에서 주장을 할 때에는 타당한 이유와 근거를 함께 제시해야 하는데 찬성 2 토론자는 이유와 근거 없이 찬성의 뜻을 밝히는 주장만 하고 있다.

3 (1) 가치 논제는 어떤 가치가 옳고 그른지에 대한 가치 판단을 하는 논제이다.
(2) 사실 논제는 어떤 사실이 참인지 거짓인지 진실 여부를 따지는 논제이다.
(3) 정책 논제는 어떤 정책의 도입, 폐지, 개선 등 정책의 실행 여부와 실행 방안에 관한 논제이다.

4 〈보기〉의 토론자는 동물 실험에 사용된 실험동물의 수가 증가하고 있음을 뒷받침하는 그래프를 제시하고 있으므로, 이 토론자의 발언으로 적절한 것은 ⑤이다.

3일 교과서 기출 베스트   24~25쪽

• 9단원 (1) 토론과 논증

1 ⑤ **2** ⑤ **3** ⑤ **4** ③ **5** ② **6** 동물 실험이 인간에게 가져다주는 이익이 매우 크다고 주장하고 있으므로, 다루고 있는 필수 쟁점은 효과와 이익이다.

1 (다)의 내용에 따르면, 반대 신문식 토론에서 교차 신문은 반론 단계가 아닌 입론 단계에서 행해지는 말하기이다.

2 '음식물 쓰레기 종량제'라는 정책의 실행 방안과 관련한 주장이므로 ⑤는 정책 논제에 해당한다.

오답 풀이
① '환경 보존이 개발보다 중요하다.'는 가치 논제에 해당한다.
② '공장 건설로 환경이 오염되었다.'는 사실 논제에 해당한다.
③ '자동차 요일제를 시행해야 한다.'는 정책 논제에 해당한다.
④ '선의의 거짓말은 해도 된다.'는 가치 논제에 해당한다.

3 찬성 측에서는 동물 실험이 비윤리적이라는 주장을 뒷받침하기 위해 근거를 제시하고 있을 뿐, 상대측의 반박을 예상하여 통계 자료를 제시하거나 대비책을 언급하지는 않았다.

4 교차 신문은 질문을 던져 상대측 입론에 문제가 있음을 드러내는 말하기이다. 찬성 측은 동물 실험을 대체할 수 있는 방안으로 이미 여러 가지 대체 실험을 제시하였으므로 ③은 찬성 측의 논리적 오류를 지적하는 질문으로 적절하지 않다.

5 ㉠은 반대 측의 주장에 해당하며, ㉡이 주장에 이르게 된 원인이나 조건을 가리키는 이유에 해당한다.

㉢, ㉣, ㉤은 이유를 뒷받침하는 사실이자 주장을 지지하는 객관적 사실 정보인 근거에 해당한다.

6 반대 측 토론자는 동물 실험이 인간에게 미치는 긍정적 영향과 함께 그 이익에 대해 논증하고 있다.

평가 요소	확인 ☑
토론자의 주장과 연관 지어 필수 쟁점이 효과와 이익임을 제시하였다.	
제시된 문장 형식에 맞게 서술하였다.	

3일 기초 확인 문제
27쪽

•9단원 (2) 협상과 갈등 해결

1 ㉠ 갈등 ㉡ 타협 **2** ③ **3** (1) ⓐ (2) ⓒ (3) ⓑ **4** ㉱, ㉲

1 협상은 개인이나 집단 사이에 이익과 주장이 상충되어 갈등이 생길 때, 문제를 해결하기 위해 타협하고 조정하며 해결 방법을 찾아가는 의사 결정 과정이다.

2 갈등을 해결하기 위해서는 의견을 조정하고 타협하며, 서로에게 이익이 될 수 있는 방법을 고민해야 한다. 자신의 주장만 고집하고 강하게 밀고 나가면 갈등을 해결하기 어려우므로 ③과 같은 태도는 적절하지 않다.

3 (1) 협상의 절차 중 시작 단계에서는 갈등의 원인을 분석하고 문제 해결의 가능성을 확인한다.
(2) 조정 단계에서는 문제를 확인하고 상대의 처지와 관점을 이해하며 제안이나 대안을 검토한다.
(3) 해결 단계에서는 최선의 해결책을 제시하고 문제 해결과 합의 과정을 거쳐 합의한 내용을 이행한다.

4 제시된 상황은 협상의 절차 중 조정 단계로, 이 단계에서는 문제를 확인하며 ㉱와 같이 자신들의 처지와 관점을 제시하여 서로의 입장을 이해하는 과정을 거친다. 그리고 ㉲와 같이 문제를 해결할 구체적인 제안이나 대안을 주고받으며 상호 검토하여 입장 차이를 좁혀 간다.

3일 교과서 기출 베스트
28~29쪽

•9단원 (2) 협상과 갈등 해결

1 ② **2** ④ **3** ② **4** 행복시는 문화시에게 풀꽃 축제를 중단하라고 주장하고, 문화시는 축제를 중단할 수 없다고 주장하고 있다. **5** ④ **6** ④

1 협상은 상대방보다 많은 이익을 얻기 위해서가 아니라, 협상 참여자 모두에게 이익이 되는 최선의 해결책을 찾아가기 위한 의사소통 방식이다.

2 협상의 시작 단계에서는 갈등의 원인을 분석하고 협상을 통해 문제 해결 가능성이 있는지 확인해야 한다. ①, ⑤는 협상의 해결 단계, ②, ③은 조정 단계에서 고려할 점이다.

3 행복시는 '먼저 축제를 개발하면서 큰 비용이 들었'다고 주장하고 있지만, 문화시의 축제 개최 비용과 노력에 대해서는 언급되어 있지 않다. 따라서 두 도시에서 축제 개최에 들이는 비용과 노력이 다른지는 확인할 수 없다.

①, ④ 두 도시에서 운영하고 있는 들꽃 축제와 풀꽃 축제의 성격이 유사하기 때문에 행복시가 문화시에 축제 중단을 요구하였고, 문화시는 축제를 중단할 수 없다는 입장을 밝히며 갈등이 생겼다.
③, ⑤ 행복시는 풀꽃 축제 때문에 관광객이 감소하여 경제적 손실이 크다고 주장하고, 문화시는 풀꽃 축제가 행복시의 들꽃 축제에 큰 영향을 미치지 않는다고 주장한다. 따라서 풀꽃 축제가 들꽃 축제의 흥행에 영향을 미치는지와 관련해 두 도시가 서로 다른 판단을 보이고 있다.

4 윗글에서 두 도시는 '풀꽃 축제'의 지속 여부와 관련하여 갈등을 겪고 있다. 행복시는 문화시에게 '풀꽃 축제' 중단을 요구하고 문화시는 이를 거부하고 있다.

평가 요소	확인 ☑
풀꽃 축제의 지속 여부에 대한 두 도시의 주장을 적절하게 서술하였다.	
제시된 문장 형식에 맞게 서술하였다.	

5 행복시는 풀꽃 축제의 내용을 들꽃 축제 내용과 더욱 다르게 하라고 제안하였고, 문화시는 이를 받아들여 내년부터 새로운 내용을 개발하여 들꽃 축제와 차별화하겠다고 답하였다. 이는 문화시가 축제 운영 지속을 위해 행복시에 양보한 사항이지 협상을 통해 얻은 내용은 아니다.

6 행복시가 문화시에 축제 운영 정보를 제공하는 대신 문화시의 축제 이름을 바꾸어 달라고 요구하였고 이를 문화시가 받아들였다.

4일 기초 확인 문제

33, 35쪽

• 10단원 (1) 광야/신의 방

1 ⑤ **2** 시간의 흐름 **3** (1) ⓐ (2) ⓒ (3) ⓑ **4** 부정적, 극복
5 (1) ○ (2) ○ **6** ⓐ, ⓑ, ⓔ **7** ㉠ 돼지의 배설물 ㉡ 인간의 식량
8 ⑤ **9** ⑤

1 사회·문화적 가치는 공동체 차원에서 중요하게 여기는 대상이나 관념을 의미하므로 공동체의 구성원에 따라 다르게 나타날 수 있다.

2 '까마득한 날', '지금', '천고의 뒤'라는 시어는 각각 '과거', '현재', '미래'라는 시간과 연관이 있다. 따라서 이 시가 '과거-현재-미래'의 시간적 흐름에 따라 시상을 전개하고 있음을 알 수 있다.

3 (1) 〈광야〉에서 '눈'은 고난과 시련의 상황, 구체적으로는 일제의 식민지가 된 암담한 조국의 현실을 상징한다.
(2) '광야'는 우리 민족의 역사가 펼쳐지는 공간을 상징한다.
(3) '매화 향기'는 가혹한 현실에도 쉽게 꺾이지 않는 의지와 절개를 상징한다.

4 〈광야〉에서 '지금 눈'이 내린다는 것은 고난과 시련이 닥친 현실을 의미하므로 시적 화자는 현실을 부정적으로 인식하고 있는 것이다. 또한 '가난한 노래의 씨'를 뿌리겠다고 한 것이나 '초인'으로 하여금 (노래를) '목 놓아 부르게' 하겠다고 한 것에서 시적 화자가 현실의 어려움을 회피하는 것이 아니라 극복하고자 함을 확인할 수 있다.

5 (1) 〈신의 방〉은 '통시'라는 제주의 전통적 배변 공간에서 인간과 자연이 이루는 생태적 순환을 다루고 있다.
(2) '-지요', '-군요', '-데요' 등의 부드러운 종결 표현과 문장의 길이가 긴 이야기체를 활용하여 상생과 부드러움, 포용을 특징으로 하는 생명의 이치를 효과적으로 표현하였다.

6 '통시'는 제주도의 전통적인 재래식 화장실로 시에 나타난 설명에 따르면 ⓐ, ⓑ에 해당하는 방이며, 섬사람들이 신이 거주하는 장소라고 여긴 곳(ⓔ)임을 알 수 있다.

7 〈신의 방〉에 따르면 인간이 버린 음식물 찌꺼기·설거지물, 인간의 배설물을 돼지가 먹고, 그 돼지가 만들어 낸 배설물은 거름이 되어 보리를 기를 때 쓰이며, 그 거름으로 자란 보리가 다시 인간의 식량이 됨으로써 생명이 순환한다.

8 〈신의 방〉에서 '통시'는 〈보기〉에서 언급한 것과 같이 생명의 순환이 이루어지는 공간으로, 인간과 자연이 공존하며 생태적 삶의 가치가 구현되는 공간이다. 따라서 '통시'가 상징하는 삶의 방식으로 적절한 것은 ⑤이다.

9 ㅁ은 〈신의 방〉에서 인간과 자연의 공존이라는 사회·문화적 가치를 찾아낸 뒤, 자신의 가치관에 따라 평가하며 감상하고 있다.

오답 풀이
①, ③ 작품의 표현 방식에 대해 이야기하고 있다.
② 작품의 내용과 관련해 이해한 바를 이야기하고 있다.
④ 작품에 드러난 사회·문화적 가치가 무엇인지 밝히고 있을 뿐, 자신의 가치관에 따라 주체적으로 평가하지는 않고 있다.

4일 교과서 기출 베스트

36~39쪽

• 10단원 (1) 광야/신의 방

1 ④ **2** ② **3** ② **4** ③ **5** 가난한 노래의 씨 **6** 부지런한 계절이 피어선 지고 **7** ④ **8** ⑤ **9** ⑤ **10** ②
11 ② **12** ④ **13** ⑤ **14** 〈신의 방〉은 생명의 순환을 보여 주는 '통시'를 통해 인간과 자연이 공존하는 삶의 가치를 추구하고 있다.

1 4연에서 '눈'이 내리는 계절에 '매화 향기' 홀로 아득하다는 것은 고통스럽고 절망적인 상황에서도 현실의 고난과 시련을 극복하겠다는 시적 화자의 의지를 드러낸 것이지 희망이 없는 현실을 형상화한 것은 아니다.

2 윗글에서 색채어의 대비는 나타나지 않으며, 시적 화자는 현실의 고난과 시련을 인식하고 있으나 이 때문에 내적 갈등을 겪기보다는 조국 광복에 대한 굳은 의지를 다지고 있다.

오답 풀이
① 〈광야〉는 '눈', '매화 향기' 등의 상징적인 시어를 통해 시대 상황을 그려 내고 있다.
③ 독백적 어조는 작품 속에서 화자가 자신의 이야기를 혼잣말을 하듯 진술하는 것으로 이 시에서 시적 화자는 자신이 처한 어두운 현실을 극복하겠다는 의지를 다지고 있다.
④ 4연의 마지막 행에서 명령형 종결 어미인 '-어라'를 사용해 시적 화자의 단호한 의지를 드러내고 있다.
⑤ '까마득한 날', '지금', '천고의 뒤'와 같은 시어는 각각 과거, 현재, 미래와 관련이 있는 시어로, 시적 공간인 '광야'에서의 시간적 흐름을 드러내고 있다.

3 이 시의 화자는 어두운 조국의 현실 상황에서 '가난한 노래의 씨'를 뿌리는 등 현실 극복 의지와 자기희생적 태도를 보이며

정답과 해설 **87**

나라와 민족을 위하는 지사적 면모를 드러내고 있다.

4 시간이나 세월을 이르는 말인 '광음'은 광야에서의 시간의 경과를 보여 주고 있으나, 이를 통해 광야의 과거와 현재가 대조되지는 않는다.

5 윗글의 '가난한 노래의 씨'는 고난과 시련을 극복하고 조국의 광복과 민족의 이상을 실현하기 위한 화자의 자기희생적 의지를 상징한다.

6 '부지런한 계절이 피어선 지고'에서는 시간의 흐름을 반복되는 꽃의 개화와 낙화로 표현하고 있다. 또한 계절을 사람처럼 '부지런'하다고 표현하고 있으므로 의인법을 활용하고 있다.

7 윗글에서 시인이 현실을 암울하고 절망적이라고 느끼는 것은 자신의 옥살이 때문이 아니라 조국이 주권을 **빼앗겼기** 때문이다. 또한 윗글에는 절망과 비관보다는 부정적인 상황을 극복하려는 의지가 강조되고 있으므로 ④는 적절하지 않은 내용이다.

8 〈신의 방〉은 독자에게 이야기를 들려주는 듯한 산문체 서술로 이루어진 시로, 질문을 던지고 스스로 답하는 방식은 나타나지 않는다.

9 ⑪은 오늘날에는 통시가 흔적으로만 남아 있음에도 불구하고 통시와 '나'의 몸이 생명의 공간이라는 점에서 유사하고, 이 때문에 통시에 친밀감을 느끼고 있음을 보여 주고 있다.

10 윗글에서는 '통시'와 '(개량된) 변소'를 통해 대립적인 가치관을 상징적으로 보여 준다. 통시라는 공간 내에서 가치관이 대립하는 것은 아니다.

11 '변소'는 편리성, 효율성의 가치를 상징하는 시어이고, 나머지 시어는 모두 생명의 순환과 관련이 있다.

12 윗글의 시적 화자는 통시를 긍정적으로 평가하고 있다(ㄴ). 그리고 산문적인 서술을 통해 부드러운 느낌과 함께 화자가 중시하는 생명의 순환과 생태적인 가치를 자연스럽게 부각하고 있다(ㄹ).

13 '나라의 높은 분'은 '시멘트'가 가진 생명의 가치를 높이 평가해서가 아니라 통시를 미개하게 여겨 변소로 개량하기 위해 시멘트를 무상 지급한 것이다.

14 〈보기〉는 통시에서 생명이 순환되는 과정을 보여 준다. 이를

통해 〈신의 방〉에서는 인간과 자연이 상생하며 조화를 이뤄야 한다고 보는 생태적 가치관을 드러내고 있다.

평가 요소	확인 ☑
'인간'과 '자연'이라는 단어를 포함하여 작품에 담긴 사회·문화적 가치를 서술하였다.	
제시된 문장 형식에 맞게 서술하였다.	

5일 **기초 확인 문제** 43쪽

• 10단원 (2) 황만근은 이렇게 말했다

1 실종 　**2** ©, ② 　**3** (1) ⑥ (2) ⓒ (3) ⓐ 　**4** ②

1 황만근의 실종 사건 때문에 마을 사람들이 한데 모이게 되고 이를 계기로 마을 사람들이 황만근을 어떻게 생각하고 있는지가 드러나게 된다. 또한 등장인물이 사라졌다는 사건을 소설의 서두에 제시하여 독자의 호기심을 자극하고 있다.

2 황만근은 자신의 입장만 생각하는 이기적인 인물이 아니라 마을의 궂은일도 도맡아 하는 배려심 있는 인물로, 농사와 동네일 모두에 능숙하다. 또한 농사꾼은 빚을 지면 안 된다는 신념을 가진 인물이다.

3 (1) 가사를 돌볼 줄 모르는 황만근의 어머니는 아들인 황만근에게 정성스러운 봉양을 받는 인물이다.
(2) 이장은 경운기를 타고 국도로 가는 것이 위험하다는 것을 알고도 황만근에게 이를 권유하였다는 점에서 황만근의 실종에 책임이 있으나 자신의 책임을 회피하며 황만근이 집에 안 들어온 것보다는 소가 밥을 굶는 것을 더 걱정하는 등 이기적인 태도를 보인다.
(3) 민 씨의 관점에서 기록된 황만근의 행적을 볼 때, 마을 사람들이 황만근을 무시하는 것과 달리 민 씨는 황만근의 진실성과 가치를 인정하는 인물임을 알 수 있다.

4 민 씨와 황학수의 말을 통해 부채(빚)를 진 농민의 수가 많음을 알 수 있다.

• 10단원 (2) 황만근은 이렇게 말했다

1 ③   **2** ④   **3** ⑤   **4** ③   **5** ①   **6** ④   **7** ⑤
8 ⓐ 공평 ⓑ 황영석   **9** ①   **10** ②   **11** ④   **12** 빚 없이
성실한 노동으로 자립하는 삶의 가치를 전달하고 있다.

1 윗글은 주인공인 황만근의 실종과 관련하여 마을 사람들의 반응을 제시하며 사건이 본격적으로 시작되고 있다.

2 황동수는 황만근의 실종 사건과 상관없는 일화를 농담 삼아 이야기하고 있다. 이를 통해 황동수가 황만근이 사라진 일을 심각하게 여기지 않고 있음을 추측할 수 있다.

오답 풀이
③ '반근'은 마을 사람들이 황만근을 반쪽짜리로 취급하여 부르는 별명으로, 이를 통해 마을 사람들이 황만근을 무시하고 얕잡아 보고 있음을 알 수 있다.
⑤ 〈황만근은 이렇게 말했다〉는 같은 성씨끼리 모여 사는 집성촌을 공간적 배경으로 한다. 자리에 모인 사람들이 모두 황씨라는 것을 통해 이를 드러내고 있다.

3 민 씨는 궐기 대회 자체에 반감을 가지고 있어서가 아니라, 이장이 어수룩한 황만근을 궐기 대회에 보낸 일을 무책임하다고 생각하여 이장을 추궁하고 있다.

4 민 씨는 황만근에게 경운기를 몰고 궐기 대회에 참석할 것을 권유한 이장을 비판하고 있고 이장은 그것이 투쟁 방침이었다며 자신의 정당성을 강조하고 있다.

오답 풀이
① 이장은 자신의 행동을 반성하고 있지 않으며 오히려 책임을 회피하고 있다.
② 민 씨가 이장에게 황만근이 없어진 일과 관련하여 책임을 추궁하고 있긴 하지만 이장을 범인으로 의심하는 것은 아니다.
④ 민 씨는 무책임한 이장의 태도에 화가 나서 따지고 있으므로 이성적인 태도라고 보기 어려우며, 이장은 민 씨의 추궁에 뻔뻔하게 대꾸하고 있다.
⑤ 민 씨는 이장을 추궁하고 있을 뿐 해결 방안을 제시하지는 않았다. 또한 이장은 민 씨의 견해를 조금도 수용하고 있지 않다.

5 이장은 황만근의 어머니가 한 말을 듣고 황만근이 궐기 대회에 간 것이 아니라 고등어를 사러 갔다고 생각하고 있다.

오답 풀이
② 황규수는 그동안 황만근이 씻는 것을 본 적 없다는 것을 근거로 황만근이 목욕탕이나 온천에 갔을 리 없다고 생각하고 있다.
③ 영호는 궐기 대회가 열리는 날 아침에 자신이 황만근에게 씻고 오라고 말한 일 때문에 황만근이 목욕을 하러 갔을 것이라 생각하고 있다.

6 황만근의 아들은 아버지의 실종과 관련하여 자신에게도 책임이 있다고 생각해 우는소리를 하며 말하고 있다.

7 황만근의 부재에 황영석은 마을 회관 변소에서 분뇨를 직접 퍼내야 했으며, 여씨 노인은 밭에 줄 거름을 나누어 받지 못하게 되어 아쉬워한다. 이처럼 마을의 궂은일을 맡아 하던 황만근이 사라지자 마을 사람들이 몸소 불편함을 겪었기 때문에 마을의 모든 사람이 그의 부재를 알게 된 것이라 할 수 있다.

오답 풀이
①, ④ 황만근이 실종된 지 하루가 지났음에도 누구도 적극적으로 황만근을 찾아 나서려 하지 않았다고 하였으므로 동네 사람들이 서로에게 관심이 많다거나 항상 황만근의 안위를 걱정하고 있다고 보기 어렵다.
② 황만근이 동네 사람들에게 빚을 졌다는 내용은 나오지 않는다.
③ 동네 사람들이 황만근을 '바보'라고 했으므로 황만근이 평소 존경을 받는 인물이었다고 보기 어렵다.

8 황만근은 마을 공통의 분뇨를 공평하게 나눠 주었으며 특히 여씨 노인에게 더 자주 가져다준 것을 통해 그가 공정하면서도 약자를 배려하는 인물임을 알 수 있다. 반면, 황영석은 자기가 푼 분뇨를 자기 밭에만 뿌리는 이기적인 인물이다.

9 마을 주민들이 주고받는 대화를 통해 부채만 늘어나 어려움을 겪고 있는 당시 농촌 사회의 현실을 드러내고 있다.

오답 풀이
② 황학수가 동음이의어(부채)를 활용해 언어유희를 구사하는 장면에서 해학성이 두드러지나, 이는 농가의 어려운 현실을 드러내며 무거운 화제를 웃으면서 넘기는 부분이므로 비판의 대상이 되는 인물을 희화화하며 풍자하는 것이라고 보기는 어렵다.

10 이장은 경운기가 없는 민 씨는 농사꾼이 아니라며 무시하고 있지만 민 씨가 궐기 대회에 참석하는 것을 반대하지는 않는다.

오답 풀이
④ 황만근은 농가 부채와 직접적인 관련이 없지만 술을 좋아해 회의에 참석하게 된 것으로, 대화에 참여하기보다는 술을 마시는 일에 관심을 보이고 있다.

11 [A]는 민 씨가 경운기 소리를 듣고 생각하는 내용에 초점이 맞추어져 있고, 〈보기〉는 민 씨가 아닌 '선생(황만근)'이 겪은 사건과 상황에 초점을 맞추어 서술하고 있다.

오답 풀이
① [A]는 궐기 대회 날 새벽의 상황이고 〈보기〉는 궐기 대회 날 선생(황만근)이 경운기를 타고 군청까지 가는 상황이므로 시간 순서상 [A] 이후에 〈보기〉가 일어났다.
② 〈보기〉는 궐기 대회 날 황만근의 행적을 밝히고 있다. 이는 소설 앞부분에서 드러나지 않았던 내용이다.
③ [A]는 3인칭 전지적 시점의 서술자가 민 씨의 생각이나 행동을 서술하

고 있으며, 〈보기〉는 민 씨가 선생(황만근)의 상황을 서술하고 있다.
⑤ [A]는 민 씨가 직접 겪은 일이고, 〈보기〉는 민 씨가 추측하여 진술한 선생(황만근)의 행적이다.

12 민 씨가 정리한 황만근의 말을 통해 황만근은 제 돈으로 하지 않는 일은 노름이나 다를 바 없다고 여기는 등 농사꾼이 빚을 지는 일에 비판적인 시각을 가지고 있음을 알 수 있다.

평가 요소	확인 ☑
황만근이 생각하는 농사꾼의 바람직한 자질과 관련하여 사회·문화적 가치를 적절하게 서술하였다.	
'빚(부채)', '자립' 등의 단어를 활용하여 서술하였다.	
제시된 문장 형식에 맞게 서술하였다.	

5일 기초 확인 문제 51쪽

• 10단원 (3) 경험과 성찰을 담은 글 쓰기

1 ④ **2** ⑤ **3** (1) ⓒ (2) ⓑ (3) ⓐ (4) ⓓ (5) ⓔ **4** 반전

1 성찰하는 글은 자신의 삶과 경험을 스스로 돌아보고 솔직하게 쓰는 글이므로 남과의 비교를 통해 자신의 깨달음이 적절한지 평가할 필요는 없다.

2 성찰하는 글쓰기를 하면, 잘 인식하지 못했던 자신의 모습이나 내면을 발견할 수 있다. 그리고 이를 통해 자신의 경험을 객관적으로 평가함으로써 건강한 자아 형성에 도움이 되며, 자신의 주변을 돌아보는 계기가 되기도 한다.

3 글쓴이는 고양이가 쓰레기봉투를 파헤친 것을 보고 속상해하다가 고양이의 먹이를 놓아 주며 고양이를 챙기는 데에 재미를 느끼게 된다. 그러던 어느 날 어미 고양이와 새끼들의 아름다운 모습을 보고 감탄하며 고양이 가족이 자신에게 감사와 친애의 표시를 하는 줄 알고 기쁨과 감동을 느끼지만, 고양이가 공격 태세를 취하는 것을 보고 놀라움과 공포를 느낀다.

4 글쓴이는 자신이 고양이를 길들였다고 생각하며 고양이에게 감사와 친애의 표현을 기대하지만, 고양이는 순식간에 글쓴이에게 적의를 드러낸다. 이러한 극적인 반전을 통해 글쓴이는 자신의 오해를 깨닫게 된다.

5일 교과서 기출 베스트 52~53쪽

• 10단원 (3) 경험과 성찰을 담은 글 쓰기

1 ⑤ **2** ⓐ 속상함 ⓑ 먹이 **3** ③ **4** ⑤

1 글쓴이는 고양이에게 먹이를 주면서 고양이에 대해 점차 호감과 궁금증을 느끼고 있으며, 과식하는 일 없이 음식을 남겼다가 며칠에 걸쳐 다 먹어 치우는 모습을 보며 고양이가 매우 영리하고 현명하다고 생각하고 있다. 따라서 글쓴이가 고양이가 자신의 호의를 무시하고 있다고 여겨 고양이에게 서운함을 느끼고 있다고 보는 것은 적절하지 않다.

오답 풀이
① '허영심'은 원래 필요 이상으로 겉치레에 신경 쓰는 마음을 뜻하지만, 윗글에서는 글쓴이가 자신을 낮춰 겸손하게 표현하기 위한 의도로 사용하고 있다.
②, ③ 글쓴이는 깔끔하게 여며 놓은 쓰레기봉투를 파헤치는 것이 속상해서 고양이가 쓰레기봉투를 파헤치지 않게 먹이를 따로 놓아두기 시작했다.
④ 글쓴이의 식구들까지도 고양이들을 위해 더 많은 생선 살을 남기게 되었다.

2 (나)의 앞부분에서 고양이가 쓰레기봉투를 헤집어 놓아 문 앞이 지저분해진 것 때문에 글쓴이가 속상해하는 것을 알 수 있다. 그 후 (다)에서 고양이의 먹이를 챙기는 일에 글쓴이가 점점 재미를 붙이게 된 것을 확인할 수 있다.

3 글쓴이는 고양이와 관련하여 자신이 직접 경험한 일을 소개하며 자신이 고양이에게 했던 오해를 성찰하고 있다.

오답 풀이
④ 글쓴이는 인상적인 경험에서 얻은 깨달음을 전달하고 있으나, 이를 통해 독자의 행동 변화를 촉구하지는 않았다.
⑤ 글쓴이가 고양이를 길들이는 과정이나 오해를 깨닫는 과정에서 고양이를 다각도로 관찰했다고 볼 수 있지만, 궁극적으로 이러한 정보를 전달하는 것이 글의 주된 내용이라 볼 수 없다.

4 글쓴이는 경험을 바탕으로 한 글쓰기를 통해 경험을 객관화하여 인간과 동물의 관계나 스스로의 오해에 대한 깨달음을 얻고, 놀란 마음을 진정시킬 수 있었을 것이다. 하지만 글쓴이가 남의 시선을 의식하여 고양이를 판단한 것은 아니므로 ⑤는 적절하지 않다.

● 범위 8단원 ~ 9단원

1 ③   **2** ②   **3** ③   **4** ⑤   **5** 민희는 수연에게 어서 오라고 말했다.   **6** ②   **7** 의약품의 효능과 안전성을 확인하는 데에 동물 실험만큼 정확하고 신속한 것은 없기 때문이다.   **8** ④   **9** ④   **10** ②

1 윗글은 훈민정음 창제의 배경과 목적을 설명하고 있으며 우리 말이 중국과 다르다는 점만 언급했을 뿐, 당대의 외래어 사용 실태는 나타나 있지 않다.

오답 풀이

① '·새·로 ·스·믈여·듧 字·쫑·를 밍·ᄀ노·니'에서 창제된 글자의 수가 28자임을 알 수 있다.
② '·이런 젼·ᄎ·로 어·린 百·빅姓·셩·이 니르·고·져 ·훓 ·배 이·셔·도 무·ᄎᆞᆷ:내 제 ·ᄠᅳ·들 시·러 펴·디 :몯홇 ·노·미 하·니·라'에서 당시 백성들이 언어생활에 어려움을 겪고 있었음을 알 수 있다.
④ '·내 ·이·룰 爲·윙·ᄒᆞ·야 :어엿·비 너·겨'는 백성들을 사랑하는 마음이 나타난 부분으로, 세종이 새로운 문자를 창제한 이유가 드러난다.
⑤ ':사름:마·다 :히·ᅇᅧ :수·ᄫᅵ 니·겨 ·날·로 ·ᄡᅮ·메 便뼌安한·킈 ᄒᆞ·고·져 홇 ᄯᆞᄅᆞ·미니·라'에서 새로운 문자를 창제하여 문자 생활의 대중화, 실용화를 기대했음을 알 수 있다.

2 중세 국어에서 '에'는 비교를 나타내는 부사격 조사로 쓰였으므로, '나·랏 :말ᄊᆞ·미 中듕國·귁·에 달·아'를 현대어로 알맞게 풀이한 것은 '우리나라의 말이 중국과 달라'이다.

3 서술의 객체는 문장에서 목적어나 부사어에 해당하는 대상을 말한다. 〈보기〉의 문장에서는 주어인 '아버지'를 높이고 있으므로 ③은 적절하지 않다.

오답 풀이

① 문장에서 높이고 있는 대상은 주어인 '아버지'이다.
② '아버지'를 높이기 위해 주격 조사 '께서'와 선어말 어미 '-시-'(서두르셨어요)를 사용하고 있다.
④ '서두르셨어요'는 대화를 나누는 상대, 즉 듣는 이를 높이기 위해 종결 어미 '-어요'(해요체)를 사용한 표현이다.
⑤ 대상을 높이기 위해 '계시다, 주무시다, 잡수다, 진지, 댁' 등의 특수한 어휘를 사용하기도 한다.

4 '불려지던(부르-+-이-+-어지-+-던)'과 '불리어진(부르-+-이-+-어진)'은 모두 피동 접미사 '-이-'와 피동을 만드는 표현인 '-어지다'를 중복해서 쓴 이중 피동 표현이다. 따라서 고치기 전과 고친 후의 표현 모두 적절하지 않다. '불려지던'은 '불리던'으로 고쳐 쓰는 것이 적절하다. 참고로 어간 끝음절 '르' 뒤에 모음으로 시작하는 어미가 결합할 때 어간 모음 'ㅡ'가 탈락하면서 'ㄹ'이 덧붙는 현상이 있다. 이 현상은 '르'로 끝

나는 어간에 피동 접미사 '-이-'가 결합하는 경우에도 나타나므로 '부르다'의 어간에 피동 접미사 '-이-'가 붙으면 '불리다'가 된다.

오답 풀이

① '쓰여져', ② '읽혀지는', ③ '풀려지지', ④ '매여지고'는 모두 피동사 '쓰이다', '읽히다', '풀리다', '매이다'에 다시 '-어지다'가 붙은 이중 피동 표현이다. '쓰여', '읽히는', '풀리지', '매이고'로 고쳐 쓰는 것이 적절하다.

5 직접 인용문을 간접 인용문으로 바꿔 쓸 때에는 조사 '라고'를 '고'로 고쳐 써야 한다. 또한 간접 인용은 다른 사람의 말을 자신의 말로 바꾸어 옮기는 것이므로, '수연아'는 '수연에게', '어서 와'는 '어서 오라'와 같이 호칭과 서술어도 적절히 수정해야 한다.

6 반대 측 토론자는 논제에 대해 반대 견해를 제시하며 찬성 측의 주장을 반박하는 말하기를 하고 있다. 찬성 측의 주장을 일부 수용하거나 합일점을 모색하고 있지는 않다.

오답 풀이

① '캘리포니아의 생명연구협회에서는~보고한 바 있습니다.'와 같이 자료의 출처를 밝히며 근거의 신뢰도를 높이고 있다.
③ 반대 측은 동물 실험을 대체할 수 있다는 찬성 측의 주장에 대해 다른 방법으로 대체할 수 없다고 주장하며, 정확성과 신속성 측면에서 이유와 근거를 들어 반박하고 있다.
④ 반대 측 발언의 첫 문단에서 동물 실험을 금지해야 한다는 찬성 측 주장에 대해 반대한다는 견해를 제시하고 있다.

7 반대 측의 입론 중 네 번째 문단에서 동물 실험을 다른 방법으로 대체할 수 없다는 주장에 대하여, 의약품의 효능과 안전성을 확인하는 데에 동물 실험만큼 정확하고 신속한 것은 없다는 이유를 제시하고 있다.

8 윗글에는 협상의 과정이 나타나 있으며, 협상은 개인이나 집단 사이에서 이익과 주장이 달라 갈등이 생길 때, 문제를 해결하기 위해 서로 타협하고 조정하면서 해결 방법을 찾아가는 말하기이다.

오답 풀이

①은 면접, ②는 연설, ③은 발표, ⑤는 토론에 대한 설명이다.

9 문화시는 행복시의 축제와 문화시의 축제가 소재만 비슷할 뿐 세부 내용은 차이가 있다고 하였다. 축제의 소재에서도 차이가 있다고 반박하지는 않았다.

10 문화시는 행복시의 경제적 손실을 보전하라는 제안을 받아들이지 않고, 대신 공동 사업을 추진하여 발생하는 이익을 나누는 방안을 제시하였다.

• 범위 10단원

1⑤　　**2**④　　**3**백마 타고 오는 초인　　**4**①　　**5**③　　**6**③
7경운기　　**8**③　　**9**②　　**10**⑤

1 '지금 눈 나리고'에서 시적 화자가 현실의 고난을 인식하고 있음이 드러난다. 그러나 시련 속에서도 이곳에 '매화 향기'가 아득하다며 '가난한 노래의 씨를 뿌'리겠다고 다짐하고 있는 것으로 보아 시적 화자는 부정적인 상황 속에서도 이를 극복하기 위한 의지를 다지고 있음을 알 수 있다.

2 4연에서 시적 화자는 스스로 '가난한 노래의 씨를 뿌'리겠다고 말하며 자기희생의 의지를 드러내고 있다. 화자가 희생을 감수하면서까지 고난을 극복하고자 하는 까닭은 윗글에서 ⊙ '광야'가 민족의 삶의 터전을 상징하는 곳으로, 시적 화자가 반드시 지키고자 하는 중요한 공간이기 때문이다.

　오답 풀이
　① 광야는 우리 민족의 역사가 펼쳐지는 공간으로 시적 화자는 광야에 씨를 뿌리며 결실을 맺을 것임을 확신하고 있으므로, 이곳에 불가능한 소망이 투영되어 있다고 볼 수 없다.
　② 1연에서 광야의 탄생을 '까마득한 날', '하늘이 처음 열리'던 때라고 표현한 것에서 광야가 긴 역사를 간직한 공간임을 알 수 있다.
　③ 3연의 '부지런한 계절이 피어선 지고 / 큰 강물이 비로소 길을 열었다'를 통해 오랜 시간이 흐르는 동안 광야에 많은 변화가 일어났음을 알 수 있다. 또한, 현재 '눈 나리고' 있는 것은 과거와 비교했을 때 광야에 나타난 변화이므로, 과거에서 현재에 이르기까지 변화가 나타나지 않았다고 보는 것은 적절하지 않다.
　⑤ 4연에서 '여기'에 가난한 노래의 씨를 뿌리겠다고 하는 것과 5연에서 '이 광야에서 목 놓아 (노래를) 부르게 하리라'고 하는 것을 통해 암울한 현실을 극복하고 이상을 실현하고자 하는 공간이 광야임을 알 수 있다. 따라서 희망찬 미래를 맞이하기 위해서 화자가 광야를 떠나야 한다고 보는 것은 적절하지 않다.

3 윗글의 시인이 독립운동가인 점을 고려할 때, 일제로부터 우리 민족을 구원하고 해방된 조국을 이끌어 갈 민족의 지도자, 또는 미래의 후손을 상징하는 시어는 화자가 뿌린 가난한 노래의 씨를 목 놓아 부를 5연의 '백마 타고 오는 초인'이다.

4 섬사람들(제주 사람들)이 ⊙ '통시'를 ⓒ '신이 거주하는 장소(신의 방)'로 여긴 이유는 통시가 생명이 생명에게 공양되는 순환의 공간이며 이를 바탕으로 하여 인간과 자연이 공존하는 생태적 삶이 실현되는 공간이기 때문이다.

5 윗글은 생명의 순환이 이루어지는 공간인 '통시'를 생명의 관점에서 묘사하고 해석한 작품으로, 생명이 있는 존재는 서로 연결되어 있다는 생태적 가치관을 드러내고 있다.

6 (나)를 통해 이장이 민 씨를 진짜 농사꾼으로 인정하지 않는다는 것을 추측할 수 있지만, 이는 이장과 민 씨의 대화를 통해 드러나고 있다.

　오답 풀이
　① (가)에서는 연장과 경운기를 비롯한 주변 사물들을 잘 정리하고 고쳐서 오랫동안 사용해 온 황만근의 평소 행동을 서술자가 요약하여 제시하고 있다.
　② (나)에서는 이장의 말을 통해 마을 사람들이 궐기 대회를 앞두고 있다거나, 민 씨가 경운기 없이 비닐하우스에서 꽃 농사를 짓고 있다는 등 인물이 처한 상황이 드러나 있다.
　④ (다)에 제시된 황만근의 말에는 그가 생각하는 농촌의 문제점과 빚을 지지 말아야 한다는 그의 가치관 등이 드러나 있다.
　⑤ (다)에서 민 씨가 황만근에게서 들은 말 중 중요한 내용은 인용 부호를 활용하여 직접 제시하고, 그 말에 대한 구체적인 내용은 민 씨의 기억과 해석을 바탕으로 하여 괄호 안에 요약적으로 제시하고 있다.

7 (가)에서 황만근이 고물이 된 '경운기'를 계속 고쳐 썼다고 한 부분을 통해 황만근의 검소하고 살뜰한 성품을 짐작할 수 있다. 또한 (나)에서 이장이 '경운기'를 타고 길게 행진하면서 결의를 보여 주자고 하는 말을 통해 농민들이 그들의 결의를 드러내는 데 활용하려는 수단이 '경운기'임을 알 수 있다.

8 (다)에서 황만근이 하는 말을 통해 빚을 갚으려 무리하게 일을 벌이고, 빚이 더 불어나 이를 감당하지 못하는 농민이 많다는 것을 알 수 있다.

9 글쓴이가 한 오해는 자신이 그동안 베푼 호의를 어미 고양이가 느끼고, 자신에게 길들여졌으리라고 생각한 것과 관련이 있다. 그러나 ②의 내용은 글쓴이의 오해가 아니라, 고양이의 적의를 본 뒤에 글쓴이가 자신의 오해를 성찰하고 얻은 깨달음에 해당한다.

10 글쓴이가 한 오해와 그 깨달음이 글의 중심 소재인 것은 맞지만, 오해의 원인과 결과를 분석하여 논리적으로 밝히는 글이라고 보기는 어렵다. 윗글은 독자에게 공감과 깨달음을 전하는 것이 목적인 수필이다.

　오답 풀이
　ⓐ, ⓓ 먹이를 챙겨 주던 도둑고양이 때문에 놀랐던 일상의 경험과 깨달음을 소재로 그 과정을 시간 순서에 따라 제시하고 있다.
　ⓑ 고양이에 대해 느낀 감정을 솔직하게 드러내고 있다.
　ⓒ (나)에서 새끼 고양이들의 모습, (다)에서 어미 고양이가 보인 공격적인 태도 등을 생생하게 묘사하여 독자의 공감을 이끌어 내고 있다.

1 ㉠은 성조를 표시하는 점(방점)이다. ㉡은 현대어로 '쉽게'로 풀이되며 현대 국어에서는 쓰이지 않는 음운인 'ㅸ(순경음 비읍)'이 중세 국어에서는 존재하였음을 알 수 있다. ㉢은 현대 국어로는 '뜸에'로 풀이할 수 있는 말의 일부로, 중세 국어에서는 어두 자음군이 존재하였음을 알 수 있다.

✎ 예시 답안
• ㉠: 글자 왼쪽에 점(방점)을 찍어 성조를 표시하였다.
• ㉡: 순경음 비읍이 존재하였다.
• ㉢: 어두 자음군이 존재하였다.

2 제시된 글은 일반 백성들이 훈민정음을 통해 생각을 표현하고 의사소통했음을 알 수 있는 편지글이다.

평가 요소	확인☑
제시된 글을 통해 일반 백성들이 한글로 의사소통을 할 수 있게 되었음을 알 수 있다는 방향으로 서술하였다.	
제시된 문장 형식에 맞게 서술하였다.	

✎ 예시 답안
제시된 글을 통해 훈민정음이 널리 보급되어 일반 백성들도 한글로 편지를 써서 의사를 전달할 수 있게 되었음을 알 수 있다.

3 듣는 이를 높이려다가, 서술의 대상인 동물이나 사물까지도 높여 표현하는 것은 높임 표현을 잘못 사용한 경우에 해당한다.

평가 요소	확인☑
표현이 잘못된 이유로 서술의 대상(사물)인 '커피'까지 과도하게 높여 표현한 점을 제시하였다.	
올바른 주격 조사와 종결 표현을 사용하여 듣는 이이자 서술의 주체인 '고객님'만을 높이는 표현으로 문장을 알맞게 고쳤다.	

✎ 예시 답안
• 잘못된 이유: 듣는 사람을 높이려다가 서술의 대상인 '커피'와 같은 사물까지 과도하게 높여 표현하였기 때문이다.
• 고친 표현: 고객님께서 주문하신 커피 나왔습니다.

4 첫 번째 문단에서 동물 실험은 비윤리적이라는 주장을 먼저 밝힌 다음, 동물 실험 과정에서 동물에게 큰 고통을 주고 생명을 빼앗기도 한다는 이유를 제시하였다. 그리고 뒤이어 두 번째 문단에서 근거로 실험동물에게 큰 고통을 주는 사례를 언급하고 있다.

평가 요소	확인☑
주장으로 동물 실험이 비윤리적이라는 것을 서술하였다.	
이유로 실험 과정에서 동물에게 큰 고통을 주고 생명을 빼앗기 때문이라는 것을 서술하였다.	

✎ 예시 답안
• 주장: 동물 실험은 비윤리적이다.
• 이유: 실험 과정에서 동물에게 큰 고통을 주고, 생명을 빼앗기 때문이다.

5 영화 동아리 부원 1, 2의 말에서 연극 동아리도 조용하고 암막 커튼이 있는 장소를 원한다는 것을 알 수 있으므로, 이를 고려하여 제안을 제시해야 한다.

평가 요소	확인☑
연극 동아리가 어두운 공간에서 공연하고자 하는 점과 관련한 제안을 한 가지 제시하였다.	
연극 동아리가 조용한 공간에서 공연하고자 하는 점과 관련한 제안을 한 가지 제시하였다.	

✎ 예시 답안
학교에 요청해서 음악실에 암막 커튼을 설치하도록 하고, 축제 당일 영화 동아리 부원이 음악실 옆 농구장 주변을 조용히 시키겠다고 제안하는 것은 어떨까?

6 (가)의 '손님'과 (나)의 '초인'은 모두 시적 화자가 기다리는 대상이라는 점에서 유사하다. 또한 (가), (나)가 비슷한 시기, 즉 일제 강점기에 창작되었다는 점과 시인이 독립운동가였다는 점을 고려할 때, 두 시에 담긴 사회·문화적 가치는 조국의 광복, 민족의 독립이라고 할 수 있다.

평가 요소	확인☑
(가), (나)의 화자가 기다리는 대상으로 각각 '손님'과 '초인'을 제시하였다.	
시인의 삶과 관련하여 시인이 추구한 사회·문화적 가치가 조국의 광복임을 서술하였다.	

✎ 예시 답안
(가)의 화자가 '손님'을, (나)의 화자가 '초인'을 기다리고 있다는 점과 (가), (나)의 시인이 독립운동가였다는 점을 고려할 때, 시인이 추구한 사회·문화적 가치는 조국의 광복, 민족의 독립이다.

7 제시된 글에서 사람의 배설물은 돼지에게, 돼지의 배설물은 보리에게 양분이 되고, 그 양분을 먹고 자란 돼지와 보리는 양분을 제공한 대상의 먹이가 되어 생명이 순환하는 생태적 삶을 발견할 수 있다.

평가 요소	확인☑
사람과 돼지, 돼지와 보리, 사람과 보리의 관계를 알맞게 표시하였다.	

✎ 예시 답안

8 사람에게나 동물에게나 먹는 일과 똥 누는 일이 모두 생명이 순환되는 일임을 고려할 때, '통시'와 '내 몸속의 방'은 모두 생명의 순환이 일어나는 생명의 공간이라는 점에서 유사하다.

평가 요소	확인 ☑
똥 누고 먹는 일과 관련지어 서술하였다.	
'통시'와 '내 몸속의 방'의 공통점으로 두 공간 모두 생명의 순환이 일어나는 공간, 또는 생명의 공간이라는 것을 제시하였다.	

✐ **예시 답안**
ⓐ '통시'와 ⓑ '내 몸속의 방'은 모두 생명의 순환이 일어나는 공간이라는 점에서 공통점이 있다.

9 민 씨가 황만근을 '하늘이 내고 땅이 일으켜 세운 사람'이라고 긍정적으로 평가한 데에는 황만근이 우리 사회에 필요한 가치를 지닌 인물이라는 생각이 반영되어 있다. 이는 소설에서 황만근을 통해 전달하고 있는 사회·문화적 가치로, 소설에서 긍정적으로 그리고 있는 황만근의 성품과 관련되어 있다. 따라서 이를 근거로 민 씨의 평가에 공감하는 이유를 서술하여야 한다.

평가 요소	확인 ☑
소설에서 황만근을 통해 전달하고 있는 사회·문화적 가치인 '근면함', '나눔', '소신', '성실함', '자립' 등의 단어를 포함하여 서술하였다.	

✐ **예시 답안**
부지런하고 근면하였으며, 어려움을 나누고 남에게 공을 돌렸던 사람이기 때문이다. / 농사꾼은 빚을 지면 안 된다는 소신을 가지고 부채 없이 성실한 노동으로 자립하는 삶의 가치를 실현하는 사람이기 때문이다.

10 〈오해〉의 글쓴이는 쓰레기봉투를 파헤치던 도둑고양이에게 먹이를 챙겨 주다가 놀라게 된 경험을 계기로 그동안 자신이 고양이에 관해 '오해'하고 있었음을 깨닫게 된다. 제시된 부분에서는 글쓴이가 고양이와 관련하여 오해한 내용이 구체적으로 서술되어 있다.

평가 요소	확인 ☑
'오해'라는 단어를 포함하여 글쓴이가 고양이에 관해 얻은 깨달음을 서술하였다.	

✐ **예시 답안**
그동안 고양이에 대해 오해하고 있었음.

7일 기말고사 기본 테스트 1회

66~73쪽

• 범위 8단원~10단원

1 ⑤　**2** ②　**3** ㉠ 어리석은　㉡ 예쁘게　**4** ②　**5** ③
6 자신은 세계 챔피언인데도 들어갈 수 없는 상점들이 있다고 거침없이 말했다.　**7** ③　**8** ⑤　**9** 대체 실험을 하면 실험동물의 구매·유지 비용이 들지 않고 윤리적 문제도 피할 수 있으므로 장기적으로 이익이 더 크다.　**10** ③　**11** ⑤　**12** ⑤　**13** ③
14 ⓐ '목 놓아 부르게 하리라'는 4연의 '노래의 씨'와 연결되어, 시적 화자가 미래의 후손 또는 지도자에게 부르게 하려는 것이다. 이는 자기희생을 통해 민족의 독립을 이루겠다는 화자의 의지를 의미한다.　**15** ⑤　**16** ①　**17** ⑤　**18** ④　**19** ②
20 인간이라는 족속에게 길들여지면 절대로 안 돼, 라는 제 새끼들에 대한 강력한 경고

1 세종 대왕은 중국 글자인 한자를 모르는 백성들도 문자 생활을 할 수 있게 훈민정음을 창제하였을 뿐, 훈민정음이 한자를 익히는 데 도움이 될 것이라고 기대하지는 않았다.

〔오답 풀이〕
① '새로 스물여덟 글자를 만드니'에서 세종 대왕이 만든 글자인 훈민정음이 28자임을 알 수 있다.
② '내가 이것을 가엾게 생각하여'를 통해 백성들의 어려움을 헤아리는 세종 대왕의 애민 정신을 확인할 수 있다.
③ '모든 사람으로 하여금 쉽게 익혀서 날마다 쓰는 데 편안하게 하고자 할 따름이다'를 통해 훈민정음이 일반 백성들도 쉽게 사용할 수 있는 글자임을 알 수 있다.
④ '어리석은 백성이 말하고자 하는 바가 있어도 마침내 제 뜻을 능히 펴지 못하는 사람이 많다'에서 백성들이 글로 자기 뜻을 펼치기 어려웠음을 알 수 있다.

2 '·뜨·들'의 'ㅃ'은 음절의 첫머리에 오는 둘 이상의 자음 연속체인 어두 자음군이고, '뜻을'의 'ㄸ'은 된소리이다. 중세 국어의 어두 자음군은 현대 국어에서 된소리로 변하였으므로 거센소리로 변했다는 설명은 적절하지 않다.

〔오답 풀이〕
① '·이런'에서 글자의 왼쪽에 찍힌 점은 방점으로 중세 국어에서 소리의 높낮이인 성조를 표시하기 위한 것이었다. 현대 국어에서는 방점을 사용하지 않는 것으로 보아 성조가 사라졌음을 알 수 있다.
④ '·노·미'는 '놈 + 이'로, 앞 음절의 종성 'ㅁ' 뒤에 모음으로 시작하는 조사가 결합하여 소리 나는 대로 이어적기를 한 것이다. 그러나 현대 국어에서는 '놈이'와 같이 끊어적기를 하여 형태소의 모습을 밝혀 적는다.
⑤ ':수·뵈'에서 'ㅸ(순경음 비읍)'은 현대 국어에서는 사용되지 않는 글자이다.

3 '어·린'은 중세 국어에서는 '어리석은'의 의미였다가 현대 국어에서 '나이가 적은'으로 의미가 변화한 단어이다. 그리고 ':어

엿·비'는 중세 국어에서는 '가엾게', '불쌍히'의 의미였다가 현대 국어에서 '예쁘게'로 의미가 변화한 단어이다.

4 ②에서 '-겠-'은 그 일을 자신이 하겠다는 주체의 의지를 나타낸다.

① '좋았겠다'의 '-겠-'은 추측의 의미를 나타낸다.
③ '그립다'의 품사는 형용사이다. 형용사는 선어말 어미 없이 기본형을 사용하여 현재의 의미를 나타내므로, '그립다'는 발화시와 사건시가 일치하는 현재 시제를 나타낸다.
④ '적었었다'의 '-었었-'은 현재와는 단절된 더 먼 과거의 사건을 나타낸다.
⑤ '지었다'의 '-었-'은 과거의 의미보다는 미래에 일어날 명백한 사실을 나타낸다.

5 능동문을 피동문으로 바꿀 때 능동문의 주어는 피동문의 부사어가 되므로 ⓒ의 내용은 적절하지 않다. (예 나는 범인을 잡았다.[능동문] → 범인은 나에게 잡혔다.[피동문])

6 간접 인용을 할 때 화자 본인을 지칭한 일인칭 대명사 '나'는 '자신'과 같은 명사나 '자기'와 같은 삼인칭 대명사로 바꾸고 조사 '고'를 써서 표현해야 한다.

7 입론은 토론자가 자신의 주장이 타당함을 논리적으로 입증하는 과정으로, 입론에서는 논제의 사회적 배경, 토론이 필요하게 된 문제 상황 등을 제시하고, 토론에 사용되는 핵심적인 용어를 정의하면서 주장을 명확히 밝혀야 한다. 입론에서 토론의 규칙과 진행 순서를 제시할 필요는 없다.

①, ④ 찬성 측 토론자는 '현재 전 세계에서 ~ 동물 실험으로 죽어 가고 있습니다.'를 통해 논제의 배경을 밝히며 토론이 필요한 문제 상황임을 드러내고 있다.
② 찬성 측 토론자는 '동물 실험은 비윤리적이라는 심각한 문제가 있다.', '동물 실험을 대체할 방안이 있다.'와 같은 주장을 명확히 밝히고 있다.
⑤ '동물 실험이란 ~ 의학적인 실험을 말합니다.'에서 이 토론의 핵심 용어인 '동물 실험'을 정의하고 있다.

8 찬성 측 토론자는 동물 실험을 대체할 방안이 있으므로 동물 실험을 금지해야 한다고 주장하고 있다. 그러나 찬성 측이 해결 방안으로 내세운 대체 실험들의 연구는 현재 진행 중인 단계이므로, 반대 측에서는 ㄹ, ㅁ과 같이 질문하여 찬성 측이 주장한 해결 방안에 문제점이 있음을 지적할 수 있다.

9 찬성 측 토론자의 입론에서는 문제, 해결 방안, 효과와 이익이라는 필수 쟁점을 다루고 있다. 그중 세 번째 문단의 뒷부분에 동물 실험을 하지 않고 대체 실험을 했을 때의 효과와 이익에

관한 내용이 제시되어 있다.

10 행복시의 마지막 발언인 '먼저 축제를 개발한 도시로서~'를 통해 축제를 먼저 개발한 것이 행복시임을 알 수 있다.

11 행복시는 축제 운영 정보를 문화시에 제공하는 대신 축제 이름을 바꿀 것을 제안하였다. 문화시가 이를 수용하자 행복시는 우호적인 태도로 문화시의 축제가 성공할 수 있도록 협력하겠다고 답변하였을 뿐, 문화시가 새로 진행할 축제를 홍보해 주기로 약속하지는 않았다.

④ ㉣에서 행복시는 축제 정보를 제공하겠다고 답하며 문화시의 제안을 수용하였다. 그리고 축제 정보가 공유되면서 두 축제가 비슷해질 문제 상황을 고려하여 이를 해결할 방안으로 문화시의 축제 이름을 바꾸어서 차별화하면 좋겠다는 대안을 함께 제시하고 있다.

12 (가)에서 시적 화자는 '광야'의 과거, 현재, 미래의 모습을 그려 봄으로써 자신이 소망하는 민족의 독립, 조국 광복이라는 가치를 드러내고 있다. 그리고 (나)에서는 제주도의 전통 재래식 화장실인 '통시'를 생명의 관점에서 묘사하며 인간과 자연이 공존하는 생태적 삶의 추구라는 가치를 드러내고 있다.

13 ㉢(백마 타고 오는 초인)은 조국의 암울한 현실을 극복하고 독립을 맞게 해 줄 미래의 지도자 또는 미래의 후손들을 의미한다.

① 시적 화자는 태초의 광야가 아무도 범하지 못하는 신성한 공간이라고 말하고 있다.
② 계절이 피고 진다고 하여 개화와 낙화가 반복되는 모습으로 시간의 흐름을 표현하고 있다.
④ 음식물 쓰레기를 돼지가 먹고, 돼지의 배설물이 보리밭 거름이 되며, 그 보리를 인간이 다시 먹게 되는 순환 과정을 보여 주고 있다.
⑤ 나라에서 지급한 시멘트는 통시를 없애고 변소로 개량하라는 지시로, 여기에는 통시의 가치를 무시하고 편리성과 효율성을 추구하는 관점이 드러나 있다.

14 무엇을 '목 놓아 부르게 하'려는 것인지 생각하면 ⓐ가 4연의 '노래의 씨'와 연결됨을 알 수 있다. (가)의 사회·문화적 가치인 민족(조국)의 독립과 관련지어 생각하면 ⓐ는 자신의 희생을 각오하고 민족(조국)의 독립을 이루려는 의지를 의미한다.

평가 요소	확인 ☑
연결되는 시어로 '노래의 씨'를 제시하였다.	
'민족(조국)의 독립'과 관련지어 ⓐ의 의미를 적절하게 서술하였다.	

15 (나)에는 황만근의 삶을 요약적으로 제시하고 황만근의 행적을 예찬하는 논평이 나타나 있다.

16 민 씨와 황만근이 궐기 대회 참석 여부를 이야기하고 있으나, 황만근이 궐기 대회에 참석하는 것에 민 씨가 불안감을 드러내고 있지는 않다.

오답 풀이
② (가)의 첫 번째 문단 세 번째 줄의 '한 끼에 두 번 상을 차리는 일이 예사였다.'를 통해 알 수 있는 내용이다.
④ (가)의 두 번째 문단의 '황만근은 ~ 남이 꺼리는 일에는 누구보다 앞장을 섰고 동네 사람들도 서슴없이 그에게 그런 일을 맡겼다.'를 통해 알 수 있는 내용이다.
⑤ (가)에서 이장이 황만근을 붙들고 하는 이야기 중 '자네가 앞장을 서야 되네.'와 민 씨와의 대화에서 황만근이 한 말 중 '구장은 나 겉은 상농사꾼이 꼭 가야 된다 카는데.'를 통해 알 수 있는 내용이다.

17 빚만 남는 농사에 공연히 뼈를 상한다는 사람들의 말에 황만근은 개의치 않고 농사를 지었을 뿐, 그가 빚지는 것을 개의치 않았다는 뜻은 아니다.

18 황만근이 별과 관련해 내뱉은 말은 자연의 이치에 대한 깨달음이 담긴 말이다. 이는 마을 사람들에게 바보 취급을 받는 이가 할 법한 말이 아니었기 때문에 민 씨는 어리둥절한 반응을 보인 것이다.

19 '역지사지(易地思之)'는 '처지를 바꾸어서 생각하여 봄.'이라는 뜻이다. 고양이의 적의를 본 후, 글쓴이는 인간이 아니라 고양이의 입장에서 자신의 생각과 행동을 성찰하고 있으므로, 이를 '역지사지'의 자세로 보는 것은 적절하다.

오답 풀이
① '살신성인(殺身成仁)'은 '자기의 몸을 희생하여 인(仁)을 이룸.'이라는 뜻으로, 글쓴이는 자신을 희생하면서까지 고양이를 돌보지는 않았다.
③ '표리부동(表裏不同)'은 '겉으로 드러나는 언행과 속으로 가지는 생각이 다름.'이라는 뜻으로, 글쓴이가 고양이에게 보인 태도가 표리부동하지는 않았다.
④ '배은망덕(背恩忘德)'은 '남에게 입은 은덕을 저버리고 배신하는 태도가 있음.'이라는 뜻이다. 글쓴이는 고양이가 자신에게 보인 적의에 놀랐지만 이를 못마땅하게 여기고 있지는 않다.
⑤ '적반하장(賊反荷杖)'은 '도둑이 도리어 매를 든다.'는 뜻으로, 잘못한 사람이 아무 잘못도 없는 사람을 나무람을 이르는 말이다. 글쓴이는 고양이의 적의에 놀라움과 공포를 느끼지만 이내 고양이에 대한 자신의 생각이 오해였음을 깨닫고 있으므로 여기에서 적반하장의 태도는 드러나지 않는다.

20 글쓴이는 고양이가 드러낸 적의가 자신이 아닌 새끼들을 향해 보낸 경고의 메시지였을지 모른다는 깨달음을 얻고 있다.

• 범위 8단원~10단원

1 ① **2** ④ **3** 중국과 달라, 중세 국어에서는 현대 국어에서와 달리 비교의 부사격 조사로 '에'를 사용하였다. **4** ⑤ **5** 지금, -는, 이다, 현재 시제 **6** ④ **7** ④ **8** ③ **9** ② **10** ③ **11** ① **12** ③ **13** ㄴ → ㄷ → ㄱ → ㄹ → ㅂ → ㅁ **14** ③ **15** ② **16** ③ **17** ③ **18** ③ **19** ④ **20** Ⓐ 쓰레기이지만 깔끔하게 Ⓑ 쓰레기봉투를 파헤쳤다.

1 중세 국어에서는 이어적기 방식이 널리 쓰였다. 윗글에서도 ':말ᄊᆞ·미(말씀+이)', '·노·미(놈+이)'와 같이 소리 나는 대로 이어적기를 한 것이 확인되므로, 끊어적기 방식으로만 표기하였다는 설명은 적절하지 않다.

오답 풀이
② '世·솅宗御·엉製·젱'에서와 같이 받침이 없는 한자어 종성에 음가가 없는 'ㅇ'을 받쳐 적은 동국정운식 한자음 표기가 나타난다.
③ '나·랏 :말ᄊᆞ·미'와 같이 글자의 왼쪽에 방점을 표기하여 성조를 나타내고 있다.
④ 중세 국어에서는 현대 국어에서 쓰이는 주격 조사 '가'를 사용하지 않고 'ㅣ'를 사용했다는 점에서 차이가 있다. 중세 국어에서 주격 조사로는 '이'와 'ㅣ'가 쓰였는데, ':말ᄊᆞ·미(말씀+이)'와 같이 자음 아래에서는 '이'가, '·훓 ·배(바+ㅣ)'와 같이 모음 아래에서는 'ㅣ'가 쓰였음을 알 수 있다.
⑤ 'ㅸ(순경음 비읍)', 'ㆁ(옛이응)', 'ㆆ(여린히읗)', 'ㆍ(아래아)' 등 현대 국어에서 사용하지 않는 음운이 존재하였음을 확인할 수 있다.

2 중세 국어에서 ':어엿·비'는 '가엾게, 불쌍히'의 의미로 사용되었다. '아름답게'의 뜻으로 바뀐 것은 근대 이후의 일이다.

3 현대 국어에서는 앞에 있는 체언이 다른 것과 비교되는 대상임을 나타낼 때 부사격 조사로 '과'를 사용한다. 그런데 중세 국어에서는 이러한 역할을 '에'가 하고 있음을 알 수 있다.

평가 요소	확인 ✓
ⓐ를 현대어로 '중국과 달라'로 풀이하였다.	
중세 국어가 조사 사용 면에서 현대 국어와 다른 점을 적절하게 서술하였다.	

4 ⓐ에서는 주격 조사 '께서'와 선어말 어미 '-시-'를 사용하여 서술의 주체인 '선생님'을 높이고 있을 뿐 특수 어휘는 사용하지 않았다. ⓑ에서는 서술의 객체인 '선생님'을 높이기 위해 부사격 조사 '께'와 '드리다'라는 특수 어휘를 사용하였다.

오답 풀이
② 직접 높임은 문장의 주어를 직접적으로 높이는 표현으로, ⓐ에서는 주격 조사 '께서'를 사용하고, 서술어의 어간 '주-'에 선어말 어미 '-시-'를 붙여 주어인 '선생님'을 직접적으로 높이고 있다.

5 제시된 문장에서는 시간 부사어인 '지금', 현재임을 나타내는 관형사형 어미 '-는', 서술격 조사의 기본형인 '이다'를 활용하여 현재 시제를 나타내고 있다.

6 간접 인용에서는 따옴표를 쓰지 않으며, 인용 내용에 조사 '고'를 쓰므로 ④가 적절하다. 직접 인용을 할 때는 큰따옴표를 쓰고 조사 '라고'를 써야 하며, 생각이나 인용 속의 인용은 작은따옴표를 활용해야 한다.

오답 풀이
① 간접 인용을 할 때에는 조사 '고'를 쓰므로 '민주는 수찬에게 산책하자고 말했다.'와 같이 써야 한다.
② 마음속으로 한 말을 적을 때는 작은따옴표를 쓰므로, '나는 속으로 '기회는 지금이야!' 하고 외쳤다.'와 같이 써야 한다.
③ 직접 인용을 할 때에는 조사 '라고'를 쓰므로 '사람들이 "도둑이야!"라고 소리쳐서 깜짝 놀랐다.'와 같이 써야 한다.
⑤ 직접 인용을 할 때에는 큰따옴표로 인용할 부분을 묶어서 그대로 옮긴다. 그리고 인용한 말 안에 있는 인용한 말을 나타낼 때는 작은따옴표를 쓴다. 따라서 '그는 "여러분! '시작이 반이다.'라는 말 들어 보셨죠?"라고 말했다.'와 같이 써야 한다.

7 세 번째 문단의 발언 중 인공 세포는 인간의 실제 세포를 완벽히 재현하지 못한다는 부분에서 인공 세포의 한계를 알 수 있다.

오답 풀이
① 세 번째 문단에서 동물 실험은 다른 방법으로 대체할 수 없으며, 컴퓨터 모의실험도 일차적으로 동물 실험을 하여 충분한 사전 정보와 지식을 얻은 뒤에야 가능하다고 하였다.
② 세 번째 문단에서 시력이나 혈압 등은 조직 배양 조건에서는 실험할 수 없다고 하였다.
③ 두 번째 문단에서 당뇨 환자들의 생명을 구하는 데 중요한 역할을 한 인슐린은 개를 대상으로 한 실험에서 발견되었다고 하였다.
⑤ 첫 번째 문단에서 미국에서는 1966년부터 동물복지법이 시행되었고 우리나라에서도 1991부터 동물보호법을 시행하고 있다고 하였다.

8 반대 측은 두 번째 문단에서 동물 실험이 인간에게 가져다주는 효과와 이익을 사람의 생명을 구한 여러 의약품 개발 사례를 들어 설명하였다. 이를 반박하기 위해서는 동물 실험으로 개발된 의약품이 완전하지 않으며 인간에게 심각한 손해를 끼칠 수 있음을 증명해야 한다. ㄷ은 동물 실험에 비용이 많이 든다는 자료로, 이러한 반대 측의 주장을 반박하기에 충분하지 않다.

9 제시된 대화에서는 협상을 할 양측 당사자들이 만나 문제를 확인하고 있으며, 이제부터 본격적으로 서로 대안을 주고받을 것임을 예측할 수 있다. 따라서 협상의 과정 중 문제 확인 단계에 해당한다.

10 행복시는 문화시의 축제 때문에 관광객이 감소했다는 객관적인 자료를 근거로 제시하지 않고, 무조건 문화시의 축제를 중단하라는 무책임한 발언을 하고 있으므로 ③은 적절하지 않다.

오답 풀이
① 첫 번째 발언에서 관광객 감소를 이유로 축제를 중단하라고 요청하고 있다.
② 두 번째 발언에서 문화시가 행복시의 축제를 따라 한 것이라고 단정하며 따지는 듯한 말투로 말하고 있다.
④ 합리적인 근거 없이 축제를 중단해 보면 안된다는 말을 하며 무책임한 태도를 보이고 있다.
⑤ 문화시의 의도를 단정하여 따지듯이 감정적으로 말하고 무책임한 발언을 하는 등의 태도로 보아 행복시가 상대방을 존중하는 태도로 협상에 임했다고 보기 어렵다.

11 ㉠은 민족의 암울한 현실을 극복할 인물이고 ㉡은 이타적 삶의 자세를 보여 주는 인물이므로, ㉠과 ㉡ 모두 시대가 필요로 하는 가치를 지닌 인물이라고 볼 수 있다.

오답 풀이
② ㉠은 민족적 이상을 실현하기 위해 화자가 기다리고 있는 인물이지 이미 나타난 인물은 아니다.
③ ㉠은 화자 자신이 아니라 화자가 기다리고 있는 대상이며, ㉡은 주인공이지만 서술자는 아니다.
④ ㉠의 초인은 '보통 사람으로는 생각할 수 없을 만큼 뛰어난 능력을 가진 사람'을 뜻하는 단어로 민족을 구원할 지도자를 상징하지만, ㉡은 마을 사람들이 무시하던 인물이다.
⑤ ㉠은 공동체의 위기를 극복하기 위해 시적 화자가 기다리는 대상이다. 그러나 ㉡은 공동체에 해를 가하거나 공동체를 위험에 빠트리고 있지는 않으므로 적절하지 않은 설명이다.

12 '큰 강물이 비로소 길을 열었다'는 시련을 극복한 뒤에 찾아올 미래의 모습이 아니라, 문명이 시작되었던 과거 '광야'의 모습을 형상화하고 있는 표현이다.

오답 풀이
① '까마득한 날'은 과거, '지금'은 현재, '천고의 뒤'는 미래를 나타내므로, 시간의 흐름에 따른 광야의 모습을 드러내고 있다.
② '하늘이 처음 열린 때부터 '광야'가 존재했다는 설정을 통해 시간적으로 웅대한 규모를 형상화하고 있다.
④ 지금 내리는 '눈'은 현재 조국이 겪는 고난과 시련의 상황을 의미하며, '홀로 아득'한 '매화 향기'는 암담한 현실에도 굴하지 않는 화자의 고고한 의지를 나타낸다. 이를 통해 일제의 식민지가 된 조국의 현실에 대한 시인의 역사 인식이 드러난다.
⑤ 암울한 현실에도 '가난한 노래의 씨를 뿌'리겠다는 다짐에는 조국의 광복을 위해 '백마 타고 오는 초인'이 '목 놓아' 노래를 부를 수 있도록 자신을 희생하겠다는 의지가 담겨 있다.

13 황만근은 이장으로부터 궐기 대회에 참석해 달라는 부탁을 받고 경운기를 타고 갔으나 궐기 대회가 이미 끝난 뒤에 군청에 도착하였다. 어머니에게 줄 생선을 산 다음, 집으로 가는 길에

정답과 해설 **97**

사고로 경운기가 부서지고 황만근은 추위 속에서 죽음을 맞았다. 그 이후 민 씨는 황만근이 돌아오지 않자 이장에게 책임을 추궁하며 따져 묻고 있다.

14 황만근의 경운기가 잘 작동하지 않는다는 사실은 이장도 알고 있는 정보이다.

오답 풀이

① '농가 부채 탕감 촉구'를 위한 농민들의 모임이라는 궐기 대회의 명칭을 통해 농촌 경제가 부채로 어려운 상황에 놓여 있음을 짐작할 수 있다.

② 다른 사람들은 말이 없는 가운데 민 씨는 황만근의 실종에 대해 이장에게 책임을 묻고 이장은 빈정거리며 책임을 회피하고 있으므로, 제시된 부분에 표면적으로 드러난 갈등의 주체는 민 씨와 이장이 맞다.

④ 이장의 말에 따르면 경운기를 타고 대회에 가는 것은 굉장히 위험하고 시간이 오래 걸리는 일이므로, 궐기 대회의 투쟁 방침이 애초에 실천하기 어려운 일이었다는 것을 알 수 있다.

⑤ 경운기를 타고 궐기 대회에 참여하는 것이 위험하고 힘든 일이라는 것을 알면서도 황만근을 따로 불러 궐기 대회에 참여하라고 권유한 것을 통해 이장의 이기적인 면모를 알 수 있다.

15 사람들이 따라나설 수 있도록 이장이 모범을 보여 주었어야 한다는 맥락이 되어야 하므로, [A]에는 '남보다 앞장서서 행동해서 몸소 다른 사람의 본보기가 됨.'을 의미하는 '솔선수범(率先垂範)'이 들어가는 것이 자연스럽다.

오답 풀이

① '감언이설(甘言利說)'은 귀가 솔깃하도록 남의 비위를 맞추거나 이로운 조건을 내세워 꾀는 말을 의미한다.

③ '자업자득(自業自得)'은 자기가 저지른 일의 결과를 자기가 받음을 의미한다.

④ '초지일관(初志一貫)'은 처음에 세운 뜻을 끝까지 밀고 나감을 의미한다.

⑤ '토사구팽(兎死狗烹)'은 토끼가 죽으면 토끼를 잡던 사냥개도 필요 없게 되어 주인에게 삶아 먹히게 된다는 뜻으로, 필요할 때는 쓰고 필요 없을 때는 야박하게 버리는 경우를 이르는 말이다.

16 (가)는 시인의 의도를 전달하기 위해 '-지요, -군요' 등의 부드러운 종결 어미를 활용한 이야기체로 통시와 자연의 이치에 대한 생각을 드러내고 있다. (나)는 친근하고 섬세한 일상적 표현을 통해 도둑고양이와의 사건에서 느낀 글쓴이의 감정과 깨달음을 드러내고 있다.

오답 풀이

① (가)는 통시로 대표되는 생태적 가치관과 변소로 대표되는 근대적 가치관을 대조하고 있어 현실에 대한 비판적인 인식을 드러내고 있다고 볼 여지가 있다. 그러나 (나)는 자신의 개인적인 경험을 성찰하고 있을 뿐 세대에 대한 비판적 태도를 드러내고 있다고 보기 어렵다.

② (가)와 (나) 모두 인물 간의 갈등이 나타나지 않는다.

④ (나)는 자신이 경험한 일을 시간의 흐름에 따라 서술한 글이다.

⑤ (나)에서 글쓴이가 경험한 일은 모두 과거의 일로, (나)에서는 현재 진행되고 있는 사건이 나타나지 않는다.

17 ㉡은 고양이가 쓰레기봉투를 훼손하지 못하게 하려고 마련한 것으로 인간의 입장에서 동물과의 관계를 변화시키기 위해 준비한 것으로 볼 수 있다. 그러나 ㉠은 통시를 통해 생명이 순환되는 과정의 일부가 되는 것으로 인간과 동물의 관계를 변화시키기 위한 것이 아니다.

18 개량된 변소는 통시와 달리 편리성, 효율성이 강조되는 공간이므로 통시에 개량된 변소의 의미가 남아 있다고 보는 것은 적절하지 않다.

19 글쓴이는 고양이가 자신이 준 먹이를 과식하지 않는 것을 보고 여간 아니라고 생각하였을 뿐 이상하게 여기지는 않았다.

20 (나)는 글쓴이가 쓰레기를 깔끔하게 버리고 싶어 쓰레기봉투를 잘 여며 놓았으나, 고양이가 쓰레기봉투를 번번이 파헤치는 바람에 이를 막으려 고양이에게 먹이를 챙겨 주기 시작하게 된 일을 다루고 있다.

7일 끝!

필수 어휘
모아 보기

 필수 어휘 모아 보기 활용 안내

◈ 쉽고 재미있는 문제로 **단원별 필수 어휘** 익히기!

◈ **교과서**에서 뽑은 예시 문장으로 **교과 내용**과 **개념**,
한 번 더 확인하기!

(1) 국어의 변화와 발전

① 다음 글의 빈칸에 들어갈 알맞은 어휘를 <보기>에서 찾아 쓰시오.

> **가** 나·랏 :말싸·미 中듕國·귁·에 달·아 文문字·쭝·와·로 서르 **1** [_____] 아·니홀·씨·이런 젼·ᄎ
> 통하지.
>
> ·로 **2** [_____] 百·빅姓·셩·이 니르·고·져 ·홇·배 이·셔·도 ᄆ·ᄎᆞᆷ:내 제 ·ᄠ·들 시·러 펴·디 :몯홇
> 어리석은.
>
> ·노·미 하·니·라 ·내 ·이·ᄅᆞᆯ 爲·윙·ᄒᆞ·야 **3** [_____] 너·겨 ·새·로 ·스·믈여·듧 字·ᄍᆞᆼ·ᄅᆞᆯ 밍
> 가엾게. 불쌍히.
>
> ·ᄀᆞ노·니 :사ᄅᆞᆷ:마·다 :ᄒᆡ·ᅇᅧ :수·비 니·겨 ·날·로 ·ᄡᅮ·메 便뼌安한 ·킈 ᄒᆞ·고·져 홇 ᄯᆞᄅᆞ·미니·라
>
> – 《월인석보》(권1)에서, 세조(世祖) 5년(1459년)
>
> **나** 자내 샹해 날ᄃᆞ려 **4** [_____] 둘히 머리 셰도록 사다가 홈ᄭᅴ 죽쟈 ᄒᆞ시더니 엇디ᄒᆞ야 나ᄅᆞᆯ 두고 자내
> 이르되.
>
> **5** [_____] 가시ᄂᆞᆫ.
> 먼저.
>
> – 〈이응태 묘 출토 편지〉에서(1586년)

---- 보기 ----
| 몬져 | 어·린 | 닐오ᄃᆡ | ᄉᆞᄆᆞᆺ·디 | :어엿·비 |

② 빈칸에 들어갈 알맞은 어휘를 골라 색칠하시오.

1 중세 국어에는 [_____] 이 존재했다.
단어의 첫머리에 오는 둘 또는 그 이상의 자음의 연속체.
　　　　[어두 자음군] [된소리]

2 중세 국어에서는 일반적으로 [_____] 를 하여 '노미'와 같이 표기하였다.
한 음절의 종성을 다음 자의 초성으로 옮겨서 쓰는 표기법.
　　　　[끊어적기] [이어적기]

3 중세 국어에서는 글자 왼쪽에 점이 찍혀 있기도 한데, 이것은 [_____] 를
나타내기 위한 것으로 방점이라고 부른다.
음절 안에서 나타나는 소리의 높낮이.
　　　　[성조] [음가]

4 언어는 시간의 흐름에 따라 단어의 소리와 의미가 변하기도 하고 문법 요소에
변화가 생기기도 하는데 이를 언어의 [_____] 이라고 한다.
　　　　[사회성] [역사성]

[정답] **①** 1 ᄉᆞᄆᆞᆺ·디 2 어·린 3 :어엿·비 4 닐오ᄃᆡ 5 몬져 **②** 1 어두 자음군 2 이어적기 3 성조 4 역사성

(2) 문법 요소의 이해와 활용

1 풀이된 뜻에 해당하는 어휘를 골라 색칠하시오.

1 다른 사람의 말이나 글을 그대로 옮기는 것 — 간접 인용 　직접 인용

2 사건의 시간적 위치를 구분하여 표현하는 방법 — 시제 　높임법

3 서술의 주체에 해당하는 문장의 주어를 높이는 방법 — 객체 높임법 　주체 높임법

4 주어가 다른 힘에 의하여 움직이는 것을 나타내는 문법적 표현 — 능동 표현 　피동 표현

5 주어가 남에게 동작을 하도록 시키는 것을 나타내는 문법적 표현 — 사동 표현 　주동 표현

6 사건이 일어나는 시점과 말하는 시점이 일치함을 나타내는 시간 표현 — 과거 시제 　현재 시제

2 빈칸에 들어갈 알맞은 어휘를 〈보기〉에서 찾아 쓰시오.

1 　　　　　　은 종결 표현을 통해 실현되는데, 크게 격식체와 비격식체로 나뉜다.
　　예) 선생님, 방학 잘 보내셨어요?

2 　　　　　　는 선어말 어미 '-았-/-었-', '-았었-/-었었-', '-더-'를 사용하여 나타낸다.
　　예) 나는 달렸다.

3 글을 　　　　　　 할 때에는 큰따옴표로 인용할 부분을 묶어서 그대로 옮긴 뒤, 조사 '라고'를 써서 표현한다.
　　예) 민주는 "수민아 산책하자."라고 말했다.

4 　　　　　　은 부사격 조사 '에게' 대신 '께'를 사용하고, '모시다', '드리다', '여쭙다(여쭈다)'와 같은 특수한 어휘를 사용하기도 한다. 　예) 민재가 선생님께 꽃을 드렸다.

5 접미사 '-이-', '-히-', '-리-', '-기-'를 붙이거나 '-아/-어지다', '-게 되다'와 같은 표현을 사용하여 　　　　　　을 만든다.
　　예) 토끼가 호랑이에게 잡혔다.

● 보기 ●

과거 시제	피동 표현	직접 인용	객체 높임법	상대 높임법

정답 **1** **1** 직접 인용 **2** 시제 **3** 주체 높임법 **4** 피동 표현 **5** 사동 표현 **6** 현재 시제 **2** **1** 상대 높임법 **2** 과거 시제 **3** 직접 인용 **4** 객체 높임법 **5** 피동 표현

필수 어휘 모아 보기　101

부록

(1) 토론과 논증

1 풀이된 뜻에 해당하는 어휘를 골라 색칠하시오.

1 옳고 그름을 이유와 근거를 들어 밝히는 것.

논증   논의

2 논증에서 내세우는 의견인 주장에 이르게 된 원인이나 조건.

근거   이유

3 찬성 또는 반대 측에서 자기 측의 주장이 타당함을 논리적으로 입증하는 말하기.

반론   입론

4 논제 중 어떤 정책의 도입, 폐지, 개선 등 정책의 실행 여부와 실행 방안에 관한 논제.

가치 논제   정책 논제

5 토론에서 찬성 측과 반대 측이 다투는 내용으로, 이와 관련한 논의가 논쟁의 핵심이 됨.

관점   쟁점

6 반대 신문식 토론에서 상대측이 입론에서 내세운 주장과 이유, 근거를 반박하기 위해 따져 묻는 말하기.

교차 신문   반대 질문

2 빈칸에 들어갈 알맞은 어휘를 찾아 바르게 연결하시오.

1 컴퓨터 ▭▭▭▭ 을 이용한 독성 연구 등도 있습니다.
체계 또는 장치의 구조와 거기서 일어나는 현상을 알아내기 위하여 그 모형을 만들고 계산과 실험을 하는 수법.

    ㉠ 존엄성

2 시력이나 혈압 등은 ▭▭▭▭ 조건에서는 실험할 수가 없습니다.
생물체의 조직을 떼어 내어 배양·증식하는 일.

    ㉡ 모의실험

3 무엇보다도 동물 실험은 ▭▭▭▭ 이라는 심각한 문제가 있습니다.
사람이 마땅히 지켜야 할 도리를 따르지 아니하는 것.

    ㉢ 비윤리적

4 동물은 사람보다 ▭▭▭▭ 이 짧아 연구에 드는 시간을 줄일 수 있습니다.
사람과 동물의 개체군에서 개체가 태어나서 자손을 생산하는 데 걸리는 시간.

    ㉣ 세대 시간

5 현재 동물 실험은 동물의 ▭▭▭▭ 을 고려하여 실시하고 있다고 앞서 말씀드렸습니다.
감히 범할 수 없는 높고 엄숙한 성질.

    ㉤ 조직 배양

정답 **1** 1 논증 2 이유 3 입론 4 정책 논제 5 쟁점 6 교차 신문 **2** 1 ㉡ 2 ㉤ 3 ㉢ 4 ㉣ 5 ㉠

(2) 협상과 갈등 해결

❶ 빈칸에 들어갈 알맞은 어휘를 찾아 바르게 연결하시오.

1 들꽃이나 풀꽃을 소재로 한 축제는 행복시만의 ＿＿＿ 이 아니다. ・

              혼자 독차지하여 가지는 물건.

・ ㉠ 견해

2 새로운 내용을 개발하여 우리 축제를 들꽃 축제와 ＿＿＿ 하겠다. ・

        둘 이상의 대상을 각각 등급이나 수준 따위의 차이를 두어 구별된 상태가 되게 함.

・ ㉡ 보전

3 우리 시는 ＿＿＿ 이 높으므로 일정 수의 관광객은 확보할 수 있을 것이다. ・

   통행 발생 지역으로부터 특정 지역이나 시설로 접근할 수 있는 가능성.

・ ㉢ 전유물

4 행복시와 문화시는 문제를 확인하며 서로의 ＿＿＿ 차이를 좁혀 나가고자 합 ・
니다.

        어떤 사물이나 현상에 대한 자기의 의견이나 생각.

・ ㉣ 접근성

5 문화시가 우리 시의 경제적 손실을 ＿＿＿ 해 준다면, 문화시의 풀꽃 축제 운영 ・
을 반대하지 않겠다.

        부족한 부분을 보태어 채움.

・ ㉤ 차별화

❷ 다음 글의 빈칸에 들어갈 알맞은 어휘를 <보기>에서 찾아 쓰시오.

> 협상이란 개인이나 집단 사이에서 **1** ＿＿＿ 과 주장이 달라 갈등이 생길 때, 문제를 해결하기 위해 서로 타협
>
>   물질적으로나 정신적으로 보탬이 되는 것.
>
> 하고 **2** ＿＿＿ 하면서 해결 방법을 찾아가는 의사소통의 방식이다. 협상의 단계는 다음과 같다.
>
>   분쟁을 중간에서 화해하게 하거나 서로 타협점을 찾아 합의하도록 함.
>
> 먼저 시작 단계에서는 갈등의 원인을 분석하고 문제 해결의 가능성을 확인한다. 다음으로, 조정 단계에서는 문제를
>
> 확인하고 상대의 처지와 관점을 이해하며 제안이나 **3** ＿＿＿ 을 검토한다. 마지막으로, 해결 단계에서는 최선의
>
>   어떤 일에 대하여 대처할 방안.
>
> 해결책을 제시하고 문제를 해결하며, **4** ＿＿＿ 한 바를 이행한다.
>
>   서로 의견이 일치함. 또는 그 의견.

＿＿＿＿＿＿＿＿＿＿＿＿＿＿＿＿＿＿＿＿＿＿＿＿＿＿＿＿ • 보기 •

        대안   이익   조정   합의

정답 ❶ 1 ㉢ 2 ㉤ 3 ㉣ 4 ㉠ 5 ㉡ ❷ 1 이익 2 조정 3 대안 4 합의

부록

(1) 광야/신의 방

1 빈칸에 들어갈 알맞은 어휘를 찾아 바르게 연결하시오.

1 모든 산맥들이 / 바다를 [   ]해 휘달릴 때도
어떤 사람이나 존재를 사랑하여 간절히 그리워함.

　•　　　　•　㉠ 광음

2 끊임없는 [   ]을 / 부지런한 계절이 피어선 지고
햇빛과 그늘, 즉 낮과 밤이라는 뜻으로, 시간이나 세월을 이르는 말.

　•　　　　•　㉡ 연모

3 백마 타고 오는 [   ]이 있어 / 이 광야에서 목 놓아 부르게 하리라
보통 사람으로는 생각할 수 없을 만큼 뛰어난 능력을 가진 사람.

　•　　　　•　㉢ 초인

2 빈칸에 들어갈 알맞은 어휘를 <보기>에서 찾아 쓰시오.

1 이 지방 사람들은 [   ]라는 거처를 마련했다지요
제주 지역에서 변소와 돼지우리가 하나로 되어 있는 공간.

2 이 짐승의 주식이 사람의 똥이었던 것은 생명은 생명에게 [   ] 되는 법이라
① 부처 등에게 음식, 꽃 따위를 바치는 일. ② 절에서 음식을 먹는 일.

3 나라의 높은 분이 보기에 [   ]하여 시멘트 네 포대씩 무상 지급한 때가 있었다는데요
사회가 발전되지 않고 문화 수준이 낮은 상태.

> ● 보기 ●
> 공양　　　　미개　　　　통시

3 다음 글의 빈칸에 들어갈 알맞은 어휘를 <보기>에서 찾아 쓰시오.

> 사회·문화적 가치는 **1** [   ] 차원에서 중요하게 여기는 가치를 말하는데, 세대나 지역, 문화 등에 따라 다
> 생활이나 행동 또는 목적 따위를 같이하는 집단.
>
> 르게 나타날 수 있다. 문학 작품에 담긴 사회·문화적 가치는 작품의 주제 의식과 관련하여 작가가 중시하는 사회적
>
> 또는 공동체적 목표, 추구해야 할 대상이다. 예를 들어, 〈광야〉에는 '민족의 **2** [   ]', 〈신의 방〉에는 '인간과
> 한 나라가 정치적으로 완전한 주권을 행사함.
>
> 자연이 **3** [   ]하는 생태적 삶의 추구'라는 사회·문화적 가치가 담겨 있다.
> 서로 도와서 함께 존재함.

> ● 보기 ●
> 공존　　　　독립　　　　공동체

6

(2) 황만근은 이렇게 말했다

1 빈칸에 들어갈 알맞은 어휘를 찾아 바르게 연결하시오.

1 동네의 일, 남의 일, [   ] 에는 언제나 그가 있었다.
언짢고 꺼림칙하여 하기 싫은 일.

　　　　　　　　　　　　　　　　　　　　　　　• ⓐ 분뇨

2 황만근은 마을 공통의 [   ] 를 공평하게 나누어 주었다.
분(糞)과 요(尿)를 아울러 이르는 말. '똥오줌'으로 순화.

　　　　　　　　　　　　　　　　　　　　　　　• ⓑ 염습

3 어쩌다 동네에 [   ] 가 있어 술을 공짜로 마실 기회가 생기면 반드시 고꾸라지 •
도록 마셨다. 슬픈 일과 경사스러운 일을 아울러 이르는 말.

　　　　　　　　　　　　　　　　　　　　　　　• ⓒ 낙천

4 선생이 마시는 막걸리는 밥이면서 사직(社稷)의 신에게 바치는 헌주였다. 힘의 근원이 •
고 [   ] 의 뼈였다.
세상과 인생을 즐겁고 좋은 것으로 여김.

　　　　　　　　　　　　　　　　　　　　　　　• ⓓ 궂은일

5 황만근은 또한 책에 나오는 예(禮)는 몰라도 [   ] 과 산역(山役)같이 남이 꺼리 •
는 일에는 누구보다 앞장을 섰다. 시신을 씻긴 뒤 수의를 갈아입히고 베로 묶는 일.

　　　　　　　　　　　　　　　　　　　　　　　• ⓔ 애경사

2 빈칸에 들어갈 알맞은 어휘를 <보기>에서 찾아 쓰시오.

1 [   ] 땅과 나이가 들어 농사가 힘에 부친 사람의 땅을 빌려 농사를 지었다.
성과 본이 같은 가까운 집안.

2 당신의 뜻을 많은 사람이 알아야 한다, 가서 이야기를 하라고 [   ] 를 부렸던 것이다.
즉흥적 감정으로 인하여 쓸데없이 부리는 용기.

3 황만근, 황 선생은 어리석게 태어났는지는 모르지만 해가 가며 차츰 [   ] 가 돌아왔다.
신령스럽고 기묘한 지혜.

4 아아, 선생이 좀 더 살았더라면 난세의 [   ] 에 그늘의 덕을 널리 베푸는 큰 나무가 되었을 것이다.
옵시 심한 더위.

5 "농가 부채 [   ] 촉구 전국 농민 총궐기 대회가 있다, 꼭 참석해서 우리의 입장을 밝히자 카는데 뭐가 잘
못됐단 말이라." 빚이나 요금. 세금 따위의 물어야 할 것을 덜어 줌.

```
◆ 보기 ◆
     객기        문중        신지        탕감        혹염
```

3 빈칸에 들어갈 알맞은 어휘를 찾아 바르게 연결하시오.

1 "어제 [   ] 한다 하고 간 사람이 누구누구십니까."
어떤 문제의 해결책을 촉구하기 위하여 뜻있는 사람들이 함께 일어나 행동하는 모임.   •   •   ㉠ 공평무사

2 "이장님부터 [   ] 을 해야지 다른 동민들이 따라 할 텐데"
남보다 앞장서서 행동해서 몸소 다른 사람의 본보기가 됨.   •   •   ㉡ 삼강오륜

3 서로 [   ] 을 서는 바람에 연쇄적으로 파산하는 일이 드물지 않았다.   •   •   ㉢ 솔선수범
보증인이 채무자와 연대하여 채무를 이행할 것을 약속하는 보증.

4 어떤 동네 전체가 [   ] 를 하는 일까지 벌어졌다는 소문도 돌고 있었다.   •   •   ㉣ 야반도주
남의 눈을 피하여 한밤중에 도망함.

5 그 부자가 [   ] 을 모르는 별종인가 아니면 도깨비가 장난을 한 건가
하면서도   유교의 도덕에서 기본이 되는 세 가지의 강령과 지켜야 할 다섯 가지의 도리.   •   •   ㉤ 궐기 대회

6 그에게 시비를 물으러 가면, 가노라면 언제나 [   ] 한 자연의 이법에 대해   •   •   ㉥ 연대 보증
깨우치게 되고 분쟁은 종식되었다.   공평하여 사사로움이 없음.

4 다음 글의 빈칸에 들어갈 알맞은 어휘를 <보기>에서 찾아 쓰시오.

〈황만근은 이렇게 말했다〉는 위기를 겪고 있는 1990년대 농촌 현실을 배경으로 하여 이기적인 현대인을 풍자하면

서 암울한 농촌 현실을 고발한 작품으로, **1** [   ] 의 풍습이 사라져 인간관계가 각박해지고 농가의
서로서로 도움.

2 [   ] 문제가 심각한 시대 상황을 반영하고 있다. 이러한 시대 상황 속에서 **3** [   ] 이고 근면·성실
남에게 빚을 짐. 또는 그 빚.   자기의 이익보다는 다른 이의 이익을 더 꾀하는 것.

하며 농사꾼은 빚을 지면 안 된다는 **4** [   ] 을 가진 황만근이라는 인물을 통해 공동체에 대한 봉사와 이타적
굳게 믿고 있는 바. 또는 생각하는 바.

인 삶의 자세, 부채 없이 성실한 노동으로 자립하는 삶의 가치라는 사회·문화적 가치를 전달하고 있다.

╾● 보기 ●╾
소신   부채   이타적   상부상조

대단원 10. 문학과 삶

(3) 경험과 성찰을 담은 글 쓰기

1 빈칸에 들어갈 알맞은 어휘를 찾아 바르게 연결하시오.

1 그 쌀쌀맞고 ⬚⬚⬚ 만 한 고양이로서는 기특하기 짝이 없는 마음 씀 씀이 아닌가. _{이해가 밝으며 약기.} •

• ㉠ 무참하게

2 두 손까지 활짝 벌려 그들 고양이 가족을 ⬚⬚⬚⬚ 는 표시를 하며 부엌 문 쪽으로 갔다. _{반갑게 맞아 정성껏 후하게 대접한다.} •

• ㉡ 신속하게

3 수거차가 오기 전에 우리 쓰레기봉투가 ⬚⬚⬚⬚ 파헤쳐지는 일이 빈번 하다는 것을 알게 되었다. _{몹시 끔찍하고 참혹하게.} •

• ㉢ 영악하기

4 내가 혹시 대낮에 환상을 본 게 아닌가 싶게 고양이 가족은 소리도 없이 ⬚⬚⬚⬚ 모습을 감추었다. _{매우 날쌔고 빠르게.} •

• ㉣ 환대한다

5 비린 것을 탐하는 고양이의 식성은 ⬚⬚⬚⬚ 생선 뼈를 깨끗이 발라내 는 솜씨는 가히 예술이라 부를 만했다. _{너절하고 염치가 없었지만.} •

• ㉤ 츱츱했지만

2 빈칸에 들어갈 알맞은 어휘를 <보기>에서 찾아 쓰시오.

1 신속하고도 눈부신 ⬚⬚⬚ 였다. 다행히 순간적이었다. _{적대하는 마음. 또는 해치려는 마음.}

2 감사와 ⬚⬚⬚ 의 표시도 할 겸해서 그렇게 가족 나들이를 나왔으려니 하고 있었다. _{친밀히 사랑함. 또는 그 사랑.}

3 아파트에서는 분류해서 내다 버리는 순간 쓰레기봉투는 ⬚⬚⬚ 의 것이 되어 버린다. _{이름을 숨김. 또는 숨긴 이름이나 그 대신 쓰는 이름.}

4 뒷문 밖에는 꽤 넓은 ⬚⬚⬚ 가 있는데 거기 우리 집 단골 얼룩 고양이가 앉아 있는 게 아닌가. _{큰 마루의 바깥쪽에 좁게 만들어 놓은 마루.}

┌─────────────────────────────── • 보기 • ─┐
│   익명   적의   친애   툇마루   │
└──┘

정답 **1** 1 ㉢ 2 ㉣ 3 ㉠ 4 ㉡ 5 ㉤ **2** 1 적의 2 친애 3 익명 4 툇마루

부록

3 빈칸에 들어갈 알맞은 어휘를 찾아 바르게 연결하시오.

1 나는 거의 _____ 에 가까운 기쁨을 느꼈다.
몸이 떨릴 정도로 감격스러움을 비유적으로 이르는 말.

• ㉠ 꺼려

2 우리는 흔히 고양이는 은혜를 모르는 동물이라고 생각하며 길들이기를 _____ 한다.
사물이나 일 따위가 자신에게 해가 될까 하여 피하거나 싫어하려.

• ㉡ 전율

3 두근거리는 가슴을 진정하고 나니까 고양이에 대한 내 오해가 하도 _____ 슬며시 웃음이 났다.
일이 너무 뜻밖이어서 기가 막히는 듯하여서.

• ㉢ 미안한

4 문 앞이 깨끗하지 않고 닭 뼈나 생선 뼈가 어지럽게 널려 있다는 건 여간 _____ 일이 아니었다.
화가 나거나 걱정이 되는 따위로 인하여 마음이 불편하고 우울한.

• ㉣ 속상한

5 내용물이 꾸역꾸역 쏟아지는 쓰레기봉투를 들어 올렸을 미화원 아저씨에게는 또 얼마나 _____ 노릇인가.
남에게 대하여 마음이 편치 못하고 부끄러운.

• ㉤ 어처구니없어서

4 다음 글의 빈칸에 들어갈 알맞은 어휘를 <보기>에서 찾아 쓰시오.

1 _____ 하는 글쓰기는 자기를 스스로 돌아보고 살피는 글쓰기이다. 사람들은 자신의 삶과 **2** _____ 을
자기의 마음을 반성하고 살핌.   자신이 실제로 해 보거나 겪어 봄. 또는 거기서 얻은 지식이나 기능.

돌아보고 살피는 글쓰기 과정에서 평소에는 미처 인식하지 못했던 자신의 모습이나 내면을 발견할 수 있고, 주변을 새

롭게 인식할 수도 있다. 또한 이러한 글쓰기 과정을 통해 건강한 **3** _____ 를 형성할 수 있다.
자기 자신에 대한 의식이나 관념.

◆ 보기 ◆

경험   성찰   자아

정답 **3** 1 ㉡ 2 ㉠ 3 ㉤ 4 ㉣ 5 ㉢ **4** 1 성찰 2 경험 3 자아

중세 국어의 특징 ①

[관련 단원] 8-(1) 국어의 변화와 발전

◎ 〈세종어제훈민정음〉에 드러난 한글 창제 정신

❶ ㅈㅈ 정신	창조 정신
우리나라 말이 중국과 다름.	새로 스물여덟 글자를 만듦.

〈세종어제훈민정음〉

애민 정신	❷ ㅅㅇ 정신
백성들이 말하고자 하는 바를 제대로 전하지 못함을 가엾게 여김.	모든 사람들이 쉽게 익혀 편하게 쓰게 하고자 함.

'훈민정음'은 '백성을 가르치는 바른 소리'라는 뜻이야.

답 ❶ 자주 ❷ 실용

중세 국어의 특징 ②

[관련 단원] 8-(1) 국어의 변화와 발전

◎ 〈세종어제훈민정음〉에 나타난 중세 국어의 음운상 특징

8종성법	종성에는 원칙적으로 ❶ ㅇㄷ 글자(ㄱ, ㄴ, ㄷ, ㄹ, ㅁ, ㅂ, ㅅ, ㅇ)만 사용함.
ㅸ, ㆁ, ㆆ, ·	ㅸ(순경음 비읍), ㆁ(옛이응), ㆆ(여린히읗), ·(아래아) 등이 존재함. 예:수 ·비, 中듕國·귁, 便뼌安한 ·킈, ㅅ·뭇 ·디
어두 자음군	어두 자음군이 존재함. 예 ·ᄠ·들, ·ᄡ·메
모음 조화	단모음은 '·, ㅏ, ㅗ, ㅡ, ㅓ, ㅜ, ㅣ'와 같이 7개였고, 모음 조화가 엄격하게 적용됨. 예 爲·윙·ᄒ ·야
방점 찍기	글자의 왼편에 점을 찍어 ❷ ㅅㅈ 를 표시함. 평성(낮은 소리)은 점이 없고, 거성(높은 소리)은 한 점, 상성(낮았다가 높아지는 소리)은 두 점을 찍음.

답 ❶ 여덟 ❷ 성조

높임 표현과 시간 표현

[관련 단원] 8-(2) 문법 요소의 이해와 활용

◎ **높임 표현**: 말하는 이가 듣는 이나 다른 대상을 높이거나 낮추는 정도를 언어적으로 구별하여 표현하는 방식이나 체계

종류	개념	실현 방법
상대 높임법	말하는 이가 듣는 이를 높이거나 낮추어 말하는 방법	• ❶ ㅈㄱ 표현을 통해 실현됨. • 격식체(하십시오체, 하오체, 하게체, 해라체)와 비격식체(해요체, 해체)로 나뉨.
주체 높임법	서술의 주체에 해당하는 문장의 주어를 높이는 방법	• 선어말 어미 '-(으)시-', 주격 조사 '께서'를 사용함. • '계시다', '잡수시다' 등의 특수한 어휘를 사용하기도 함.
객체 높임법	목적어나 부사어에 해당하는 대상, 즉 서술의 객체를 높이는 방법	• 부사격 조사 '에게' 대신 '❷ ㄲ '를 사용함. • '모시다', '드리다', '여쭙다/여쭈다' 등의 특수한 어휘를 사용하기도 함.

답 ❶ 종결 ❷ 께

피동 표현과 인용 표현

[관련 단원] 8-(2) 문법 요소의 이해와 활용

◎ **피동 표현**: 주어의 동작이나 행위가 다른 대상에 의해 이루어짐을 나타내는 표현

(1) 피동 표현을 만드는 방법
  ① 동사에 피동 ❶ ㅈㅁㅅ '-이-', '-히-', '-리-', '-기-'를 붙여서 만듦.
  ② 동사에 '-아/-어지다', '-게 되다'를 결합하여 만듦.
  ③ 일부 명사에 접사 '-되다'를 결합하여 만듦.

(2) 능동문을 피동문으로 바꾸는 방법

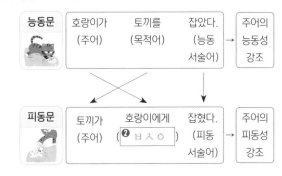

능동문	호랑이가 (주어)	토끼를 (목적어)	잡았다. (능동 서술어)	→	주어의 능동성 강조
피동문	토끼가 (주어)	호랑이에게 (❷ ㅂㅅㅇ)	잡혔다. (피동 서술어)	→	주어의 피동성 강조

답 ❶ 접미사 ❷ 부사어

02 중세 국어의 특징 ②

○ 〈세종어제훈민정음〉에 나타난 중세 국어의 어휘상 특징

중세 국어	현대 국어
어·린(어리석은)	어린(나이가 적은)
:어엿·비(가엾게, 불쌍히)	어여삐(예쁘게)

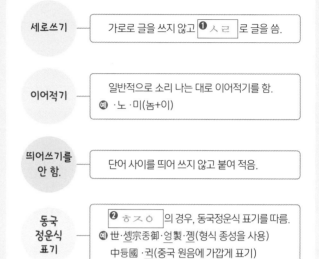

○ 〈세종어제훈민정음〉에 나타난 중세 국어의 문법상 특징

주격 조사	주격 조사로 '이'(자음 아래), 'ㅣ'('ㅣ' 밖의 모음 아래)가 쓰임. 주격 조사 '❶ ㄱ '는 아직 존재하지 않음. 예 :말쏘·미(말씀+이), ·홇 ·배(홇 바+ㅣ)
목적격 조사	목적격 조사는 모음 조화에 의해 '을/를', '올/롤'로 나타남. 예 ·뜨·들(뜯+을), ·쫑·롤(쫑+롤)
부사격 조사	비교 부사격 조사로 '❷ ㅇ '가 쓰임. 예 中듕國·귁·에 달·아(중국과 달라)
명사형 어미	명사형 어미로 주로 '-옴/-움'이 사용됨. 예 ·뿌·메(쓰-+-움+에)

답 ❶ 가 ❷ 에

---

01 중세 국어의 특징 ①

○ 〈세종어제훈민정음〉에 나타난 중세 국어의 표기상 특징

세로쓰기 ── 가로로 글을 쓰지 않고 ❶ ㅅㄹ 로 글을 씀.

이어적기 ── 일반적으로 소리 나는 대로 이어적기를 함.
예 ·노·미(놈+이)

띄어쓰기를 안 함. ── 단어 사이를 띄어 쓰지 않고 붙여 적음.

동국정운식 표기 ── ❷ ㅎㅈㅇ 의 경우, 동국정운식 표기를 따름.
예 世·솅宗종御·엉製·졩(형식 종성을 사용)
中듕國 ·귁(중국 원음에 가깝게 표기)

답 ❶ 세로 ❷ 한자어

---

04 피동 표현과 인용 표현

○ 인용 표현: 다른 사람의 말이나 글을 직접 또는 간접으로 옮긴 내용이 들어 있는 표현

직접 인용	• 다른 사람의 말이나 글을 그대로 옮기는 것 • 인용할 부분을 ❶ ㅋㄸㅇㅍ (" ")로 묶어서 그대로 옮긴 뒤, 조사 '라고'를 써서 표현함.
간접 인용	• 다른 사람의 말이나 글을 자신의 언어로 바꾸어 옮기는 것 • 인용할 부분을 자신의 표현으로 바꾸어 정리한 다음에, 조사 '❷ ㄱ '를 써서 표현함. 이때 대명사, 높임 표현, 문장 종결 표현 등을 상황에 맞게 적절히 바꾸어야 함.

'그는 "나는 몸이 아파."라고 말했다'는 직접 인용 표현이야.

'그는 자기가 몸이 아프다고 말했다.'는 간접 인용 표현이지.

답 ❶ 큰따옴표 ❷ 고

---

03 높임 표현과 시간 표현

○ 시간 표현: 시간을 나타내기 위한 언어 표현. ❶ ㅅㅈ 는 사건의 시간적 위치를 구분하여 표현하는 방법임.

종류	개념	실현 방법
과거 시제	*사건시가 *발화시보다 앞선 시제	• 선어말 어미 '-았-/-었-', '-았었-/-었었-', '-더-'를 사용함. • 관형사형 어미 '-(으)ㄴ', '-던'(동사), '-던'(형용사, 서술격 조사)을 사용함.
현재 시제	사건시와 발화시가 일치하는 시제	• 선어말 어미 '-는-/-ㄴ-'(동사), 기본형(형용사, 서술격 조사)을 사용함. • ❷ ㄱㅎㅅㅎ 어미 '-는'(동사), '-(으)ㄴ'(형용사, 서술격 조사)을 사용함.
미래 시제	사건시가 발화시보다 나중인 시제	• 선어말 어미 '-겠-'을 사용함.('-(으)ㄹ 것이-'로 표현하기도 함.) • 관형사형 어미 '-(으)ㄹ'을 사용함.

* 사건시 사건이 일어나는 시점.
* 발화시 말하는 시점.

답 ❶ 시제 ❷ 관형사형

자르는 선 ✂

[관련 단원] 9-(1) 토론과 논증

◎ 토론에서 하는 발언의 종류

입론
> 찬성 또는 반대 측에서 자기 측의 주장이 타당함을 논리적으로 ❶ ㅇㅈ 하는 말하기

반론
> 상대측 주장이 타당하지 않음을 증명하기 위해 근거의 불충분함, 부정확함, 부적절함, 이유와 근거의 비연관성 등을 지적하는 말하기

교차 신문
> 상대측이 입론에서 내세운 주장과 이유, 근거를 반박하기 위해 따져 묻는 말하기

◎ 논제의 종류

- 사실 논제: 사실의 진위를 다투는 논제
- 가치 논제: ❷ ㄱㅊㄱ 의 차이를 따지는 논제
- 정책 논제: 어떤 정책의 도입, 폐지, 개선 등 정책의 실행 여부와 실행 방안에 관한 논제

답 ❶ 입증 ❷ 가치관

[관련 단원] 9-(1) 토론과 논증

◎ 〈의약품 개발을 위한 동물 실험을 금지해야 하는가〉의 토론 과정 (1) – 찬성 측의 입론과 반대 측의 교차 신문

찬성 측 입론
- 동물 실험은 ❶ ㅂㅇㄹㅈ 이나.
- 동물 실험의 결과를 인간에게 그대로 적용할 수 없다.
- 동물 실험을 대체할 방안이 있으며 대체 실험은 동물 실험보다 이익이 크다.

↑

반대 측 ❷ ㄱㅊ ㅅㅁ
- 모든 동물 실험이 인간만을 위한 것인가?
- 대체 실험이 지금 당장 동물 실험을 대체할 수 있는가? 연구가 진행 중인 단계라면 동물 실험은 여전히 필요한 것 아닌가?

> '의약품 개발을 위한 동물 실험을 금지해야 한다.'를 논제로 하는 반대 신문식 토론을 옮긴 글이야.

답 ❶ 비윤리적 ❷ 교차 신문

[관련 단원] 9-(2) 협상과 갈등 해결

◎ 협상의 개념과 절차

협상은 개인이나 집단 사이에서 이익과 주장이 달라 갈등이 생길 때, 문제를 해결하기 위해 서로 ❶ ㅌㅎ 하고 조정하면서 해결 방법을 찾아가는 의사소통의 방식임.

시작 단계
> 갈등의 원인을 분석하고 문제 해결의 가능성을 확인함.

↓

조정 단계
> 문제를 확인하고 상대의 처지와 관점을 이해하며 제안이나 대안을 검토함.

↓

해결 단계
> 최선의 ❷ ㅎㄱㅊ 을 제시하고 문제를 해결하며, 합의한 바를 이행함.

> 협상은 상대방과 함께 해결 방안을 찾아가는 담화 유형이므로 듣거나 말할 때 그 과정을 점검·조정하면 더 효과적이야.

답 ❶ 타협 ❷ 해결책

[관련 단원] 9-(2) 협상과 갈등 해결

◎ 행복시와 문화시의 협상 과정 (2) – 조정 단계

- 문제 확인 및 양측의 처지와 관점 제시

행복시	문화시
• 행복시의 들꽃 축제의 ❶ ㄱㅇㅅ 이 훼손됨. • 행복시의 관광객이 감소함.	• 소재만 비슷할 뿐 세부 내용은 차이가 있음. • 접근성이 높아 관광객이 문화시로 오는 것임.

- 제안이나 대안 검토

행복시	문화시
• 풀꽃 축제의 내용을 다르게 할 것, 경제적 손실을 보전해 줄 것 • 들꽃 축제를 홍보해 줄 것 • 풀꽃 축제의 이름을 변경할 것	• 공동 사업을 추진하여 발생하는 ❷ ㅇㅇ 을 나눌 것 • 행복시의 축제 운영 정보를 제공해 줄 것

답 ❶ 고유성 ❷ 이익

○ 〈의약품 개발을 위한 동물 실험을 금지해야 하는가〉의 토론 과정 (2) – 반대 측의 입론과 찬성 측의 교차 신문

반대 측 입론

• 동물 실험은 윤리적으로 문제가 없다.
• 동물 실험이 인간에게 가져다주는 이익이 크다.
• 동물 실험은 다른 방법으로 ❶ ㄷㅊ 할 수 없다.

↑

찬성 측 교차 신문

• 동물에게는 ❷ ㅈㅇㅅ 이 없다고 생각하는가?
• 현 규정이 동물 실험 과정에서 일어나는 동물 학대를 완전히 예방한다고 생각하는가?
• 동물 실험의 결과를 완전히 신뢰할 수 있는가?

교차 신문 과정이 포함된 반대 신문식 토론은 논제의 다양한 쟁점을 충분히 살필 수 있다는 장점이 있어.

답 ❶ 대체 ❷ 존엄성

○ 정책 논제를 다루는 토론의 필수 쟁점

문제	문제의 심각성, 중요성, 시급성, 상황의 지속성 등에 관한 쟁점
해결 방안	제시된 방안의 문제 해결 가능성 및 실행 가능성에 관한 쟁점
효과와 이익	해결 방안에 따른 ❶ ㅎㄱ 및 개선 이익에 관한 쟁점

○ 논증의 구성

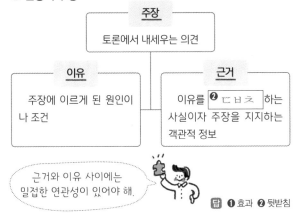

주장
토론에서 내세우는 의견

이유
주장에 이르게 된 원인이나 조건

근거
이유를 ❷ ㄷㅂㅊ 하는 사실이자 주장을 지지하는 객관적 정보

근거와 이유 사이에는 밀접한 연관성이 있어야 해.

답 ❶ 효과 ❷ 뒷받침

○ 행복시와 문화시의 협상 과정 (3) – 해결 단계

• 합의안 도출

• 문화시: 축제 내용 ❶ ㅊㅂㅎ, 축제 이름 변경, 행복시의 들꽃 축제 홍보
• 행복시: 들꽃 축제의 운영 정보 제공, 문화시 축제의 활성화를 위해 적극 협력
• 문화시, 행복시: ❷ ㄱㄷㅅㅇ 의 추진을 통한 이익 분배

↓

합의안을 이행함으로써 갈등을 해결함.

의사를 결정할 때에는 서로에게 가장 이익이 되는 최선의 대안을 선택하고, 구체적인 합의 이행 계획을 세우는 게 좋아.

답 ❶ 차별화 ❷ 공동 사업

○ 행복시와 문화시의 협상 과정 (1) – 시작 단계

• 협상의 시작

성격이 유사한 축제 때문에 ❶ ㅇㅎㄱㄱ 가 충돌하여 갈등이 발생함. → 문화시가 문제 해결을 위해 협상을 제안함.

• 행복시와 문화시의 입장

행복시	문화시
문화시가 풀꽃 축제를 ❷ ㅈㄷ 해야 함.	풀꽃 축제를 중단할 수 없음.

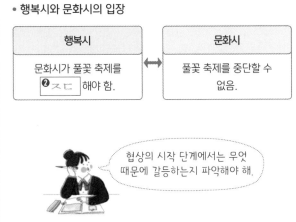

협상의 시작 단계에서는 무엇 때문에 갈등하는지 파악해야 해.

답 ❶ 이해관계 ❷ 중단

핵심정리 09 사회·문화적 가치의 이해와 평가

[관련 단원] 10-(1) 광야/신의 방, 10-(2) 황만근은 이렇게 말했다

◎ 문학 작품에 담긴 사회·문화적 가치

사회·문화적 가치
> **❶** `ㄱㄷㅊ` 차원에서 중요하게 여기는 대상이나 관념 ⓔ 양성 평등, 환경 보호
> → 시대, 지역, 문화 등에 따라 다름.

↓ 문학 작품에 반영

작품에 담긴 사회·문화적 가치
> 작가가 중시한 사회적 또는 공동체적 목표, 추구해야 할 대상 ⓔ 허균의 〈홍길동전〉에는 '신분 차별 철폐'라는 사회·문화적 가치가 담겨 있음.
> → 작품의 **❷** `ㅈㅈ ㅇㅅ` 과 연관됨.

> 〈춘향전〉에도
> 조선 후기 신분의 제약을 극복하려는
> 사회·문화적 가치가 담겨 있지!

답 ❶ 공동체 ❷ 주제 의식

핵심정리 10 〈광야〉 ①

[관련 단원] 10-(1) 광야/신의 방

◎ 시간의 흐름에 따른 시상 전개

| 과거 (1~3연) | '까마득한 날' | 광야의 탄생과 신성성, 역사와 문명의 시작 |

↓

| 현재 (4연) | '지금' | 암담한 상황과 현실 **❶** `ㄱㅂ` 의지 |

↓

| 미래 (5연) | **❷** `ㅊㄱㅇㄷ` | 미래에 대한 기대와 확신 |

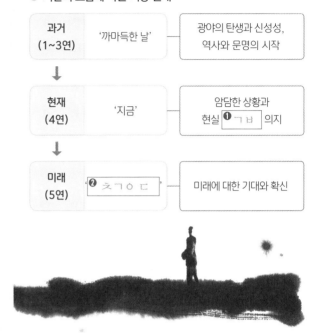

답 ❶ 극복 ❷ 천고의 뒤

핵심정리 11 〈광야〉 ②

[관련 단원] 10-(1) 광야/신의 방

◎ 시어 및 시구의 상징적 의미

❶ `ㄱㅇ`	우리 민족의 역사가 펼쳐지는 공간
눈	겨울. 고난과 시련의 상황이자 조국의 암담한 현실
매화 향기	절망적인 상황에서도 굴하지 않는 고매한 의지와 절개
가난한 노래의 씨	• 미래의 결실을 소망하며 씨를 뿌리는 자세 • 조국 광복과 민족의 이상 실현을 위한 자기희생적 헌신
백마 타고 오는 **❷** `ㅊㅇ`	조국의 암울한 현실을 극복하고 민족의 이상을 실현해 줄 지도자 또는 미래 역사의 주인공(후손)

답 ❶ 광야 ❷ 초인

핵심정리 12 〈신의 방〉

[관련 단원] 10-(1) 광야/신의 방

◎ 시의 구성

| 1연 | 통시 | 2연 |
| 인간의 **❶** `ㅂㅂ` 장소와 돼지우리가 함께 있는 공간 | 생명의 공간 | 지금은 사라졌지만 섬사람들에게 '신의 방'으로 여겨짐. |

◎ 시어의 대립적 의미

| 통시 | | **❷** `ㅂㅅ` |
| • 생명의 순환이 일어나는 곳
• 인간과 자연의 조화 | ↔ | • 문명국의 지표
• 인간과 자연의 분리 |

답 ❶ 배변 ❷ 변소

10 〈광야〉 ①

○ 주요 시구에 사용된 표현 방법

시구	표현 방법
어데 닭 우는 소리 들렸으랴	들리지 않았을 것이라는 의미를 **❶ ㅅㅇㅈ**으로 표현함.
모든 산맥들이 / 바다를 연모해 휘달릴 때도	• 산맥의 형성 과정을 의인화하여 표현함. • **❷ ㅇㄷㅈ** 이미지
내 여기 가난한 노래의 씨를 뿌려라	명령형 종결 어미(-어라)의 사용으로 단호한 의지를 드러냄.

답 ❶ 설의적 ❷ 역동적

---

09 사회·문화적 가치의 이해와 평가

○ 사회·문화적 가치의 주체적 평가

- 문학 작품에는 무엇을 가치 있게 바라볼 것인지, 가치의 대상을 어떻게 바라볼지에 관한 작가의 생각이 담겨 있음.
- 독자가 작품을 수용할 때에는 **❶ ㅈㄱ**의 생각을 그대로 받아들이기보다는 자신의 가치관에 따라 작품을 해석하고 평가할 수 있어야 함.

문학 작품

작가	독자
• 무엇을 **❷ ㄱㅊ** 있게 여기는가? • 대상 또는 상황을 어떻게 바라보는가?	나의 가치관에 비추어 봤을 때 작품을 어떻게 이해하고 해석하는가?

답 ❶ 작가 ❷ 가치

---

12 〈신의 방〉

○ 〈신의 방〉에 담긴 사회·문화적 가치

- 음식물 찌꺼기, 설거지물
- 인간의 배설물

돼지

생명의 순환을 보여 주는 '통시'

인간의 식량

돼지의 배설물

보리밭 **❶ ㄱㄹ**

보리

↓

인간과 자연이 공존하는 **❷ ㅅㅌㅈ** 삶의 추구

답 ❶ 거름 ❷ 생태적

---

11 〈광야〉 ②

○ 〈광야〉에 담긴 사회·문화적 가치

시적 상황	시적 화자의 태도
'지금 **❶ ㄴ** 나리고' → 민족이 처해 있는 고난과 절망의 상황	'가난한 노래의 씨'를 뿌리겠다. '초인'으로 하여금 '목 놓아 부르게' 하겠다. → 현실을 극복하려는 **❷ ㅇㅈㅈ** 태도와 자기희생적 태도

민족, 민족의 독립

답 ❶ 눈 ❷ 의지적

자르는 선

[관련 단원] 10-(2) 황만근은 이렇게 말했다

◉ 전(傳)의 형식

'❶ ㅈ (傳)'이란?
어떤 사람의 독특한 행적을 기록하고,
교훈적인 내용이나 비판을 덧붙인 글

↓

황만근의 생애를 기록한 앞부분과, 민 씨의 평가를 덧붙인 뒷부분으로 구성됨. → 전(傳)의 형식과 유사함.

◉ 작품의 서술상·표현상 특징

- 주인공 황만근의 실종 사실을 알리는 것으로 시작해 독자의 호기심을 자극함.
- ❷ ㅅㅌㄹ 와 비속어를 사용하여 현장감과 사실감을 살림.
- 인물의 우스꽝스러운 언행을 통해 해학성을 드러냄.

답 ❶ 전 ❷ 사투리

[관련 단원] 10-(2) 황만근은 이렇게 말했다

◉ 등장인물의 특징과 관계

황만근		마을 사람들
• 모자라지만 이타적이고 ❶ ㅎㅅㅈ 인 인물 • 배려심이 있고 공평무사함. • 경운기를 끌고 나갔다가 돌아오지 못하고 사망함.	vs	• 이기적이고 타산적인 인물들 • 마을의 궂은일을 도맡았던 황만근의 부재를 아쉬워함. • 이장은 황만근의 실종에 대한 책임을 회피함.

가치를   비판적
인정함. ↖   ↗ 태도를 취함.

❷ ㅁ 씨

- 귀농한 외지인으로, 황만근의 행적을 기록함.
- 황만근의 진실성을 알아봄.
- 황만근이 죽자 묘비명을 씀.

답 ❶ 헌신적 ❷ 민 씨

[관련 단원] 10-(3) 경험과 성찰을 담은 글 쓰기

◉ 성찰하는 글의 개념: 자신의 삶과 ❶ ㄱㅎ 을 되돌아보고 살피며 쓰는 글

◉ 성찰하는 글의 종류: ❷ ㅅㅍ , 감상문, 회고문 등

◉ 성찰하는 글쓰기의 효용

평소 인식하지 못했던 자신의 모습이나 내면을 발견할 수 있음.	주변을 돌아보거나, 자신의 경험을 객관적으로 평가하는 계기가 됨.	건강한 자아를 형성하는 데 도움이 됨.

'성찰(省察)'은 '자기의 마음을 반성하고 살핌.'이라는 뜻이야.

답 ❶ 경험 ❷ 수필

[관련 단원] 10-(3) 경험과 성찰을 담은 글 쓰기

◉ 경험에 따른 글쓴이의 정서 변화

속상함	고양이가 쓰레기봉투를 헤집어 놔서 속상함.

↓

재미	고양이에게 줄 먹이를 놓아 주며 고양이를 돌보는 일에 재미를 느낌.

↓

❶ ㄱㅌ	새끼를 거느린 어미 고양이에게 아름다움을 느끼고 감탄함.

↓

기쁨, 감동	고양이 가족의 나들이가 자신에 대한 감사와 친애의 표시라고 생각하며 기쁨과 감동을 느낌.

↓

놀라움, 공포	순식간에 ❷ ㄱㄱ 태세를 보이는 고양이 때문에 소스라치게 놀람.

답 ❶ 감탄 ❷ 공격

14 〈황만근은 이렇게 말했다〉②

○ 〈황만근은 이렇게 말했다〉에 담긴 사회·문화적 가치

시대 상황	황만근
• 이기적이고 각박해진 인간관계 • 농가 부채 문제가 심각함.	• 이타적이고 근면·성실함. • 농사꾼은 ❶ㅂ 을 지면 안 된다는 소신을 가짐.

• 공동체에 대한 봉사
• 이타적인 삶의 자세
• 부채 없이 성실한 노동으로 ❷ㅈㄹ 하는 삶의 가치

답 ❶빚 ❷자립

---

13 〈황만근은 이렇게 말했다〉①

○ '묘비명'에 담긴 황만근에 대한 평가

어리석게 태어났으나 후년에는 그 누구보다도 ❶ㅈㅎ 로웠던 사람	그 누구에게도 해를 끼치지 않았고, 함부로 가르치려 들지 않았던 사람

"하늘이 내고
땅이 일으켜 세운 사람"

부지런하고 ❷ㄱㅁ 하였으며, 어려움을 나누고 공을 남에게 돌렸던 사람	어머니를 극진하게 모신 효자이자, 아들에게는 따뜻하고 이해심 많은 아버지

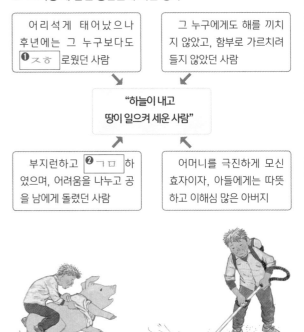

답 ❶지혜 ❷근면

---

16 〈오해〉

○ 글쓴이가 오해를 깨닫는 과정

사건의 배경
고양이에게 먹이를 놓아 주며 고양이를 길들였다고 생각함.

↓

반전의 상황
고양이 가족에게 다가갔다가 날카로운 ❶ㅈㅇ 에 놀람.

↓

깨달음
그동안 고양이에 대한 자신의 생각이 ❷ㅇㅎ 였음을 깨달음.

답 ❶적의 ❷오해

---

15 경험과 성찰을 담은 글 쓰기

○ 경험과 성찰을 담은 글 쓰기의 과정

글감 정하기	자신에게 특별한 의미가 있거나 ❶ㄲㄷㅇ 을 얻었던 경험 떠올리기

↓

내용 생성하기	• 떠올린 경험과 관련한 구체적 내용과 그때 느낀 감정 정리하기 • 경험을 통해 얻은 깨달음 정리하기

↓

내용 조직하기	생성한 내용을 짜임새 있게 배열하기

↓

표현하기	• 경험과 깨달음이 잘 드러나도록 표현하기 • 자신의 ❷ㄱㅈ 을 진솔하게 표현하기

↓

고쳐쓰기	쓰기 맥락을 고려하여 내용을 살펴보고 부적절한 부분 고쳐 쓰기

답 ❶깨달음 ❷감정

국어 고수의 지혜가 담긴 기본서

100인의 지혜

[문학 / 문법·화작 / 독서]

고등 국어의 왕도

교수, 교사, 유명 강사, 교과서 집필진 등
전국 국어 전문가 100명이 뭉쳤다!
초호화 라인업의 야심찬 국어 기본서

1등급의 변별력

내신&수능에 모두 통하는 개념과
명강사의 꿀Tip, 필수 기출문제로
불수능에도 끄떡 없는 국어의 자신감

세트 구매 혜택

세트 구매자들을 위한 스페셜 에디션
〈국어 필수 개념노트〉로 핵심만!
내신&수능 시험 전 마무리로 제격

국어 명강사
100인의 지혜를 담다!
고1~2 (문학/문법·화작/독서)

book.chunjae.co.kr

교재 내용 문의	……………………	교재 홈페이지 ▶ 고등 ▶ 교재상담
교재 내용 외 문의	……………………	교재 홈페이지 ▶ 고객센터 ▶ 1:1문의
발간 후 발견되는 오류	…………………	교재 홈페이지 ▶ 고등 ▶ 학습지원 ▶ 학습자료실